C0-AOF-870

MITTELLATEINISCHES WÖRTERBUCH

BIS ZUM AUSGEHENDEN 13. JAHRHUNDERT

Begründet von Paul LEHMANN und Johannes STROUX

In Gemeinschaft mit

den Akademien der Wissenschaften zu Göttingen, Heidelberg, Leipzig, Mainz, Wien

und der Schweizerischen Akademie der Geistes- und Sozialwissenschaften

herausgegeben

von der

Bayerischen Akademie der Wissenschaften

und der

Berlin-Brandenburgischen Akademie der Wissenschaften

Abkürzungs- und Quellenverzeichnisse

2. verbesserte und erweiterte Auflage

C. H. BECK'SCHE VERLAGSBUCHHANDLUNG

MÜNCHEN 1996

Das Mittellateinische Wörterbuch ist ein Unternehmen im Rahmen der Union Académique Internationale.

Vorstand der Kommission:
Helmut GNEUSS

Redaktion:
Peter DINTER

Anschriften:

Arbeitsstelle bei der Bayerischen Akademie der Wissenschaften:
Marstallplatz 8, 80539 München

Arbeitsstelle bei der Berlin-Brandenburgischen Akademie der Wissenschaften:
Jägerstraße 22/23, 10117 Berlin

Die Deutsche Bibliothek – CIP-Einheitsaufnahme

Mittellateinisches Wörterbuch bis zum ausgehenden 13. Jahrhundert / in Gemeinschaft mit den Akademien der Wissenschaften zu Göttingen, Heidelberg, Leipzig, Mainz, Wien und der Schweizerischen Akademie der Geistes- und Sozialwissenschaften hrsg. von der Bayerischen Akademie der Wissenschaften und der Berlin-Brandenburgischen Akademie der Wissenschaften. Begr. von Paul Lehmann und Johannes Stroux. [Red.: Peter Dinter]. – München : Beck.
Teilw. hrsg. von der Dt. Akad. der Wiss. zu Berlin. – Teilw. red. von Otto Prinz
NE: Lehmann, Paul [Begr.]; Dinter, Peter [Red.]; Prinz, Otto [Red.]; Bayerische Akademie der Wissenschaften <München>; Berlin-Brandenburgische Akademie der Wissenschaften <Berlin>
Abkürzungs- und Quellenverz. – (2., verb. und erw. Aufl.) – 1996
ISBN 3 406 41293 9

ISBN 3 406 41293 9

2. verbesserte und erweiterte Auflage.

Satz: F.-J. Konstanciak
Druck der C. H. Beck'schen Buchdruckerei Nördlingen
Gedruckt auf säurefreiem, aus chlorfrei gebleichtem Zellstoff hergestelltem Papier
Printed in Germany

MITTELLATEINISCHES WÖRTERBUCH

BIS ZUM AUSGEHENDEN 13. JAHRHUNDERT

Begründet von Paul LEHMANN und Johannes STROUX

In Gemeinschaft mit
den Akademien der Wissenschaften zu Göttingen, Heidelberg, Leipzig, Mainz, Wien
und der Schweizerischen Akademie der Geistes- und Sozialwissenschaften
herausgegeben
von der
Bayerischen Akademie der Wissenschaften
und der
Berlin-Brandenburgischen Akademie der Wissenschaften

Abkürzungs- und Quellenverzeichnisse

2. verbesserte und erweiterte Auflage

C. H. BECK'SCHE VERLAGSBUCHHANDLUNG
MÜNCHEN 1996

Das Mittellateinische Wörterbuch ist ein Unternehmen im Rahmen der Union Académique Internationale.

Vorstand der Kommission:
Helmut GNEUSS

Redaktion:
Peter DINTER

Anschriften:

Arbeitsstelle bei der Bayerischen Akademie der Wissenschaften:
Marstallplatz 8, 80539 München

Arbeitsstelle bei der Berlin-Brandenburgischen Akademie der Wissenschaften:
Jägerstraße 22/23, 10117 Berlin

Die Deutsche Bibliothek – CIP-Einheitsaufnahme

Mittellateinisches Wörterbuch bis zum ausgehenden 13. Jahrhundert / in Gemeinschaft mit den Akademien der Wissenschaften zu Göttingen, Heidelberg, Leipzig, Mainz, Wien und der Schweizerischen Akademie der Geistes- und Sozialwissenschaften hrsg. von der Bayerischen Akademie der Wissenschaften und der Berlin-Brandenburgischen Akademie der Wissenschaften. Begr. von Paul Lehmann und Johannes Stroux. [Red.: Peter Dinter]. – München : Beck.
Teilw. hrsg. von der Dt. Akad. der Wiss. zu Berlin. –
Teilw. red. von Otto Prinz
NE: Lehmann, Paul [Begr.]; Dinter, Peter [Red.];
Prinz, Otto [Red.]; Bayerische Akademie der Wissenschaften <München>; Berlin-Brandenburgische Akademie der Wissenschaften; Deutsche Akademie der Wissenschaften <Berlin, Ost>
Abkürzungs- und Quellenverz. – (2., verb. und erw. Aufl.) –
1996
ISBN 3 406 41293 9

ISBN 3 406 41293 9

Satz: F.-J. Konstanciak unter Verwendung von WINWORD
Druck der C. H. Beck'schen Buchdruckerei Nördlingen
Gedruckt auf säurefreiem, aus chlorfrei gebleichtem
Zellstoff hergestelltem Papier
Printed in Germany

Vorwort zur ersten Auflage von 1959

Während das erste, allgemeine und grammatische Abkürzungen enthaltende Verzeichnis keiner besonderen Bemerkungen bedarf, ist zu dem zweiten folgendes zu sagen:

Die angeführten Abkürzungen dienen außer zu literarischen Hinweisen auch zum Zitieren kleinerer, in das Quellenverzeichnis nicht aufgenommener Werke. Hierbei wird so verfahren, daß der Autor und das Werk bzw. die Sammlung nach der üblichen Praxis abgekürzt werden, und daß dann in Klammern Näheres über die Edition angegeben wird.[1] Was die Abkürzungen für Zeitschriften und Reihen betrifft, so haben diese paradigmatischen Charakter, d. h. das System kann auch für weitere ähnliche Fälle Anwendung finden.

Die Materialbasis des Mittellateinischen Wörterbuches ist aus dem über 400 Autoren und rund 1750 Werke oder Sammlungen umfassenden Quellenverzeichnis zu ersehen. Um dieses nicht zu sehr anschwellen zu lassen, mußte der ursprüngliche Plan, das gesamte bearbeitete Schrifttum darin anzuführen, aufgegeben werden. So wurden etwa 1250 literarische Werke, kleinere Sammlungen u. ä. mit geringem lexikalischen Ertrag aus der Liste ausgeschlossen. Ihre Zitierweise ist so gehalten, daß sie, nötigenfalls unter Zuhilfehahme der zweiten Abkürzungsliste, verständlich ist. Dieses Moment hat im Verein mit der Schwierigkeit einer strikten Abgrenzung des Stoffbereiches mit sich gebracht, daß das Quellenverzeichnis nur in beschränktem Umfang die Funktion eines Repertoriums für mittellateinisches Schrifttum erfüllen kann. Um auf Lücken dieser Art wenigstens hinzuweisen, werden zwei Zeichen verwendet: das einem abgekürzten Autorennamen oder Sammelbegriff in der zweiten Kolumne vorausgesetzte Kreuz (+) besagt, daß das Verzeichnis nicht alle im Wörterbuch erfaßten Werke des Verfassers oder der Gruppe enthält, während durch eine kleine Null (°) darauf aufmerksam gemacht wird, daß nicht alle edierten Werke des betreffenden Autors im Wörterbuch berücksichtigt sind.

Das vierspaltig angelegte Quellenverzeichnis gibt in der ersten Kolumne die Lebensdaten von Autoren sowie die Abfassungszeit von Einzelwerken an. Bei Sammlungen wird die Zeitspanne zwischen den extremsten Stücken unter Einhaltung der unteren Zeitgrenze des Mittellateinischen Wörterbuches (1280) verzeichnet, bei Herrscherdiplomen der Spielraum der Ausstellung echter Stücke.

Die Siglen in der zweiten Kolumne sind nach der Praxis des Thesaurus linguae Latinae durchweg lateinisch gefaßt, meist so, daß sie aus sich heraus verständlich sind und nicht in jedem Fall eine Konsultation der Liste erfordern. In der aphabetischen Reihenfolge gelten ebenso wie im Wörterbuch 'i' und 'j', 'u' und 'v' als ein Buchstabe. Außerhalb des Wörterbuchbereiches liegende Autoren und Werke werden nach dem gleichen System gekürzt angeführt, doch zur Unterscheidung in Kursivdruck. Bei geographischen Begriffen wurde im Interesse der Deutlichkeit von einer zu weit gehenden Latinisierung abgesehen, wie auch orthographisch fluktuierende Personennamen möglichst uniformiert sind.

Die dritte Kolumne enthält die Auflösung der Siglen, bei Autoren auch biographische Hinweise in knappester Form.

Die Angabe der Editionen in der vierten Kolumne beschränkt sich in der Regel auf die bei der Materialsammlung verwendeten, nach denen auch im Wörterbuch zitiert wird. Bei der Auswahl hat neben der Qualität bisweilen auch das Moment der leichteren Zugänglichkeit mitgesprochen. In eckige Klammern sind Ausgaben dann gesetzt worden, wenn ihre Erwähnung als zweckmäßig erschien, aber die Zitate nicht auf sie eingestellt sind. Liegt neben einer vollständigen eine dieser gegenüber verbesserte partielle Ausgabe mit abweichender Kapiteleinteilung vor, so wird bei doppelt ediertem Text die Kapitelzählung der Teiledi-

[1] Beispiele: ALCUIN. Ved. 9 (MGMer. III p. 425,3) - CARM. lyr. 7,3 (NArch. 50 p. 583) - CHART. Pfedd. 49 (ed. Bonin, UB Pfeddersheim p. 25,30) - DIPL. Conr. III. (MIÖG 41 p. 92,42) - HUGO epist. 10 (ed. Stegmüller, Mél. de Ghellinck p. 744,20) - OTTO BAMB. epist. (Bibl. rer. Germ. V p. 611,9) - TRAD. Windb. 35 (VerhHistVerNiederbay. 23 p. 156,27) - TRANSL. Bernw. 34 (ASBoll. Oct. XI p. 1033^{F}). - Die ganz wenigen aus Handschriften gewonnenen Exzerpte, die aus demnächst zu edierenden Texten herrühren, werden in ähnlicher Weise zitiert, z. B. CARM. cod. Paris. 16668 f. 2^{v}.

tion in Klammern zugesetzt, sofern nicht nach dieser allein zitiert wird. Berichtigungen und Ergänzungen zu den Ausgaben sind nur dann in dem Quellenverzeichnis vermerkt worden, wenn sie von besonderer Bedeutung sind.

Soweit eine nach Büchern und Kapiteln, in der Annalistik nach Jahren und bei Sammlungen nach Nummern zählende Einteilung vorliegt, so wird dieser grundsätzlich der Vorrang vor der Seiten- und Zeilenzählung eingeräumt. Nicht selten müssen zur Erleichterung des Auffindens beide Zitierformen vereinigt werden.

Für wertvolle Beiträge zum Quellenverzeichnis ist die Redaktion den Herren Professoren B. Bischoff und P. Acht zu großem Dank verpflichtet.

OTTO PRINZ

Vorwort zur zweiten Auflage

An der Grundkonzeption, den Konventionen und der äußeren Form der ersten Auflage wurde festgehalten, doch sind kleinere Abweichungen im Quellenverzeichnis hervorzuheben:

In der zweiten Spalte wurde auf die Kennzeichnung der eingeschränkten Titelaufnahme durch ein Kreuz (+) bzw. durch eine Null (°) angesichts der ständig wachsenden Materialbasis verzichtet. Tilgungen gegenüber der ersten Auflage erscheinen in eckigen Klammern.[1]

Für die vierte Spalte gilt jetzt: Werden mehrere Ausgaben für denselben Text angeführt, so ist die Zitierweise in den Artikeln auf die zuerst genannte Edition eingestellt; das Ausweichen auf eine andere wird angezeigt.[2] Nachdrucke sind, abgesehen von wenigen Sonderfällen, nicht ausgewiesen. Jüngere Editionen, die die bisher verwendeten nicht ersetzen, sondern nur geringfügige Korrekturen beisteuern, bleiben unerwähnt, werden aber konsultiert und, wenn nötig, im Artikel mit Editionsangabe zitiert.[3] Neueditionen kleinerer Partien von bisher zitierten Texten fanden Aufnahme im Verzeichnis, wenn oft auf sie ausgewichen werden muß. Eckige Klammern umschließen nunmehr auch diejenigen Editionen, nach denen von der 21. Lieferung an nicht mehr zitiert wird.

Zum Abkürzungsverzeichnis ist zu bemerken, daß nicht alle verfügbaren bzw. bekannten Hilfsmittel aufscheinen, die bei der Artikelarbeit verwendet werden.

Seit dem Erscheinen der ersten Auflage vor mehr als 35 Jahren haben viele Hände das für die Artikelarbeit verbindliche "Normal-Exemplar" in der Münchener Arbeitsstelle durch Hinweise und Berichtigungen bereichert. Ihre Vorarbeit ist ebenso dankbar zu vermerken, wie die vielfältige Unterstützung in der Überarbeitungsphase durch Kollegen und Außenstehende. Die Beiträge der Berliner Arbeitsstelle - hier hat sich vor allem Herr M. LAWO des Quellenverzeichnisses angenommen - waren eine wesentliche Hilfe. Herzlichen Dank allen, die die Aktualisierung der Abkürzungs- und Quellenverzeichnisse gefördert und begleitet haben!

F.-J. KONSTANCIAK

---

[1] Umbenennungen von Siglen in dieser Spalte werden durch Verweise erfaßt; ohne Verweise bleiben Normalisierungen, die sich selbst erklären (z. B. GISLEB. ELN. zu GISLEB. ELNON., Ierus. und Hier. zu Hieros., TRANSL. Modo. zu TRANSL. Mod.).

[2] Z. B. CARM. de Karolo et Leone 11 (ed. Brunhölzl).

[3] Gleiches gilt für Nachdrucke älterer Monumenta-Ausgaben mit Korrekturen.

Allgemeine und grammatische Abkürzungen

a. ann(us)
a. corr. ante correctionem
abbr. abbrevatio
abl. ablativ(us)
absol. absolut(us), -e
abstr. abstract(us), -e
abund. abundanter
acc. accusativ(us)
act. activ(um), -e
add. addend(um)
adi. adiectiv(um)
adn. adnotatio
adv. adverbi(um)
al. ali(us), -as
alch. alchimic(us), -e
alleg. allegoric(us), -e
anat. anatomic(us), -e
anglosax. anglosaxonic(us), -e
anim. animan(s)
app. appendi(x)
app. crit. apparat(us) critic(us)
appos. appositio
arab. arabic(us), -e
archit. architectonic(us), -e
assim. assimilatio
astrol. astrologic(us), -e
astron. astronomic(us), -e
attrib. attributiv(us), -e
auct. auctarium
bibl. biblic(us), -e
bot. botanic(us), -e
c. circa, cum
canon. canonic(us), -e
catal. catalanic(us), -e
cett. ceteri
cf(t). confer(t)
chirurg. chirurgic(us), -e
ci. coniec(it)
cod., codd. codex, codic(es)
comm. commentari(us)
compar. comparatio, -ativ(us)
compos. composit(um)
comput. computistic(us), -e
concr. concret(us), -e
coni. coniunctio, coniunctiv(us)
cons. consonan(s)
consec. consecutiv(us), -e
contam. contaminatio, -at(us)
corpor. corporal(is), -iter
corr. correx(it)
corrupt. corrupt(us). -e
dat. dativ(us)
decl. declinatio
def. definitio
depon. deponen(s)
dissim. dissimilatio
dub. dubi(us)
dupl. dupl(ex)
e. g. exempli gratia
eccl. ecclesiastic(us), -e
ed. editio, -tor, edid(it)
ellipt. elliptice
enunt. enuntiat(um)
epith. epithet(on)
eqs. et quae sequuntur
eth. ethic(us), -e
ex. exeunte
f., fem. feminin(us)
f. folium
fin. final(is), -iter
form. form(a)
fort. fortasse
franc. francic(us), -e (fränkisch)
francog. francogallic(us), -e (französisch)
fut. futur(um)
gall. gallic(us), -e
gen. genetiv(us)
gener. general(is), -iter
geom. geometric(us), -e
germ. germanic(us), -e
gerund. gerundi(um), gerundiv(um)
gloss. gloss(a)
gr. graec(us), -e
gramm. grammatic(us), -e
hebr. hebraic(us), -e
heterocl. heteroclitic(us), -e
hexam. hexamet(er)
hibern. hibernic(us), -e
hisp. hispanic(us), -e
i. idem
i. e. id est
i. q. idem quod
ibid. ibidem
imper. imperativ(us)
imperf. imperfect(um)
impers. impersonal(is), -iter
in. ineunte
inc. incert(us)
incorpor. incorporal(is), -iter
ind. index
indecl. indeclinabil(is), -iter
indic. indicativ(us)
inf. infinitiv(us)
interi. interiectio
interp. interpolatio, -at(us)
interpr. interpretatio, -a(tur)

interr. indir.	interrogatio indirecta
intrans.	intransitiv(us), -e
iron.	ironice
ital.	italic(us), -e
iur.	iuridic(us), -e
l.	linea
l. c.	loc(us) citat(us)
lat.	latin(us), -e
leg.	leg(it), legend(um)
liturg.	liturgic(us), -e
local.	local(is), -iter
locut.	locutio
log.	logic(us), -e
m., masc.	masculin(us)
m.[1]	manus prima
math.	mathematic(us), -e
med.	medi(us)
medial.	medialiter
medic.	medicinal(is), -iter
mediopass.	mediopassiv(us), -e
metaph.	metaphorice
meton.	metonymice
metr.	metric(us), -e
milit.	militar(is), -iter
mus.	music(us), -e
n., neutr.	neut(er)
natur.	natural(is), -iter
negat.	negatio, -ativ(us), -e
nom.	nominativ(us)
nom. propr.	nomen proprium
nr.	numer(us)
numer.	(nomen) numerale
obi.	obiect(um), -iv(us)
om.	omis(it)
op. cit.	op(us) citat(um)
opp.	opposit(um)
orig.	origo
p.	pagin(a)
p. corr.	post correctionem
partic.	participi(um)
pass.	passiv(um), -e
perf.	perfect(um)
person.	personal(is), -iter
pharm.	pharmaceutic(us), -e
philos.	philosophic(us), -e
pl., plur.	plural(is)
plusq.	plusquamperfect(um)
port.	portugallic(us), -e
posit.	positio (verborum)
poss.	possessiv(us), -e
praed.	praedicativ(us), -e
praep.	praepositio
praes.	praesen(s)
priv.	privat(us), -e
pron.	pronomen
prosop.	prosopopoeia
prov.	provincial(is), -iter (provenzalisch)
proverb.	proverbialiter
publ.	public(us), -e
q. d.	qui (quae, quod) dicitur
r	recto
raet.	raetic(us), -e
ras.	rasura
rec.	recensio
recomp.	recompositio
refl.	reflexiv(us), -e
rel.	relativ(us), -e
rhet.	rhetoric(us), -e
rhythm..	rhythmic(us), -e
s.	saecul(um), sanct(us)
s. v.	sub voce
saec.	saecular(is), -iter
sard.	sard(us), -e
sc.	scilicet
schol.	scholi(um)
script.	scriptur(a)
seq.	sequitur
sg., sing.	singular(is)
signif.	significatio
sim.	simil(is), -iter
spec.	special(is), -iter
spirit.	spiritual(is), -iter
spur.	spuri(us)
sq., sqq.	sequen(s), sequent(es)
struct.	structur(a)
subi.	subiect(um), -iv(us)
subst.	substantiv(um)
superl.	superlativ(us)
suppl.	supplementum, supplev(it)
syn.	synonym(um)
t. t.	terminus technicus
techn.	technice
temp.	temporal(is), -iter
theod.	theodisc(us), -e
theol.	theologic(us), -e
trad.	traditur
trans.	transitiv(us), -e
typogr.	typographic(us)
v	verso
v.	vide
val.	valachic(us), -e (rumänisch)
var. l.	varia(e) lectio(nes)
vet.	vet(us)
vid.	videtur
vocal.	vocal(is)
vocat.	vocativ(us)
vs.	vers(us)
zool.	zoologic(us), -e

Abkürzungen der häufiger zitierten Werke

AbhBerl.	Abhandlungen der phil.-hist. Klasse der Akademien der Wissenschaften in Berlin (Göttingen, Heidelberg, Leipzig, Mainz, München, Wien)
Ahd. GlWb.	Althochdeutsches Glossenwörterbuch, hrg. von J. C. Wells. 1990
Ahd. Wb.	Althochdeutsches Wörterbuch, im Auftrag der Sächsischen Akademie der Wissenschaften, hrg. von E. Karg-Gasterstädt und Th. Frings. 1952 ff.
ALMA	Archivum Latinitatis medii aevi (Bulletin Du Cange). 1924 ff.
AltdtBl.	Altdeutsche Blätter, hrg. von M. Haupt und H. Hoffmann. 1835-40
AnalBoll.	Analecta Bollandiana. 1882 ff.
AnalSOrdCist.	Analecta Sacri Ordinis Cisterciensis. 1945-64
AnalHymn.	Analecta Hymnica, ed. G. Dreves et C. Blume. 1886-1922
AnalPraem.	Analecta Praemonstratensia. 1925 ff.
André, Lex. bot.	J. André, Lexique des termes de botanique en latin (Études et Commentaires XXIII). 1956
André, Plantes	J. André, Les noms de plantes dans la Rome antique. 1985
AnzDtMA	Anzeiger für Kunde des deutschen Mittelalters, hrg. von Frh. v. Aufseß. 1832-34; später:
AnzDtVorz.	Anzeiger zur Kunde der deutschen Vorzeit. 1835-83
AnzGött.	Göttingische Gelehrte Anzeigen. 1739 ff.
Arab. Wb.	Wörterbuch der klassischen arabischen Sprache, hrg. durch die Deutsche Morgenländische Gesellschaft. 1957 ff.
Arch.	Archiv der Gesellschaft für ältere deutsche Geschichtskunde. 1820-74
ArchDipl.	Archiv für Diplomatik, Schriftgeschichte, Siegel- und Wappenkunde. 1955 ff.
ArchElsKirchGesch.	Archiv für elsässische Kirchengeschichte (seit 1946: Archives de l'église d'Alsace). 1926 ff.
ArchGeschMed.	Archiv für Geschichte der Medizin (seit 1929: Sudhoffs Archiv ...; s. dort). 1907 ff.
ArchGeschNat. (ArchGeschMath.)	Archiv für Geschichte der Naturwissenschaften und der Technik (1927-31: der Mathematik, der Naturwissenschaften und der Technik). 1908-31
ArchGeschNiederrh.	Archiv für die Geschichte des Niederrheins. 1832-70
ArchHistDoctrLitt.	Archives d'histoire doctrinale et littéraire du moyen âge. 1926 ff.
ArchHistPont.	Archivum historiae Pontificiae. 1963 ff.
ArchLatLex.	Archiv für lateinische Lexicographie und Grammatik mit Einschluß des älteren Mittellateins, hrg. von E. v. Wölfflin. 1884-1907
ArchLiturgWiss.	Archiv für Liturgiewissenschaft. 1950 ff.
ArchMittelrhKirchGesch.	Archiv für mittelrheinische Kirchengeschichte. 1949 ff.
ArchMusWiss.	Archiv für Musikwissenschaft. 1918-26. 1952 ff.
ArchÖstGesch(Quell).	Archiv zur Kunde österreichischer Geschichtsquellen (seit 1865: Archiv für österreichische Geschichte). 1848 ff.
ArchStudNeuSprach.	Archiv für das Studium der neueren Sprachen und Literaturen. 1846 ff.
ArchUrkForsch.	Archiv für Urkundenforschung. 1908-44
ArchZ.	Archivalische Zeitschrift. 1876 ff.
ASBen.	Acta Sanctorum ordinis s. Benedicti, ed. J. Mabillon. ^{2}1733-40
ASBoll.	Acta Sanctorum ..., ed. J. Bollandus (et alii). 1643 ff. ^{3}1863 ff.
Battisti-Alessio, Diz. etim. ital.	C. Battisti, G. Alessio, Dizionario etimologico italiano. 1950-57
Battaglia, Dizionario	S. Battaglia, Grande Dizionario della lingua italiana. 1961 ff.
Bibl. rer. Germ.	Bibliotheca rerum Germanicarum, ed. P. Jaffé. I-VI. 1864-73
BonnJb.	Bonner Jahrbücher (Jahrbücher des Vereins von Altertumsfreunden im Rheinlande). 1842 ff.
Bresslau, Urkundenlehre	H. Bresslau, Handbuch der Urkundenlehre für Deutschland und Italien. ^{2}1912-31
Brunner, Rechtsgesch.	H. Brunner, Deutsche Rechtsgeschichte (Bindings Systematisches Handbuch der deutschen Rechtswissenschaft II 1). ^{2}I. 1906. ^{2}II (hrg. von Frh. v. Schwerin). 1928
BullThéol.	Bulletin de théologie ancienne et médiévale. 1929 ff.
CC Cont. Med.	Corpus Christianorum. Continuatio Mediaevalis. 1966 ff.
CC Ser. Lat.	Corpus Christianorum. Series Latina. 1953 ff.

Cod. dipl. Sax.	Codex diplomaticus Saxoniae regiae. 1864 ff.
Corominas, Dicc. etim. castell.	J. Corominas, Diccionario crítico etimológico de la lengua castellana. 1954. [2]1987-91
Corp. Consuet. Monast.	Corpus Consuetudinum Monasticarum. 1963 ff.
Corp. script. de musica	Corpus scriptorum de musica. 1950 ff.
Der Geschichtsfreund	Der Geschichtsfreund: Mitteilungen d. Historischen Vereins der fünf Orte Luzern, Uri, Schwyz, Unterwalden und Zug. 1843 ff.
Diefenbach, Gloss.	L. Diefenbach, Glossarium Latino-Germanicum mediae et infimae aetatis. 1857
Diefenbach, Novum Gloss.	L. Diefenbach Novum Glosssarium Latino-Germanicum mediae et infimae aetatis. 1867
DtArch.	Deutsches Archiv für Erforschung (bzw. Geschichte 1937-43) des Mittelalters. 1937 ff.
Dt. Rechtswb.	Deutsches Rechtswörterbuch, hrg. von der Preußischen (Deutschen) Akademie der Wissenschaften (zu Berlin). 1914 ff.
DuC.	Du Cange (-Favre), Glossarium mediae et infimae Latinitatis. 1883-87
EditHeidelb.	Editiones Heidelbergenses. 1946 ff.
Feine, Rechtsgesch.	H. E. Feine, Kirchliche Rechtsgeschichte. I (Die katholische Kirche). [2]1955
Fischer, Pflanzenkunde	H. Fischer, Mittelalterliche Pflanzenkunde (Geschichte der Wissenschaften I 2). 1929
Fischer-Benzon, Gartenflora	R. v. Fischer-Benzon, Altdeutsche Gartenflora. 1894
Font. rer. Austr.	Fontes rerum Austriacarum, hrg. von der Österreichischen Akademie der Wissenschaften. 1849 ff.
ForschDtGesch.	Forschungen zur deutschen Geschichte, hrg. durch die Historische Kommission bei der kgl. Akademie der Wissenschaften (zu München). 1862-86
FreibDiöcArch.	Freiburger Diözesan-Archiv. 1865 ff.
Freytag, Lex. Arab.-Lat.	G. W. Freytag, Lexicon Arabico-Latinum. 1830-37
Frisk, Griech. etym. Wb.	H. Frisk, Griechisches etymologisches Wörterbuch. 1954 ff.
Frühmittelalterl. Stud.	Frühmittelalterliche Studien. 1967 ff.
GeschQuellProvSachs.	Geschichtsquellen der Provinz Sachsen. 1870 ff.
Graff, Sprachsch.	E. A. Graff, Althochdeutscher Sprachschatz. 1834-46
Hegi, Flora	G. Hegi, Illustrierte Flora von Mitteleuropa. 1906-31. [2]1935 ff.
Heyne, Hausalt.	M. Heyne, Fünf Bücher deutscher Hausaltertümer. 1899-1903
Hinschius, Kirchenrecht	P. Hinschius, Das Kirchenrecht der Katholiken und Protestanten in Deutschland. I (Katholisches Kirchenrecht). 1869-97
His, Strafrecht	R. His, Das Strafrecht des deutschen Mittelalters. 1920-35
Hist. Wb. Philos.	Historisches Wörterbuch der Philosophie, hrg. von J. Ritter. 1971 ff.
HistJb.	Historisches Jahrbuch der Görresgesellschaft. 1880 ff.
HistVjSchr.	Historische Vierteljahresschrift. 1898-1937
HistZ.	Historische Zeitschrift. 1859 ff.
HRG	Handwörterbuch zur deutschen Rechtsgeschichte, hrg. von A. Erler und E. Kaufmann. 1971 ff.
JbGeschMitteld.	Jahrbuch für die Geschichte Mittel- und Ostdeutschlands. 1953 ff.
JbLandeskNiederöst.	Jahrbuch für Landeskunde von Nieder-Österreich. 1903 ff.
JbLiturg.	Jahrbuch für Liturgiewissenschaft. 1921-41
JournMediev Lat.	The Journal of Medieval Latin. 1991 ff.
Lamprecht, Wirtschaftsleben	K. Lamprecht, Deutsches Wirtschaftsleben im Mittelalter. 1886
Lausberg, Rhetorik	H. Lausberg, Handbuch der literarischen Rhetorik. 1960
Lehmann-Brockhaus, Schriftquellen	O. Lehmann-Brockhaus, Schriftquellen zur Kunstgeschichte des 11. und 12. Jahrhunderts für Deutschland, Lothringen und Italien. 1938
Leumann-Hofmann, Gramm.	M. Leumann-J. B. Hofmann, Lateinische Grammatik (Handbuch der Altertumswissenschaft II 2). 1928. Neuausgabe: Band I (M. Leumann) 1977. Band II (A. Szantyr) 1972
LexMA.	Lexikon des Mittelalters. 1980 ff.
LexMusLat.	Lexicon musicum Latinum medii aevi, hrg. von M. Bernhard. 1992 ff.
Lippmann, Alchem.	E. O. v. Lippmann, Entstehung und Ausbreitung der Alchemie. 1919-54
LiturgJb.	Liturgisches Jahrbuch. 1951 ff.
Lokotsch, Etym. Wb. d. Wörter orient. Urspr.	K. Lokotsch, Etymologisches Wörterbuch der europäischen Wörter orientalischen Ursprungs. 1927

LThK. . . . . Lexikon für Theologie und Kirche, hrg. von M. Buchberger. 1930-38. 2. Aufl., hrg. von J. Höfler und K. Rahmer. 1957-67. 3. Aufl., hrg. von W. Kasper. 1993 ff.

Martène-Durand, Coll. . . . Veterum scriptorum et monumentorum ecclesiasticorum et dogmaticorum amplissima collectio, ed. E. Martène et U. Durand. 1724-33

Marzell, Wb. dt. Pflanzennam. . . . . . . H. Marzell, Wörterbuch der deutschen Pflanzennamen. 1937 ff.

MediaevStud. . . . . Mediaeval Studies, hrg. vom Pontifical Institute of Mediaeval Studies (Toronto). 1939 ff.

Mél. de Ghellinck . . . . . . Mélanges Joseph de Ghellinck S. J. (Museum Lessianum V 13-14). 1951

Meyer-Lübke REW³ . . . . W. Meyer-Lübke, Romanisches etymologisches Wörterbuch. ³1935

MG . . . . Monumenta Germaniae Historica. 1826 ff.

Auct. ant. . . . . Auctores antiquissimi

Capit. episc. . . . . Capitula episcoporum

Dipl. . . . . Diplomata

Epist. . . . . Epistolae

Leg. . . . . Leges

Lib. Lit. . . . . Libelli de lite inter regnum et sacerdotium saeculi XI. et XII. conscripti

Necrol. . . . . Necrologia

Poet. . . . . Poetae

Script. . . . . Scriptores

(Script. rer.) Lang. . . . . . Scriptores rerum Langobardicarum et Italicarum saeculi VI.-IX.

(Script. rer.) Mer. . . . . . Scriptores rerum Merovingicarum

MIÖG . . . . Mitteilungen des Instituts für österreichische Geschichtsforschung (seit 1925: des Österreichischen Instituts für Geschichtsforschung). 1880 ff.

MittAntGesVolksk. . . . . . . Mitteilungen der Antiquarischen Gesellschaft Zürich. 1841 ff.

MittellatJb. . . . . Mittellateinisches Jahrbuch. 1964 ff.

Mittelniederdt. Handwb. . . Mittelniederdeutsches Handwörterbuch, begonnen von A. Lasch und C. Borching. 1956 ff.

MittGeschMed. . . . . Mitteilungen zur Geschichte der Medizin und der Naturwissenschaften. 1902-43

MittGeschStGallen . . . . . Mitteilungen zur vaterländischen Geschichte, hrg. vom Historischen Verein in St. Gallen. 1862 ff.

MittSchlesGesVolksk. . . . . Mitteilungen der Schlesischen Gesellschaft für Volkskunde. 1894-1938

Mon. Boica . . . . Monumenta Boica, hrg. von der Bayerischen Akademie der Wissenschaften. 1763 ff.

MünchArch. . . . . Münchener Archiv für Philologie des Mittelalters und der Renaissance, hrg. von F. Wilhelm. 1912-23

MünchTheolZ. . . . . Münchener theologische Zeitschrift. 1950 ff.

NachrGött. . . . . Nachrichten von der Gesellschaft der Wissenschaften zu Göttingen (seit1941: von der Akademie der Wissenschaften in Göttingen). 1858 ff.

NArch. . . . . Neues Archiv der Gesellschaft für ältere deutsche Geschichtskunde. 1867-1936

OberbayerArch. . . . . . . Oberbayerisches Archiv für vaterländische Geschichte Bayerns. 1839 ff.

Pez, Thes. anecd. . . . . . . B. Pez, Thesaurus anecdotorum novissimus. 1721-29

PG . . . . Patrologiae cursus completus, series Graeca, ed. J. P. Migne. 1857 ff.

Pitra, Anal. . . . . J. B. Pitra, Analecta sacra spicilegio Solesmensi parata. 1876-91

PL . . . . Patrologiae cursus completus, series Latina, ed. J. P. Migne. 1841 ff.

Plöchl, Kirchenrecht . . . . W. M. Plöchl, Geschichte des Kirchenrechts. 1953-55

Pöschl, Bischofsgut . . . . . A. Pöschl, Bischofsgut und mensa episcopalis. 1908-12

Quell ErörtBayerGesch. . . . Quellen und Erörterungen zur bayerischen (und deutschen) Geschichte. 1856 ff.

QuellForschGeschWürzb. . . Quellen und Forschungen zur Geschichte des Bistums und Hochstifts Würzburg. 1948 ff.

QuellForschItArch. . . . . . Quellen und Forschungen aus italienischen Archiven. 1897 ff.

QuellSchweizGesch. . . . . Quellen zur Schweizer Geschichte, hrg. von der Allgemeinen geschichtsforschenden Gesellschaft der Schweiz. 1877 ff.

QuellStudGeschNat. . . . . Quellen und Studien zur Geschichte der Naturwissenschaften und der Medizin. 1931-40

QuellUntersLatPhil. . . . Quellen und Untersuchungen zur lateinischen Philologie des Mittelalters. 1906 ff.

QuellWestfGesch. . . . . . Quellen der Westfälischen Geschichte, hrg. von J. S. Seibertz. 1857-69

RAC . . . . Reallexikon für Antike und Christentum, hrg. von Th. Klauser. 1941 ff.

RDK . . . . Reallexikon zur deutschen Kunstgeschichte, begonnen von O. Schmitt. 1937 ff.

RE . . . . Paulys Realencyclopädie der klassischen Altertumswissenschaft, neu hrg. von G. Wissowa, W. Kroll u. a. 1896 ff.

Rer. Boic. Script. . . . . Rerum Boicarum scriptores, ed. A. F. Oefele. 1763

RevBén. . . . . Revue Bénédictine. 1884 ff.
Rohlfs, Lex. Graec. . . . . . G. Rohlfs, Lexicon Graecanicum Italiae inferioris. 1964
RomForsch. . . . . Romanische Forschungen, hrg. von K. Vollmöller. 1883 ff.
RömQuartSchr. . . . . Römische Quartalschrift für christliche Altertumskunde und für Kirchengeschichte. 1887 ff.

SBBerl. . . . . Sitzungsberichte der phil.-hist. Klasse der Akademien derWissenschaften in Berlin (Heidelberg, München, Wien)
Schreiber, Kurie . . . . G. Schreiber, Kurie und Kloster im 12. Jahrhundert (Kirchenrechtliche Abhandlungen LXV bis LXVIII). 1910
Schröder-Künßberg, Rechtsgesch. . . . . R. Schröder, Lehrbuch der deutschen Rechtsgeschichte. 6. Aufl., hrg. von E. Frh. v. Künßberg. 1922
SchweizZGesch. . . . . . Schweizerische Zeitschrift für Geschichte. 1951 ff.
Scrin. Friburg. . . . . . . Scrinium Friburgense. Veröffentlichungen des Mediaevistischen Instituts der Universität Freiburg (Schweiz). 1971 ff.
Script. rer. Austr. . . . . . . Scriptores rerum Austriacarum veteres ac genuini, ed. H. Pez. 1721-25
Script. rer. Hung. . . . . . . Scriptores rerum Hungaricarum. 1938 ff.
Script. Wirc. . . . . Collectio novissima scriptorum et rerum Wirciburgensium, ed. J. Gropp. 1741-48
Sella, Gloss. Lat. Emil. . . . P. Sella, Glossario Latino Emiliano (Studi e Testi LXXIV). 1937
Sella, Gloss. Lat. Ital. . . . . P. Sella, Glossario Latino Italiano: Stato della Chiesa, Veneto, Abruzzi (Studi e Testi CIX). 1944
Siggel, Arab.-dt. Wb. d. Stoffe . . . . A. Siggel, Arabisch-deutsches Wörterbuch der Stoffe. 1950
Sources chrét.. . . . . Sources chrétiennes, hrg. von H. de Lubac und J. Daniélou. 1941 ff.
Stotz, Handb. . . . . P. Stotz, Handbuch zur lateinischen Sprache des Mittelalters (Handbuch der Altertumswissenschaft. II 5,3). 1996 ff.
StudGreg. . . . . Studi Gregoriani, hrg. von G. B. Borini. 1947 ff.
StudLatStockh. . . . . Acta Universitatis Stockholmiensis. Studia Latina Stockholmiensia. 1956 ff. (Studia Latina Holmiensia. 1952-53)
StudMediev. . . . . Studi Medievali. 1904 ff. 3. Serie 1960 ff.
StudMittBenOrd. . . . . . . Studien und Mitteilungen aus dem Benediktiner- und Zisterzienserorden (seit 1911: des Benediktinerordens und seiner Zweige). 1880 ff.
Sudhoffs Arch. . . . . . . Sudhoffs Archiv (von 1934-65: Sudhoffs Archiv für Geschichte der Medizin und der Naturwissenschaften). 1966 ff.
Svennung, Pallad. . . . . . J. Svennung, Untersuchungen zu Palladius und zur lateinischen Fach- und Volkssprache. 1935
Svennung, Wortstud. . . . . J. Svennung, Wortstudien zu den spätlateinischen Oribasiusrezensionen (Uppsala Universitet Årsskrift). 1933

TheolQuartSchr. . . . . . . Theologische Quartalschrift. 1900 ff.
ThLL. . . . . Thesaurus linguae Latinae. 1900 ff.
ThürGeschQuell. . . . . . . Thüringische Geschichtsquellen, hrg. namens des Vereins für thüringische Geschichte und Altertumskunde. 1854 ff.
Tobler-Lommatzsch, Altfrz. Wb. . . . . A. Tobler und E. Lommatzsch, Altfranzösisches Wörterbuch. 1915 ff.
Tschirch, Hb. d. Pharmakogn. . . . . A. Tschirch, Handbuch der Pharmakognosie. ²I (1933). II-IV (1912-27)

UB . . . . Urkundenbuch
VerhHistVerNiederbay. . . . Verhandlungen des Historischen Vereins für Niederbayern. 1847 ff.
VerhHistVerOberpf. . . . . Verhandlungen des Historischen Vereins für Oberpfalz und Regensburg. 1845 ff.
VeröffMusHist-KommBAdW. . . . . Bayerische Akademie der Wissenschaften - Veröffentlichungen der Musikhistorischen Kommission. 1977 ff.
VeröffZIMünch. . . . . Veröffentlichungen des Zentralinstituts für Kunstgeschichte in München. 1955 ff.
VjschrMusWiss. . . . . Vierteljahresschrift für Musikwissenschaft. 1885-95

Waitz, Verf.-Gesch. . . . . . G. Waitz, Deutsche Verfassungsgeschichte. ³I-II (1880-82). ²III-VI (1883-96). VII-VIII (1876-78)
Walde-Hofmann, Lat. etym. Wb. . . . . A. Walde, Lateinisches etymologisches Wörterbuch. 3. Aufl., hrg. von J. B. Hofmann. 1938-56
Wartburg, Frz. etym. Wb. . . W. v. Wartburg, Französisches etymologisches Wörterbuch. 1922 ff.
Wattenbach, Schriftwesen. . . W. Wattenbach, Das Schriftwesen im Mittelalter. ³1896
WestdtZGesch. . . . . Westdeutsche Zeitschrift für Geschichte und Kunst. 1882-1913

ZBayerLandesgesch. . . . Zeitschrift für bayerisches Landesgeschichte. 1928 ff.

ZBergGeschVer.	Zeitschrift des Bergischen Geschichtsvereins. 1863 ff.
ZChristlKunst.	Zeitschrift für christliche Kunst. 1888-1921
ZDtAlt.	Zeitschrift für deutsches Altertum. 1841 ff.
ZDtWortforsch.	Zeitschrift für deutsche Wortforschung. 1901-14
ZGeschOberrh.	Zeitschrift für die Geschichte des Oberrheins. 1850 ff.
ZGeschWestf.	Zeitschrift für vaterländische Geschichte und Altertumskunde, hrg. vom Verein für Geschichte und Altertumskunde Westfalens (Westfälische Zeitschrift). 1838 ff.
ZHarzver.	Zeitschrift des Harzvereins für Geschichte und Altertumskunde. 1868-1942; seit 1948: Harzzeitschrift
ZHistTheol.	Zeitschrift für die historische Theologie. 1832-75
ZKathTheol.	Zeitschrift für katholische Theologie. 1877 ff.
ZKirchGesch.	Zeitschrift für Kirchengeschichte. 1876 ff.
ZMathPhys.	Zeitschrift für Mathematik und Physik. 1856-1917
ZNiedersachs.	Zeitschrift des Historischen Vereins für Niedersachsen. 1851-1923
ZRGGerm.	Zeitschrift der Savigny-Stiftung für Rechtsgeschichte, germanistische Abteilung. 1863 ff.
ZRGKan.	Zeitschrift der Savigny-Stiftung für Rechtsgeschichte, kanonistische Abteilung. 1911 ff.
ZRGRom.	Zeitschrift der Savigny-Stiftung für Rechtsgeschichte, romanistische Abteilung. 1880 ff.
ZRomPhil.	Zeitschrift für romanische Philologie. 1877 ff.
ZSchweizKirchGesch. . . .	Zeitschrift für Schweizer Kirchengeschichte. 1907 ff.

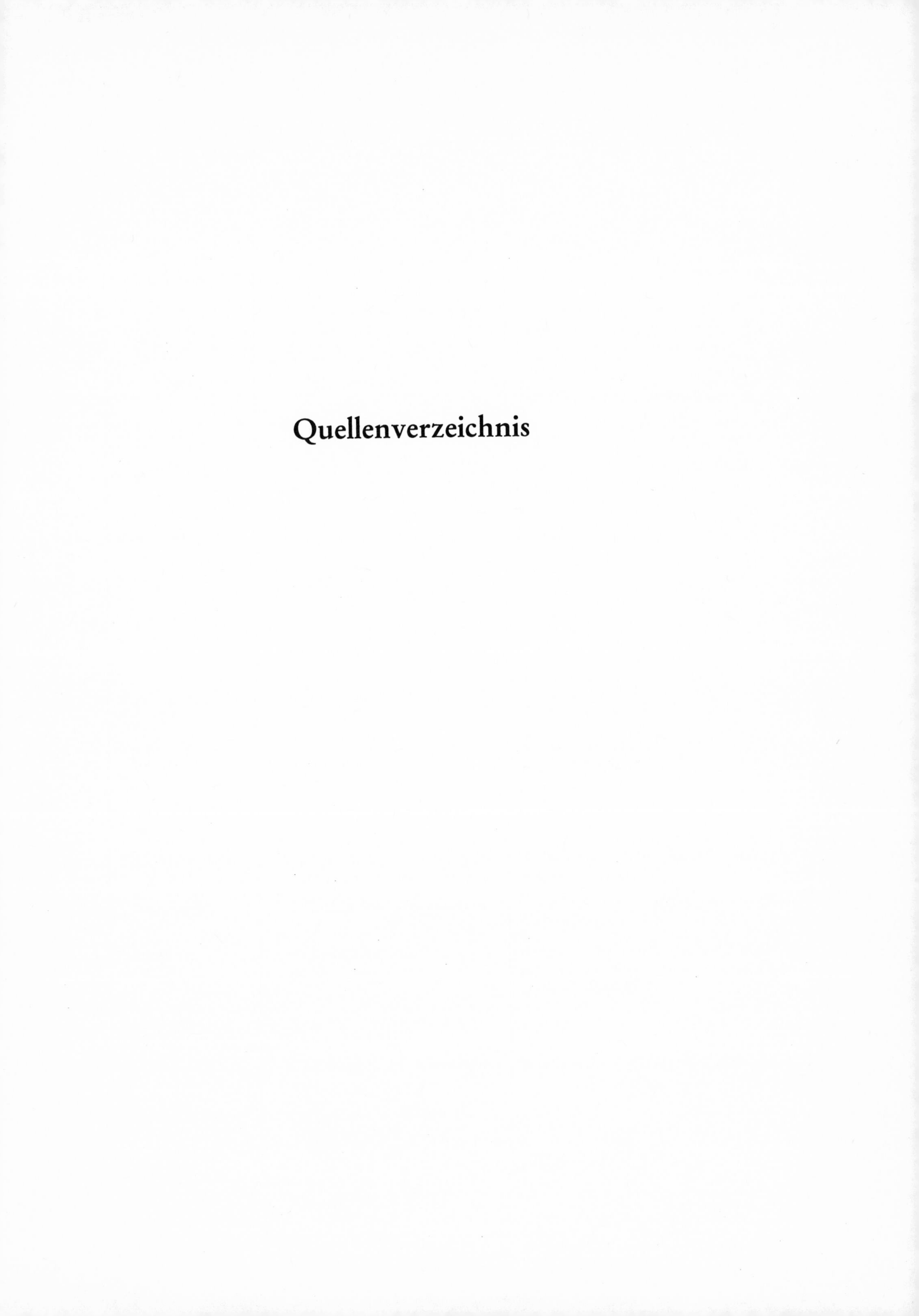

Quellenverzeichnis

aetas	notae	notarum explicatio	editiones
† 939/40	ABBO SANGERM.	ABBO, mon. s. Germani in Pratis	
ante 897	bell.	bella Parisiacae urbis	*P. v. Winterfeld MG Poet. IV (1899) p. 77-122*
post 922	serm.	sermones	*U. Önnerfors, Abbo von Saint-Germain-des-Prés, 22 Predigten (Lat. Sprache u. Liter. d. Mittelalters XVI). 1985*
† c. 1196	ABSAL.	ABSALOM, can. s. Victoris Parisiensis, abb. Springirsbacensis	
1193-96	serm.	sermones	*Migne PL 211 p. 13-294*
s. XI.-XII.	ACCESS. ad auct.	ACCESSUS ad auctores	*R. B. C. Huygens, Accessus ad auctores. Bernard d'Utrecht, Conrad d'Hirsau, Dialogus super auctores. 1970. p. 19-54. – [R. B. C. Huygens, Accessus ad auctores (Coll. Latomus XV). 1954]*
† 1167	ACERB. MOR.	ACERBUS MORENA, notarius Laudensis, filius Ottonis Morenae	
c. 1164	hist.	historia Friderici I. imp.	*F. Güterbock, Das Geschichtswerk des Otto Morena u. seiner Fortsetzer (MG Script. rer. Germ. N. S. VII). 1930. p. 130-76. – F.-J. Schmale, Italische Quellen über die Taten Kaiser Friedrichs I. ... (Ausgew. Quellen z. deutschen Gesch. d. Mittelalters XVII^{a}). 1986. p. 170-96*
	ACTA	ACTA	
1264-80	civ. Kil.	acta civitatis Kilionensis	*P. Hasse, Kieler Stadtbuch. 1875*
c. 1254-73	civ. Rost.	acta civitatis Rostocensis	*H. Thierfelder, Das älteste Rostocker Stadtbuch. 1967*
c. 1250-80	civ. Wism. A. B	acta civitatis Wismariensis	*F. Techen, Das älteste Wismarsche Stadtbuch. 1912 (= A). L. Knabe, Das zweite Wismarsche Stadtbuch (Quellen u. Darstellungen z. hansischen Gesch. N. F. XIV 1. 2). 1966 (= B)*
	[Geng.]	v. CASUS Geng.	
928-1280	imp. Böhmer	acta imperii, quae ed. Böhmer	*J. F. Böhmer, Acta imperii selecta. Urkunden deutscher Könige u. Kaiser. 1870*
923-1197	imp. Stumpf	acta imperii, quae ed. Stumpf-Brentano	*K. F. Stumpf-Brentano, Die Reichskanzler vornehmlich des X., XI. u. XII. Jhs. III (1881): Acta imperii adhuc inedita*
1195-1280	imp. Winkelm.	acta imperii, quae ed. Winkelmann	*E. Winkelmann, Acta imperii inedita. I (1880). II (1885)*
1230	pacis Sangerm.	acta pacis Sangermanensis	*K. Hampe, Die Aktenstücke z. Frieden von S. Germano (MG Epist. sel. IV). 1926*
c. 1220-66	Petr.	acta s. Petri in Augia (Weißenau)	*F. L. Baumann, ZGeschOberrh. 29 (1877) p. 8-127. 42 (N. F. 3). 1888. p. 362-73*
878-1036	reg. Burgund.	regum Burgundiae e stirpe Rudolfina diplomata et acta	*T. Schieffer, Die Urkunden der burgundischen Rudolfinger (MG regum Burgund. e stirpe Rudolf. diplomata et acta). 1977*

aetas	notae	notarum explicatio	editiones
	[ADALB. AUGUST.]	v. ADILB. AUGUST.	
† 981	ADALB. MAGD.	ADALBERTUS, mon. Prumiensis, archiep. Magdeburgensis	
c. 966-68	chron.	chronicon Reginonis continuatum	*F. Kurze, Reginonis ... chronicon (MG Script. rer. Germ.). 1890. p. 154-79*
	ADALB. SAMAR.	ADALBERTUS SAMARITANUS, magister Bononiensis	
c. 1115	praec. dict.	praecepta dictaminum	*F.-J. Schmale, Adalbertus Samaritanus, Praecepta dictaminum (MG Quellen z. Geistesgesch. d. Mittelalters III). 1961*
c. 970-1026	ADALBOLD.	ADALBOLDUS, episc. Traiectensis	
s. XI.in.	Boeth.	commentarius in Boethii carmen (Boeth. cons. 3 carm. 9)	*R. B. C. Huygens, Sacris Erudiri 6 (1954) p. 409-26*
1024-26	Heinr.	vita Heinrici II. imp.	*H. van Rij, De Vita Heinrici II imperatoris van bisschop Adelbold van Utrecht (Nederlandse Hist. Bronnen III). 1983. p. 44-94. – [G. Waitz MG Script. IV (1841) p. 683-95]*
c. 999-1003	sphaer.	de ratione inveniendi crassitudinem sphaerae epistola	*N. Bubnov, Gerberti ... opera mathematica. 1899. p. 302-09*
c. 750-826	ADALH.	ADALHARDUS, abb. Corbeiensis	
c. 825	brev. Corb.	statuta seu brevia Corbeiensia	*J. Semmler, Corp. Consuet. Monast. I (1963) p. 365-408. add.: p. 418-20*
† 1081/85	ADAM	ADAM, magister Bremensis	
c. 1075-81	gest.	gesta Hammaburgensis ecclesiae pontificum	*B. Schmeidler, Adam von Bremen, Hamburgische Kirchengesch. (MG Script. rer. Germ.). 1917. p. 1-280. epil. p. 281-83*
c. 988-1034	ADEMAR.	ADEMARUS Cabannensis	
c. 1028	hist.	historiae Francorum sive chronicon	*J. Chavanon, Adémar de Chabannes, Chronique. 1897. – part.: G. Waitz MG Script. IV (1841) p. 113-48*
† post 1240	ADILB. AUGUST.	ADILBERTUS, prior s. Udalrici Augustani	
1235-40	Simp.	vita Simperti, episc. Augustani	*ASBoll. Oct. VI (1794) p. 245-50*
† c. 878	ADREV.	ADREVALDUS, qui et Adalbertus, mon. Floriacensis	
c. 875	Bened.	miracula Benedicti, abb. Casinensis	*excerpta: O. Holder-Egger MG Script. XV (1887) p. 478-97*
	AEDILV.	AEDILVULFUS (Æthelw-), mon. Lindisfarnensis	
802-20	carm.	carmen	*E. Dümmler MG Poet. I (1881) p. 583-604. – A. Campbell, Æthelwulf, De abbatibus. 1967*

aetas	notae	notarum explicatio	editiones
	AEG. AUR.	AEGIDIUS, mon. Aureaevallensis	
1247-51	gest.	gesta pontificum Tungrensium, Traiectensium et Leodiensium	*J. Heller MG Script. XXV (1880) p. 14-129*
	[AEG. ZAM. mus.]	v. IOH. AEGID. mus.	
c. s. XII.-XIII.	AENIGM. super turb.	AENIGMATA super librum turbae	*J. J. Mangetus, Bibliotheca chemica curiosa. I (1702) p. 495-97*
s. VII.	AESCULAPIUS	AESCULAPIUS: de morborum ... cura liber	*Experimentarius medicinae. Argentorati (apud J. Schottum). 1544*
s. VIII.med.	AETHICUS [ISTER]	AETHICUS, i. e. cosmographia auctore huius ficticii nominis ignoto	*O. Prinz, Die Kosmographie des Aethicus (MG Quellen z. Geistesgesch. d. Mittelalters XIV). 1993. – [H. Wuttke, Die Kosmographie des Istrier Aithikos. 1853. – excerpta: B. Krusch MG Script. rer. Mer. VII (1920) p. 521. 524-27]*
	AGIUS	AGIUS, mon. Corbeiensis (sc. Corbeiae Novae)	
864	comput.	versus computistici	*K. Strecker MG Poet. IV (1923) p. 937-43*
c. 876	epic. Hath.	epicedium Hathumodae, abb. Gandersheimensis	*L. Traube MG Poet. III (1896) p. 372-88*
c. 876	vita Hath.	vita Hathumodae	*G. H. Pertz MG Script. IV (1841) p. 166-75*
	AGNELL.	AGNELLUS sive Andreas, abb. Ravennas	
c. 835-46	lib. pont.	liber pontificalis ecclesiae Ravennatis	*O. Holder-Egger MG Script. rer. Lang. 1878. p. 275-391. – part.: A. Testi Rasponi, Codex pontificalis ecclesiae Ravennatis (Rer. Ital. Script. N. E. II 3). 1924*
c. 769-840	AGOB.	AGOBARDUS, archiep. Lugdunensis	*L. van Acker CC Cont. Med. LII (1981); hanc novam editionem opera omnia Agobardi continentem tantummodo numeris afferemus*
833	[apol.]	liber apologeticus	*[G. Waitz MG Script. XV (1887) p. 275-79]*
	[epist.]	epistolae	*[E. Dümmler MG Epist. V (1899) p. 153-239]*
	ALBERT. AQUENS.	ALBERTUS, can. Aquensis (Aquisgranensis)	
c. 1102-40	hist.	historia Hierosolymitana	*P. Meyer, Recueil des historiens des croisades. Historiens occidentaux. IV (1879) p. 265-713. – [Migne PL 166 p. 389-716]*
c. 1180-1260	ALBERT. BEH.	ALBERTUS BEHAIMUS (Bohemus), legatus papae, decanus Pataviensis	
1241-55	epist.	epistolae	*C. Höfler, Albert von Beham (Bibl. d. Literar. Vereins zu Stuttgart XVIb). 1847. p. 55-158*

aetas	notae	notarum explicatio	editiones
c. 1200-80	ALBERT. M.	ALBERTUS MAGNUS O. P., episc. Ratisbonensis, magister Coloniensis	
1256-60	aet.	(de aetate sive) de iuventute et senectute	*A. Borgnet, Alberti Magni . . . opera omnia. IX (1890) p. 305-19*
1250-60	anal. post.	analytica posteriora	*A. Borgnet, op. cit. II (1890) p. 1-232*
1250-60	anal. pr.	analytica priora	*A. Borgnet, op. cit. I (1890) p. 459-809*
1254-57	anim.	de anima	*C. Stroick, Alberti Magni . . . opera omnia. VII 1 (1968). – [A. Borgnet, op. cit. V (1890) p. 117-420]*
1257-62	animal.	de animalibus	*H. Stadler, Albertus Magnus, De animalibus libri XXVI (Beitr. z. Gesch. d. Philos. d. Mittelalters XV. XVI). 1916-20*
post 1270	animal. quaest.	quaestiones super 'de animalibus'	*E. Filthaut, Alberti Magni . . . opera omnia. XII (1955) p. 77-309*
1243-45	bon.	de bono	*K. Kühle, C. Feckes, B. Geyer, W. Kübel, Alberti Magni . . . opera omnia XXVIII (1951)*
1251-53	cael.	de caelo et mundo	*P. Hoßfeld, Alberti Magni . . . opera omnia. V 1 (1971). – [A. Borgnet, op. cit. IV (1890) p. 1-321]*
1248-49	cael. hier.	super Dionysium 'de caelesti hierarchia'	*P. Simon, W. Kübel, Alberti Magni . . . opera omnia. XXXVI 1 (1993). – [A. Borgnet, op. cit. XIV (1892) p. 1-451]*
1251-54	caus. element.	de causis proprietatum elementorum	*P. Hoßfeld, Alberti Magni . . . opera omnia. V 2 (1980) p. 49-104. – [A. Borgnet, op. cit. IX (1890) p. 585-653]*
1264-70	caus. univ.	de causis et processu universitatis a prima causa	*W. Fauser, Alberti Magni . . . opera omnia. XVII 2 (1993). – [A. Borgnet, op. cit. X (1891) p. 361-619]*
1250-60	div.	de divisione	*P. M. de Loe, Alberti Magni . . . commentarii in librum Boethii 'De divisione'. 1913*
c. 1250	div. nom.	super Dionysium 'de divinis nominibus'	*P. Simon, Alberti Magni . . . opera omnia. XXXVII 1 (1972)*
1249-50	eccl. hier.	super Dionysium 'de ecclesiastica hierarchia'	*A. Borgnet, op. cit. XIV (1892) p. 470-805*
1250-60	elench.	de sophisticis elenchis	*A. Borgnet, op. cit. II (1890) p. 525-713*
c. 1250	epist. Dion.	super epistolas Dionysii	*P. Simon, Alberti Magni . . . opera omnia. XXXVII 2 (1978) p. 479-554. – [A. Borgnet, op. cit. XIV (1892) p. 867-1027]*
1250-52	eth. I	super ethica	*W. Kübel, Alberti Magni . . . opera omnia. XIV 1. 2 (1968-87)*
1259-62	eth. II	ethica	*A. Borgnet, op. cit. VII (1891)*
1270-80	euch.	de sacramento eucharistiae (de corpore Domini)	*A. Borgnet, op. cit. XXXVIII (1899) p. 191-434*

aetas	notae	notarum explicatio	editiones
1250-60	Ezech.	super Ezechielem, fragmentum	*H. Ostlender, Alberti Magni ... opera omnia. XIX (1952) p. 638-39*
1250-56	fat.	de fato	*P. Simon, Alberti Magni ... opera omnia. XVII 1 (1975) p. 65-78*
1251-54	gener.	de generatione et corruptione	*P. Hoßfeld, Alberti Magni ... opera omnia. V 2 (1980) p. 109-213. – [A. Borgnet, op. cit. IV (1890) p. 345-457]*
1250-60	herm.	super peri hermeneias	*A. Borgnet, op. cit. I (1890) p. 373-457*
1250-60	Ier.	super Ieremiam, fragmentum	*H. Ostlender, Alberti Magni ... opera omnia. XIX (1952) p. 633-37*
1243-45	incarn.	de incarnatione	*I. Backes, Alberti Magni ... opera omnia. XXVI (1958) p. 171-235*
1256-60	intellect.	de intellectu et intelligibili	*A. Borgnet, op. cit. IX (1890) p. 477-521*
1270-74	Iob	super Iob	*M. Weiss, Alberti Magni ... commentarii in Iob. 1904*
c. 1260	Is.	super Isaiam	*F. Siepmann, Alberti Magni ... opera omnia. XIX (1952) p. 1-632*
1250-56	lin.	de lineis indivisibilibus	*A. Borgnet, op. cit. III (1890) p. 463-81*
1258-63	Matth.	super Matthaeum	*B. Schmidt, Alberti Magni ... opera omnia. XXI 1.2 (1987)*
1256-60	mem.	de memoria et reminiscentia	*A. Borgnet, op. cit. IX (1890) p. 97-118*
1262-63	metaph.	metaphysica	*B. Geyer, Alberti Magni ... opera omnia. XVI 1.2 (1960. 1964). – [A. Borgnet, op. cit. VI (1890)]*
1251-54	meteor.	meteora	*A. Borgnet, op. cit. IV (1890) p. 477-808*
1251-54	miner.	mineralia	*A. Borgnet, op. cit. V (1890) p. 1-102*
1270-80	miss.	de mysterio missae	*A. Borgnet, op. cit. XXXVIII (1899) p. 1-165*
1256-60	mort.	de morte et vita	*A. Borgnet, op. cit. IX (1890) p. 345-71*
1256-60	mot. animal.	de motibus animalium	*A. Borgnet, op. cit. IX (1890) p. 257-300*
1258-60	mot. proc.	de principiis motus processivi	*B. Geyer, Alberti Magni ... opera omnia. XII (1955) p. 47-75*
c. 1250	myst. theol.	super Dionysium 'de mystica theologia'	*P. Simon, Alberti Magni ... opera omnia. XXXVII 2 (1978) p. 453-75. – [A. Borgnet, op. cit. XIV (1892) p. 811-62]*
1258-60	nat. anim.	de natura et origine animae	*B. Geyer, Alberti Magni ... opera omnia. XII (1955) p. 1-44*
ante 1243	nat. bon.	de natura boni	*E. Filthaut, Alberti Magni ... opera omnia. XXV 1 (1974)*
1251-54	nat. loc.	de natura loci	*P. Hoßfeld, Alberti Magni ... opera omnia. V 2 (1980) p. 1-44. – [A. Borgnet, op. cit. IX (1890) p. 527-82]*
1256-60	nutrim.	de nutrimento et nutribili	*A. Borgnet, op. cit. IX (1890) p. 323-41*

aetas	notae	notarum explicatio	editiones
1250-54	phys.	physica	*P. Hoßfeld, Alberti Magni ... opera omnia. IV 1.2 (1987-93). – [A. Borgnet, op. cit. III (1890) p. 1-461. 483-633]*
1261-63	pol.	politica	*A. Borgnet, op. cit. VIII (1891)*
1250-60	praedicab.	super Porphyrium 'de V universalibus' (de praedicabilibus)	*A. Borgnet, op. cit. I (1890) p. 1-148*
1250-60	praedicam.	de praedicamentis	*A. Borgnet, op. cit. I (1890) p. 149-304. – part.: W. Gemper, Albertus Magnus, Tractatus secundus libri praedicamentorum 'De substantia'. Diss. Freiburg (Schweiz). 1957*
1250-60	princ.	de sex principiis	*A. Borgnet, op. cit. I (1890) p. 305-72. – part.: B. Sulzbacher, Albertus Magnus, Liber sex principiorum. Diss. Freiburg (Schweiz). 1955*
1269-70	probl.	de quindecim problematibus	*B. Geyer, Alberti Magni ... opera omnia. XVII 1 (1975) p. 31-44. – [P. Mandonnet, Siger de Brabant et l'averroïsme latin au XIIIe siècle (Les philosophes belges VII). II. 1908. p. 29-52]*
1271	probl. det.	problemata determinata	*I. Weisheipl, Alberti Magni ... opera omnia. XVII 1 (1975) p. 45-64*
s. XIII.$^{med.}$	quaest.	quaestiones	*A. Fries, W. Kübel, H. Anzulewicz, Alberti Magni ... opera omnia. XXV 2 (1993)*
1243-45	resurr.	de resurrectione	*W. Kübel, Alberti Magni ... opera omnia. XXVI (1958) p. 237-354*
1243-45	sacram.	de sacramentis	*A. Ohlmeyer, Alberti Magni ... opera omnia. XXVI (1958) p. 1-170*
1256-60	sens.	de sensu et sensato	*A. Borgnet, op. cit. IX (1890) p. 1-93*
1247-49	sent.	super I-IV sententiarum (sc. Petri Lombardi)	*A. Borgnet, op. cit. XXV-XXX (1893-94)*
1247	serm. I	sermones Parisienses	*B. Geyer, SBMünch. 1966/III. p. 13-57*
1257-63	serm. II	sermones codicis Lipsiensis 683	*J. B. Schneyer, Recherches de Théologie ancienne et médiévale 36 (1969) p. 105-47*
1256-60	somn.	de somno et vigilia	*A. Borgnet, op. cit. IX (1890) p. 121-207*
1256-60	spirit.	de spiritu et respiratione	*A. Borgnet, op. cit. IX (1890) p. 213-51*
1243-45	summ. creat. I	summa de creaturis (pars I de IV coaequaevis)	*A. Borgnet, op. cit. XXXIV (1895) p. 307-761*
	summ. creat. II	summa de creaturis (pars II de homine)	*A. Borgnet, op. cit. XXXV (1896)*
1270-80	summ. theol.	summa theologiae sive de mirabili scientia Dei	*D. Siedler, Alberti Magni ... opera omnia. XXXIV 1 (1978). – [A. Borgnet, op. cit. XXXI (1895) p. 7-525]. inde a tract. 13: A. Borgnet, op. cit. XXXI (1895) p. 526-900. XXXII-XXXIII (1895).*
1250-60	top.	topica	*A. Borgnet, op. cit. II (1890) p. 233-524*
1256-57	veget.	de vegetabilibus	*E. Meyer, C. Jessen, Alberti Magni ... 'De vegetabilibus' libri VII. 1867*

aetas	notae	notarum explicatio	editiones
1263-64	unit. intellect.	de unitate intellectus	*A. Hufnagel, Alberti Magni ... opera omnia. XVII 1 (1975) p. 1-30. – [A. Borgnet, op. cit. IX (1890) p. 437-74]*
† post 1025	ALBERT. METT.	ALBERTUS (Alp-), mon. Mettensis	
1021-24	div. temp.	de diversitate temporum	*H. van Rij, Alpertus Mettensis, De diversitate temporum. 1980. p. 2-104. – [G. H. Pertz MG Script. IV (1841) p. 700-23. – A. Hulshof, Alperti Mettensis 'De diversitate temporum' (Werken uitgegeven door het Hist. Genootschap te Utrecht III 37). 1916]*
c. 1005	episc. Mett.	de episcopis Mettensibus	*H. van Rij, op. cit. p. 108-20. – [G. H. Pertz MG Script. IV (1841) p. 697-700]*
	ALBERT. MIL.	ALBERTUS MILIOLI, notarius Reginus (Reggio)	
s. XIII.ex.	chron.	chronica imperatorum	*O. Holder-Egger MG Script. XXXI (1903) p. 580-665*
s. XIII.ex.	temp.	liber de temporibus et aetatibus	*part.: O. Holder-Egger, op. cit. p. 353-572*
† 1256/61	ALBERT. STAD.	ALBERTUS, abb. Stadensis	
	[annal.]	v. ALBERT. STAD. chron.	
1240-56	chron.	chronicon (annales Stadenses q. d.)	*part.: J. M. Lappenberg MG Script. XVI (1859) p. 283-374*
s. XIII.med.	quadr.	quadrigae fragmentum	*M. Wesche, Studien zu Albert von Stade. 1988. p. 124-27*
1249	Troil.	Troilus	*T. Merzdorf, Troilus Alberti Stadensis. 1875. var. l.: M. Wesche, op. cit. p. 143-51*
	ALBOIN.	ALBOINUS, ceterum ignotus	
c. 1075-76	incont.	de incontinentia sacerdotum altercatio	*F. Thaner MG Lib. Lit. II (1892) p. 11-26*
	- - -	ALBRICUS v. CHRON. Albr.	
c. 730-804	ALCUIN.	ALCUINUS magister, abb. Turonensis	
s. VIII.2	carm.	carmina	*E. Dümmler MG Poet. I (1881) p. 169-351. – carm. 1: P. Godman, Alcuin: The bishops, kings and saints of York. 1982*
c. 773-804	epist.	epistolae	*E. Dümmler MG Epist. IV (1895) p. 18-481*
	[(?) mus.]	v. Ps. ALCUIN. mus.	
c. 640-709	ALDH.	ALDHELMUS, abb. Malmesberiensis, episc. Scireburnensis	
695 ?	ad Acirc.	epistola ad Acircium de metris et aenigmatibus ac pedum regulis	*R. Ehwald, Aldhelmi opera (MG Auct. Ant. XV). 1919. p. 59-204*

aetas	notae	notarum explicatio	editiones
683-92 ?	carm. eccl.	carmina ecclesiastica	*R. Ehwald, op. cit. p. 11-32*
671-c. 709	epist.	epistolae	*R. Ehwald, op. cit. p. 475-503*
c. 690	virg. I. II	de virginitate opus prosaice et metrice compositum	*R. Ehwald, op. cit. p. 226-323 (= I). p. 350-471 (= II)*
† 1261	ALEX. IV.	ALEXANDER IV. papa	
1254-60	registr.	registrum	*C. Rodenberg MG Epist. s. XIII. e regestis pontificum Romanorum selectae. III (1894) p. 314-473. 729-30*
† 1271	ALEX. MIN.	ALEXANDER MINORITA (Bremensis, Stadensis?)	
1235-49	apoc.	expositio in apocalypsim	*A. Wachtel, Alexander Minorita, Expositio in apocalypsim (MG Quellen z. Geistesgesch. d. Mittelalters I). 1955*
c. 1015/20-1085	ALFAN.	ALFANUS I., archiep. et magister Salernitanus	
s. XI.med.	premn. phys.	premnon physicon liber	*C. Burkhard, Nemesii episc. premnon physicon ... liber a N. Alfano ... in Latinum translatus. 1917*
	ALFRED. ANGL.	ALFREDUS ANGLICUS, scriptorum Arabicorum interpres	
s. XIII.in.	miner.	maximi philosophorum Aristotelis de mineralibus	*E. J. Holmyard, D. C. Mandeville, Avicennae 'De congelatione et conglutinatione lapidum'. 1927. p. 45-55. – [J. J. Mangetus, Bibliotheca chemica curiosa. I (1702) p. 636-38]*
s. IX.-X.	ALIA MUSICA	ALIA MUSICA, opus musicum	*J. Chailley, Alia Musica (Publ. de l'Inst. de Musicologie de l'univ. de Paris VI). 1964. corr.: M. Bernhard, Anonymi ... tractatus de musica 'Dulce ingenium musicae' (VeröffMusHistKommBAdW. VI). 1987. p. 1-2. – [M. Gerbert, Scriptores ecclesiastici de musica sacra potissimum. I (1784) p. 125-47]*
	ALLEG.	ALLEGORIA, -AE	
cod. s. VIII.2	cam.	allegoria de camera Christi	*B. Bischoff, Anecdota novissima (QuellUntersLatPhil. VII). 1984. p. 89-90*
cod. s. VIII.2	dom.	allegoria de domo Domini	*B. Bischoff, op. cit. p. 88*
c. s. XII.	sapient.	allegoriae sapientum supra librum turbae	*J. J. Mangetus, Bibliotheca chemica curiosa. I (1702) p. 467-79*
c. s. XII.	super turb.	allegoriae super librum turbae	*J. J. Mangetus, op. cit. p. 494-95*
s. XIII.ex.	ALPHITA I. II	ALPHITA, glossarium	*S. de Renzi, Collectio Salernitana. III (1854) p. 272-322 (= I). J. L. G. Mowat, Alphita (Anecdota Oxoniensia. Mediaeval and Modern Ser. I 2). 1887. p. 1-199 (= II)*

aetas	notae	notarum explicatio	editiones
c. 800-49	ALTFR.	ALTFRIDUS, episc. Monasteriensis	
839-49	Liutg.	vita Liutgeri, episc. Monasteriensis	*W. Diekamp, Die Vitae Sancti Liudgeri (Die Geschichtsquellen d. Bisthums Münster IV). 1881. p. 3-53*
1110-59	AMADEUS LAUS.	AMADEUS, episc. Lausannensis	
s. XII.med.	hom.	homiliae	*J. Deshusses, Amédée de Lausanne, Huit homélies Mariales (Sources chrét. LXXII). 1960. p. 52-222*
	AMALAR.	AMALARIUS Symphosius Fortunatus, archiep. Treverensis et Lugdunensis	
c. 832-50	antiph. prol.	antiphonarii prologus	*J. M. Hanssens, Amalarii episc. opera liturgica omnia (Studi e Testi CXXXVIIIsqq.). I (1948) p. 361-63*
c. 812	bapt.	epistola ad Karolum imp. de scrutinio et baptismo	*J. M. Hanssens, op. cit. I (1948) p. 236-51*
813-14	cod. expos.	missae expositionis geminus codex	*J. M. Hanssens, op. cit. I (1948) p. 255-81*
813-14	(?) ecl.	eclogae de ordine Romano et de quattuor orationibus in missa	*J. M. Hanssens, op. cit. III (1950) p. 229-65.*
	- - -	embolis v. EMBOLIS Amalar.	
c. 811-29	epist.	epistolae variae	*J. M. Hanssens, op. cit. II (1948) p. 386-99*
822-30	ad Hild.	epistola ad Hilduinum abb.	*J. M. Hanssens, op. cit. I (1948) p. 341-58*
813-14	interpr.	canonis missae interpretatio	*J. M. Hanssens, op. cit. I (1948) p. 291-335 (in paginis imparium numerorum)*
814	mar.	versus marini	*E. Dümmler MG Poet. I (1881) p. 426-28*
823-35	off.	liber officialis	*J. M. Hanssens, op. cit. II (1948) p. 13-386. 403-543. add.: p. 545-65*
c. 832-50	ord. antiph.	liber de ordine antiphonarii	*J. M. Hanssens, op. cit. III (1950) p. 13-109*
c. 832-50	ord. expos.	ordinis missae expositio	*J. M. Hanssens, op. cit. III (1950) p. 297-321*
c. 814-21	ad Petr.	epistola ad Petrum, abb. Nonantulanum	*J. M. Hanssens, op. cit. I (1948) p. 229-31*
	AMARC.	Sextus AMARCIUS Gallus Piosistratus, fort. Rhenanus	
c. 1100	serm.	sermones	*K. Manitius, Sextus Amarcius, Sermones (MG Quellen z. Geistesgesch. d. Mittelalters VI). 1969. p. 51-211. epist. dedic.: p. 49-50. orat.: p. 212-15. – [M. Manitius, Sexti Amarcii Galli Piosistrati sermonum libri IV (1888)]*
† 852	AMULO	AMULO, archiep. Lugdunensis	
841-52	epist.	epistolae	*E. Dümmler MG Epist. V (1899) p. 363-78*

aetas	notae	notarum explicatio	editiones
811/12-79	ANAST. BIBL.	ANASTASIUS BIBLIOTHECARIUS	
858-79	epist.	epistolae sive praefationes	*E. Perels, G. Laehr MG Epist. VII (1928) p. 395-442*
	ANDR. BERG.	ANDREAS, presb. Bergomas	
post 877	hist.	historia Langobardorum continuata	*G. Waitz MG Script. rer. Lang. 1878. p. 221-30*
† ante 1103	ANDR. STRUM.	ANDREAS, abb. Strumensis	
1075	Ariald.	vita Arialdi, mon. Mediolanensis	*F. Baethgen MG Script. XXX (1934) p. 1049-75*
c. 1092	Ioh.	vita Iohannis Gualberti	*F. Baethgen, op. cit. p. 1080-1104*
c. 750-814	ANGILB.	ANGILBERTUS, abb. Centulensis	
c. 800	eccl. Cent.	libellus de ecclesia Centulensi	*G. Waitz MG Script. XV (1887) p. 174-79. – [F. Lot, Hariulf, Chronique de l'abbaye de Saint-Riquier (Coll. de textes pour servir à l' étude ... de l'histoire XVII). 1894. p. 57-69]*
800-11	inst.	institutio de diversitate officiorum	*M. Wegener, Corp. Consuet. Monast. I (1963) p. 291-303. – [F. Lot, op. cit. p. 296-306]*
	ANNAL.	ANNALES	
s. XII.[1]-XIII.[1]	Adm.	annales Admontenses cum continuatione	*part.: W. Wattenbach MG Script. IX (1851) p. 570-93*
s. XII.ex.-XIII.	Adm. Garst.	annales Admontenses, continuatio Garstensis	*W. Wattenbach, op. cit. p. 594-600*
s. VIII.[2]-X.[1]	Alam.	annales Alamannici cum continuationibus	*W. Lendi, Untersuchungen z. frühalemannischen Annalistik (Scrin. Friburg. I). 1971. p. 146-92. – [G. H. Pertz MG Script. I (1826) p. 22-56. – C. Henking, MittGeschStGallen XIX (N. F. IX). 1884. p. 224-65]*
c. 1075	Altah.	annales Altahenses (Niederaltaich)	*E. v. Oefele, Annales Altahenses maiores (MG Script. rer. Germ.). 1891*
s. XI.[2]-XIII.	August. I. II	annales Augustani maiores (= I) et minores (= II)	*G. H. Pertz MG Script. III (1839) p. 124-36 (= I). X (1852) p. 8-10 (= II)*
s. XIII.[2]	Basil.	annales Basileenses	*P. Jaffé MG Script. XVII (1861) p. 193-202*
c. 830-35	Bert.	annales Bertiniani	*F. Grat, J. Vielliard, S. Clémencet, Annales de Saint-Bertin. 1964. p. 1-17. – [G. Waitz, Annales Bertiniani (MG Script. rer. Germ.). 1883. p. 1-11]*
s. XI.med.-XIII.ex.	Bland.	annales Blandinienses	*P. Grierson, Les annales de Saint-Pierre de Gand et de Saint-Amand. 1937. p. 1-65. – [L. C. Bethmann MG Script. V (1844) p. 21-34]*
s. XI.-XII.	Brunw.	annales Brunwilarenses	*G. H. Pertz MG Script. XVI (1859) p. 725-28*
	---	annales Cameracenses v. LAMB. WAT. annal.	

aetas	notae	notarum explicatio	editiones
c. 795	chronogr.	annales chronographi vetusti	*P. Jaffé, W. Wattenbach, Ecclesiae metropolitanae Coloniensis codices manuscripti. 1874. p. 131-33. part.: G. Waitz MG Script. XIII (1881) p. 716-17*
s. X.-XI.$^{in.}$	Col.	annales Colonienses maiores	*P. Jaffé, W. Wattenbach, op. cit. p. 127-31*
s. IX.^{2}-XII.$^{in.}$	Corb.	annales Corbeienses (sc. Corbeiae Novae)	*J. Prinz, Die Corveyer Annalen (Veröffentl. d. Hist. Komm. f. Westfalen X 7). 1982. p. 101-39. – [P. Jaffé, Mon. Corbeiensia (Bibl. rer. Germ. I). 1864. p. 33-43]*
s. XII.	Corb. cont.	annales Corbeienses, continuatio	*I. Schmale-Ott, Annalium Corbeiensium continuatio s. XII. et Historia Corbeiensis monasterii ... (Veröffentl. d. Hist. Komm. f. Westfalen XLI 2). 1989. p. 46-58*
s. XII.^{2}	Disib.	annales s. Disibodi	*excerpta: G. Waitz MG Script. XVII (1861) p. 6-30*
s. XII.$^{in.}$-XIII.$^{med.}$	Egm.	annales Egmundenses	*O. Oppermann, Fontes Egmundenses (Werken uitgegeven door het Hist. Genootschap te Utrecht III 61). 1933. p. 113-208. – [G. H. Pertz MG Script. XVI (1859) p. 445-79]*
814-17	Einh.	annales, q. d. Einhardi	*F. Kurze, Annales regni Francorum (MG Script. rer. Germ.). 1895. p. 3-115*
s. XI.$^{med.}$-XIII.$^{med.}$	Elmar.	annales Elmarenses	*P. Grierson, Les annales de Saint-Pierre de Gand et de Saint-Amand. 1937. p. 74-115*
s. X.^{2}-XIII.^{1}	Elnon.	annales Elnonenses	*P. Grierson, op. cit. p. 132-75. – G. H. Pertz MG Script. V (1844) p. 11-20*
s. XII.$^{med.}$	Erf. Loth.	annales Erfurtenses sive annales Lothariani imperiales	*O. Holder-Egger, Mon. Erphesfurtensia (MG Script. rer. Germ.). 1899. p. 34-44*
s. XIII.$^{med.}$	Erf. Praed.	annales Erfurtenses fratrum Praedicatorum	*O. Holder-Egger, op. cit. p. 80-116*
s. XI.-XIII.	Frising.	annales s. Stephani Frisingensis	*G. Waitz MG Script. XIII (1881) p. 51-57*
s. VIII.$^{ex.}$-s. IX.$^{in.}$	Fuld. I	annales Fuldenses antiquissimi	*F. Kurze, Annales Fuldenses (MG Script. rer. Germ.). 1891. p. 137-38*
882-87	Fuld. II	annales Fuldenses sive Moguntini	*F. Kurze, op. cit. p. 1-107*
c. 900	Fuld. Altah.	annales Fuldenses, continuationes Altahenses	*F. Kurze, op. cit. p. 131-35*
c. 900	Fuld. Ratisb.	annales Fuldenses, continuatio Ratisbonensis	*F. Kurze, op. cit. p. 107-31*
s. VIII.^{2}-IX.^{1}	Guelf.	annales Guelferbytani	*W. Lendi, Untersuchungen z. frühalemannischen Annalistik (Scrin. Friburg. I). 1971. p. 147-81 (in paginis imparium numerorum). – [G. H. Pertz MG Script. I (1826) p. 23-46]*
s. XIII.^{2}	Hamb.	annales Hamburgenses	*F. Reuter, Quellensammlung der Schleswig-Holstein-Lauenburgschen Gesellsch. f. vaterländische Gesch. IV (1875) p. 405-30. – excerpta: J. M. Lappenberg MG Script. XVI (1859) p. 382-85*

aetas	notae	notarum explicatio	editiones
	[Herb.]	v. ANNAL. Wirz.	
s. XI.-XII.$^{in.}$	Hild.	annales Hildesheimenses	*G. Waitz, Annales Hildesheimenses (MG Script. rer. Germ.). 1878*
s. XII.-XIII.	Ianuens.	annales Ianuenses	*L. T. Belgrano, C. Imperiale di Sant' Angelo, Annali Genovesi di Caffaro e dei suoi continuatori (Fonti per la storia d'Italia). I-IV (1890-1926). – [G. H. Pertz MG Script. XVIII (1863) p. 11-288]*
s. VIII.$^{med.}$	Iuv. I	annales Iuvavenses breves	*G. H. Pertz MG Script. III (1839) p. 123*
s. IX.$^{in.}$-X.^{2}	Iuv. II-IV	annales Iuvavenses minores (= II), maximi (= III), maiores (= IV)	*H. Bresslau MG Script. XXX (1934) p. 732-43*
c. 800	Lauresh.	annales Laureshamenses	*G. H. Pertz MG Script. I (1826) p. 22-39*
	- - -	annales Laurissenses maiores v. ANNAL. regni Franc.	
c. 1170-88	Magd.	annales Magdeburgenses sive chronographus Saxo	*G. H. Pertz MG Script. XVI (1859) p. 107-95*
s. XIII.^{1}	Marb.	annales Marbacenses sive Argentinenses pleniores	*H. Bloch, Annales Marbacenses qui dicuntur (MG Script. rer. Germ.). 1907. p. 1-100. – [F. Wilmans MG Script. XVII (1861) p. 145-79]*
s. XII.-XIII.	Mell.	annales Mellicenses cum continuatione Mellicensi	*W. Wattenbach MG Script. IX (1851) p. 484-510*
s. XII.-XIII.	Mell. Claustr. I-IV. VI	annales Mellicenses, continuationes Claustroneoburgenses	*W. Wattenbach, op. cit. p. 608-13 (= I). 614-24 (= II). 629-37 (= III). 647-48 (= IV). 742-46 (= VI)*
s. XII.$^{med.}$-XIII.$^{in.}$	Mell. Cremif.	annales Mellicenses, continuatio Cremifanensis	*W. Wattenbach, op. cit. p. 544-49*
s. XII.^{1}	Mell. Garst.	annales Mellicenses, auctarium Garstense	*W. Wattenbach, op. cit. p. 562-69*
s. XIII.	Mell. Lamb.	annales Mellicenses, continuatio Lambacensis	*W. Wattenbach, op. cit. p. 556-61*
s. XIII.^{2}	Mell. Praed.	annales Mellicenses, continuatio fratrum Praedicatorum Vindobonensium	*W. Wattenbach, op. cit. p. 725-31*
s. XIII.	Mell. Sancr. I. II	annales Mellicenses, continuationes Sancrucenses	*W. Wattenbach, op. cit. p. 626-28 (= I). 637-46 (= II)*
s. XIII.^{2}	Mell. Vind. I. II	annales Mellicenses, continuatio et auctarium Vindobonensia	*W. Wattenbach, op. cit. p. 699-712 (= I). 723-24 (= II)*
s. XII.^{2}-XIII.^{2}	Mell. Zwetl. I-III	annales Mellicenses, continuationes Zwetlenses	*W. Wattenbach, op. cit. p. 538 (= I). 541-44 (= II). 655-57 (= III)*
c. 805-30	Mett.	annales Mettenses	*B. v. Simson, Annales Mettenses priores (MG Script. rer. Germ.). 1905. p. 1-98*
s. VIII.$^{ex.}$	Nazar.	annales Nazariani	*W. Lendi, Untersuchungen z. frühalemannischen Annalistik (Scrin. Friburg. I). 1971. p. 147-67 (in paginis imparium numerorum). – [G. H. Pertz MG Script. I (1826) p. 23-44]*

aetas	notae	notarum explicatio	editiones
c. 1278	Otak.	annales Otakariani	*R. Köpke MG Script. IX (1851) p. 181-94. add.: p. 844-46*
	---	annales Palidenses v. Theod. Palid. annal.	
s. XII.	Pegav.	annales Pegavienses	*G. H. Pertz MG Script. XVI (1859) p. 234-67*
s. XII.	Petr. Erf. I-III	annales s. Petri Erfurtensis	*O. Holder-Egger, Mon. Erphesfurtensia (MG Script. rer. Germ.). 1899. p. 6-20 (= I). 48-56 (= II). 49-67 (= III)*
1250-84	Plac.	annales Placentini Gibellini	*P. Jaffé MG Script. XVIII (1863) p. 457-581*
s. XIII.²	Prag. I-III	annales Pragenses Cosmae chronicon continuantes	*R. Köpke MG Script. IX (1851) p. 169-81 (= I). 194-98 (= II). 198-208 (= III). add.: p. 844-46*
c. s. XI.¹	Quedl.	annales Quedlinburgenses	*G. H. Pertz MG Script. III (1839) p. 22-90*
s. XII.	Ratisb.	annales Ratisbonenses	*W. Wattenbach, MG Script. XVII (1861) p. 579-90*
s. VIII.ex.-IX.in.	regni Franc.	annales regni Francorum sive Laurissenses maiores	*F. Kurze, Annales regni Francorum (MG Script. rer. Germ.). 1895. p. 2-178*
s. XII.²	Reichersb.	annales Reichersbergenses	*W. Wattenbach MG Script. XVII (1861) p. 443-76 (sine chartis; olim: Magnus annal.)*
s. XII.med.	Rod.	annales Rodenses	*G. H. Pertz MG Script. XVI (1859) p. 689-723*
s. XI.med.-XII.ex.	Rom.	annales Romani	*G. H. Pertz MG Script. V (1844) p. 468-80*
s. XII.med.	Rosenv.	annales Rosenveldenses	*G. H. Pertz MG Script. XVI (1859) p. 100-04*
s. XII.-XIII.²	Rup. Salisb. I. II	annales s. Ruperti (Rudberti) Salisburgensis	*W. Wattenbach MG Script. IX (1851) p. 757-58 (= I). 760-806 (= II)*
s. IX.-XI.¹	Sangall. I-IV	annales Sangallenses breves (= I), brevissimi (= II. III), maiores (= IV)	*I. v. Arx, G. H. Pertz MG Script. I (1826) p. 64-65 (= I). 69 (= II). 70 (= III). 73-85 (= IV). – C. Henking, MittGeschStGallen. XIX (N. F. IX). 1884. p. 220-23 (= I). 206-09 (= II). 210-12 (= III). 265-323 (= IV)*
s. IX.¹	Sangall. Bal.	annales Sangallenses Baluzii	*I. v. Arx, op. cit. p. 63. – C. Henking, op. cit. p. 197-205*
s. XII.²-XIII.	Scheftl. I. II	annales Scheftlarienses	*P. Jaffé MG Script. XVII (1861) p. 335-43 (= I). 343-45 (= II)*
s. XIII.¹	Schir.	annales Schirenses	*P. Jaffé MG Script. XVII (1861) p. 629-33 (olim: Conr. Schir. annal.)*
s. XIII.²	Spir.	annales Spirenses	*G. H. Pertz MG Script. XVII (1861) p. 80-85*
s. IX.ex.	Ved.	annales Vedastini	*B. v. Simson, Annales Xantenses et annales Vedastini (MG Script. rer. Germ.). 1909. p. 40-82*
s. X.-XII.	Weiss.	annales Weissenburgenses	*O. Holder-Egger, Lamberti ... opera (MG Script. rer. Germ.). 1894. p. 9-57*
s. XII.²-XIII.¹	Wirz.	annales Wirziburgenses	*G. H. Pertz MG Script. XVI (1859) p. 2-12 (olim: Annal. Herb.)*

aetas	notae	notarum explicatio	editiones
s. XIII.	Worm.	annales Wormatienses	*H. Boos, Mon. Wormatiensia, Annalen u. Chroniken (Quellen z. Gesch. d. Stadt Worms III). 1893. p. 145-62*
s. IX.[2]	Xant.	annales Xantenses	*B. v. Simson, Annales Xantenses et annales Vedastini (MG Script. rer. Germ.). 1909. p. 1-33*
s. XII.-XIII.	Zwif. I. II	annales Zwifaltenses	*excerpta: H. F. O. Abel MG Script. X (1852) p. 53-59 (= I). 54-61 (= II)*
	[ANNALISTA Saxo]	v. ARNOLD. BERG. chron.	
	ANON.	ANONYMUS	
s. XIII.	algor. Hann.	anonymi algorismus Hannoveranus	*K. I. Gerhardt, Programm Salzwedel. 1853. p. 27-35*
s. XII.	algor. Salem.	anonymi algorismus Salemensis	*M. Cantor, ZMathPhys. (LitHistAbt.) 10 (1865) p. 2-14*
s. XII.[ex.]	anat.	anonymi anatomia	*F. Redeker, Die Anatomia magistri Nicolai phisici . . . Diss. Leipzig. 1917. p. 61-65*
s. XIII.	aqu.	anonymi tractatus de XII aquis	*J. Ruska, Osiris 7 (1939) p. 68-72. 76-77*
s. XI.	astrolab.	anonymi fragmentum libelli de astrolabio	*N. Bubnov, Gerberti . . . opera mathematica. 1899. p. 370-75*
s. XI.[1]	circ.	anonymi tractatus de quadratura circuli	*P. Tannery, A. Clerval, Notices et extraits des manuscrits de la Bibl. Nationale. XXXVI 2 (1901) p. 536-38*
s. XII.	coit.	anonymi Salernitani liber minor de coitu	*E. Montero Cartelle, Liber minor de coitu (Lingüística y filología II). 1987*
s. XIII.	epist.	anonymi epistola Rasis	*Auriferae artis, quam chemiam vocant, vol. I. Basileae. [2]1593. p. 389-92*
s. IX.-X. s. X.-XI.	geom. I. II	anonymorum geometriae	*N. Bubnov, Gerberti . . . opera mathematica. 1899. p. 317-65 (= I). M. Cantor, Die römischen Agrimensoren. 1875. p. 222-26 (= II)*
c. 1078	Has.	anonymi Haserensis 'de gestis episcoporum Eistetensium'	*S. Weinfurter, Die Gesch. der Eichstätter Bischöfe des Anonymus Haserensis (Eichstätter Studien N. F. XXIV). 1987. – [L. C. Bethmann MG Script. VII (1846) p. 254-66]*
cod. s. VIII.	herm.	anonymi hermeneumata	*U. Stoll, Das 'Lorscher Arzneibuch' (Sudhoffs Arch. Beih. XXVIII). 1992. p. 97-104*
paulo post 1220	inst. patr.	anonymi tractatus 'de institutis patrum de modo psallendi sive cantandi'	*M. Bernhard, Clavis Gerberti (VeröffMusHistKommBAdW. VII). I (1989) p. 5-8. – [M. Gerbert, Scriptores ecclesiastici de musica sacra potissimum. I (1784) p. 5-8]*
s. XIII.	lum.	anonymi lumen luminum	*excerpta: J. Ruska, Osiris 7 (1939) p. 61-65*
s. XII.[med.]	Mell.	anonymi Mellicensis 'de scriptoribus ecclesiasticis' (auctore fort. Wolfgero Prufeningensi)	*E. Ettlinger, Der sog. Anonymus Mellicensis 'De scriptoribus ecclesiasticis'. Diss. Straßburg. 1896. – F. R. Swietek, Wolfger of Pruefening's 'De scriptoribus ecclesiasticis' (Diss. Illinois). 1978*

aetas	notae	notarum explicatio	editiones
s. X.	minut.	anonymi tractatus de minutiis	*N. Bubnov, Gerberti ... opera mathematica. 1899. p. 227-44*
s. XIII.	miseric.	anonymi liber manifestationis libri misericordiae	*E. Darmstaedter, ArchGeschMed. 17 (1925) p. 183-97*
post 1050	mus. Becker	anonymi tractatus de musica, quem ed. Becker	*A. Becker, ArchMusWiss. 1 (1918) p. 151-61*
s. X.-XI.	mus. Bernhard I. II	anonymi tractatus de musica, quem ed. Bernhard	*M. Bernhard, Anonymi ... tractatus de musica 'Dulce ingenium musicae' (VeröffMusHist-KommBAdW. VI). 1987. p. 14-26 (= I). 27-43 (= II)*
	[I. II mus. Coussemaker]	anonymi primi et secundi tractatus de musica, quos ed. Coussemaker, non iam afferuntur	*[E. de Coussemaker, Scriptorum de musica medii aevi nova series. I (1864) p. 296-319]*
c. 1272-75	IV mus. [Coussemaker]	anonymi quarti tractatus de musica, quem (primum) ed. Coussemaker	*F. Reckow, Der Musiktraktat des Anonymus 4 (ArchMusWiss. Beih. IV). 1967. – [E. de Coussemaker, Scriptorum de musica medii aevi nova series. I (1864) p. 327-64]*
1270-80	VII mus. Coussemaker	anonymi septimi tractatus de musica, quem ed. Coussemaker	*E. de Coussemaker, Scriptorum de musica medii aevi nova series. I (1864) p. 378-83*
	[I mus. Gerbert]	v. BERNO mens. monoch.	
s. X.-XI.	II mus. Gerbert	anonymi (alterius) tractatus de musica, quem (primum) ed. Gerbert	*M. Bernhard, Clavis Gerberti (VeröffMusHist-KommBAdW. VII). I (1989) p. 90-97. – [M. Gerbert, Scriptores ecclesiastici de musica sacra potissimum. I (1784) p. 338-42]*
1142-47	mus. Guenter	anonymi tractatus de musica, quem ed. Guenter	*F. J. Guenter, Epistola S. Bernardi ... et tractatus scriptus ab auctore incerto Cisterciense (Corp. script. de musica XXIV). 1974. p. 23-41. – [Migne PL 182 p. 1121-32 (olim: GUIDO CIST. antiph.)]*
s. XII.	mus. La Fage	anonymi tractatus de musica, quem (primum) ed. La Fage	*A. Seay, An Anonymous Treatise from St. Martial (Annales musicologiques V). 1957. p. 13-42. – [A. de La Fage, Essais de diphthérographie musicale. I (1864) p. 355-61]*
s. XII.in.	mus. plan. Coussemaker	anonymi tractatus de musica plana et organica, quem ed. Coussemaker	*E. de Coussemaker, Scriptorum de musica medii aevi nova series. II (1867) p. 484-98*
1279	mus. Sowa	anonymi tractatus de musica, quem (primum) ed. Sowa	*J. Yudkin, De musica mensurata. The anonymous of St. Emmeram. 1990. – H. Sowa, Ein anonymer glossierter Mensuraltraktat. 1930*
s. X.	mus. Wagner	anonymi tractatus de musica, quem ed. Wagner	*part.: P. Wagner, Einführung in die Gregorianischen Melodien. II (Neumenkunde). 1912. p. 355-56*
c. 1100	mus. Wolf	anonymi tractatus de musica, quem ed. Wolf	*J. Wolf, VjschrMusWiss. 9 (1893) p. 194-225*
s. XII.	pos. disc.	anonymi tractatus de discantus positione vulgari	*S. M. Cserba, Hieronymus de Moravia O. P., Tractatus de musica. 1935. p. 189-94*

aetas	notae	notarum explicatio	editiones
s. XIII.[1]	princ. magistr.	principium magistrale cuiusdam iuris consulti	*B. Bischoff, Anecdota novissima (QuellUnters-LatPhil. VII). 1984. p. 192-203*
s. XI.[1]	ad Ragimb.	anonymi epistola ad Ragimboldum magistrum	*P. Tannery, A. Clerval, Notices et extraits des manuscrits de la Bibl. Nationale. XXXVI 2 (1901) p. 533-36*
s. XII.-XIII.	secret.	anonymi secretum secretorum	*excerpta: J. Ruska, QuellStudGeschNat. 4,3 (1935) p. 11-16. 20-83*
s. XII.-XIII.	tab.	anonymi tabula chemica	*H. E. Stapleton, M. Hidāyat Husain, Memoirs of the Asiatic Soc. of Bengal 12,1 (1933) p. 147-97*
s. XII.[2]	ton. Schneider	anonymi tractatus tonorum, quem ed. Schneider	*part.: M. Schneider, Gesch. der Mehrstimmigkeit. II (1935) p. 106-18*
c. 801-65	ANSCAR.	ANSCARIUS, archiep. Hamburgensis et Bremensis	
	- - -	epistola ad episcopos = EPIST. var. III 16	
	mirac. Willeh.	miracula Willehadi, episc. Bremensis	*ASBoll. Nov. III (1910) p. 847-51. – G. H. Pertz MG Script. II (1829) p. 384-90*
	pigm.	pigmenta	*J. M. Lappenberg, ZHambGesch. 2 (1847) p. 6-32*
	ANSELM. BIS.	ANSELMUS de Bisate, capellanus Heinrici III. imp.	
c. 1046-48	rhet.	rhetorimachia	*K. Manitius, Gunzo, Epistola ad Augienses, u. Anselm von Besate, Rhetorimachia (MG Quellen z. Geistesgesch. d. Mittelalters II). 1958. p. 95-180. app.: p. 181-83*
† 1136	ANSELM. GEMBL.	ANSELMUS, abb. Gemblacensis	
1112-35	chron.	chronicon Sigeberti continuatum	*L. C. Bethmann MG Script. VI (1844) p. 375-85*
c. 1099-1158	ANSELM. HAV.	ANSELMUS, episc. Havelbergensis, archiep. Ravennas	
c. 1138	apol.	epistola apologetica pro ordine canonicorum regularium	*Migne PL 188 p. 1119-40. – [C. W. Spieker, ZHistTheol. 10,2 (N. F. 4,2). 1840. p. 95-120]*
1149-51	dial.	dialogi	*Migne PL 188 p. 1139-1248. – lib. 1: G. Salet, Anselme de Havelberg, Dialogues (Sources chrét. CXVIII). 1966*
c. 1005-56	ANSELM. LEOD.	ANSELMUS, can. Leodiensis	
1048-56	gest.	gesta pontificum Tungrensis, Traiectensis sive Leodiensis ecclesiae	*R. Köpke MG Script. VII (1846) p. 161-62. 189-234*
	ANSELM. MOG.	ANSELMUS Moguntinus	
1141-42	Adalb.	vita Adalberti II., archiep. Moguntini, metrica	*P. Jaffé, Mon. Moguntina (Bibl. rer. Germ. III). 1866. p. 568-603*

aetas	notae	notarum explicatio	editiones
	ANTIDOT.	ANTIDOTARIUM	
cod. s. IX. - X.	Augiens.	antidotarium Augiense	*H. E. Sigerist, Studien u. Texte z. frühmittelalterlichen Rezeptliteratur (Studien z. Gesch. d. Med. XIII). 1923. p. 39-65*
cod. s. IX.- X.	Bamb.	antidotarium Bambergense	*H. E. Sigerist, op. cit. p. 21-35. app.: p. 35-39*
cod. s. IX.- X.	Berolin.	antidotarium Berolinense	*H. E. Sigerist, op. cit. p. 65-76. app.: p. 76-77*
cod. s. XI.	Cantabr.	antidotarium Cantabrigiense	*H. E. Sigerist, op. cit. p. 160-67*
cod. s. IX.- X.	Glasg.	antidotarium Glasgowense	*H. E. Sigerist, op. cit. p. 100-60*
cod. s. VII.- VIII.	Lond.	antidotarium Londiniense	*H. E. Sigerist, op. cit. p. 17-21*
cod. s. IX.	Sangall.	antidotarium Sangallense	*H. E. Sigerist, op. cit. p. 78-99*
c. 723-83	ARBEO	ARBEO, episc. Frisingensis	
c. 765	Corb.	vita Corbiniani, episc. Frisingensis	*B. Krusch, Arbeonis ... vitae s. Haimhrammi et Corbiniani (MG Script. rer. Germ.). 1920. p. 188-232. – F. Brunhölzl, Sammelblatt d. Hist. Vereins Freising 30 (1983) p. 84-156*
c. 770	Emm.	vita vel passio Emmerammi mart.	*B. Krusch, op. cit. p. 26-99. var. l.: K. Reindel in: Festschrift M. Spindler (1969) p. 149-50. – [B. Bischoff, Arbeo, Vita et passio s. Haimhrammi martyris. 1953]*
c. 1159-64	ARCHIPOETA	ARCHIPOETAE q. d. carmina	*H. Watenphul, H. Krefeld, Die Gedichte des Archipoeta. 1958*
783-843	ARDO	ARDO, qui et Smaragdus, abb. Anianensis	
821-22	Bened.	vita Benedicti, abb. Anianensis et Indensis	*G. Waitz MG Script. XV (1887) p. 200-20*
	ARIBO [FRISING.]	ARIBO, de quo controversantur	
1068-78	mus.	de musica	*J. Smits van Waesberghe, Aribo, De musica (Corp. script. de musica II). 1951*
c. 1100-75	ARNO REICHERSB.	ARNO, praep. Reichersbergensis, frater Gerhohi	
1163-65	apol.	apologeticus contra Folcmarum	*C. Weichert, Arnonis Reicherspergensis 'Apologeticus contra Folcmarum'. 1888*
1146-47	scut.	scutum canonicorum	*Migne PL 194 p. 1493-1528. – part.: PL 188 p. 1093-1118)*
† 1166	ARNOLD. BERG.	ARNOLDUS, abb. Bergensis	
1139-45	chron.	chronicon	*G. Waitz MG Script. VI (1844) p. 553-777 (olim: ANNALISTA Saxo)*
c. 1142	gest.	gesta archiepiscoporum Magdeburgensium	*W. Schum MG Script. XIV (1883) p. 375-416 (olim: GESTA Magd.)*

aetas	notae	notarum explicatio	editiones
† 1211/14	ARNOLD. LUB.	ARNOLDUS, abb. Lubecensis	
1210	chron.	chronica Slavorum	*J. M. Lappenberg MG Script. XXI (1869) p. 115-250*
post 1210	Greg.	gesta Gregorii peccatoris	*J. Schilling, Arnold von Lübeck, Gesta Gregorii Peccatoris (Palaestra CCLXXX). 1986. – [G. v. Buchwald, Arnoldi Lubecensis 'Gregorius peccator' de Teutonico Hartmanni de Aue in Latinum translatus. 1886]*
c. 1000-50	ARNOLD. RATISB.	ARNOLDUS, praep. Ratisbonensis	
1036-37	Emm.	miracula et memoria Emmerammi mart.	*Migne PL 141 p. 989-1090. – part.: G. Waitz MG Script. IV (1841) p. 545-74*
	ARNOLD. SAXO	ARNOLDUS SAXO	
c. 1225	fin.	de finibus (floribus?) rerum naturalium	*E. Stange, Die Enzyklopädie des Arnoldus Saxo (Beilage z. Jahresbericht d. kgl. Gymnasiums zu Erfurt). 1905-07. add.: C. Lecouteux, Euphorion 76 (1982) p. 390-91. – part.: V. Rose, ZDtAlt. 18 (1875) p. 424-54. Lecouteux, op. cit. p 392-96*
	ARNULF.	ARNULFUS, mon. fort. Lotharingus	
1054-56	delic.	deliciae cleri	*J. Huemer, RomForsch. 2 (1886) p. 216-44. add.: E. Voigt, RomForsch. 2 (1886) p. 383-90. J. Werner, RomForsch. 6 (1891) p. 417-23*
† 1023	ARNULF. HALB.	ARNULFUS (Arnoldus), episc. Halberstadensis	
1007	ad Heinr.	epistola ad Heinricum, episc. Wirziburgensem	*P. Jaffé, Mon. Bambergensia (Bibl. rer. Germ. V). 1869. p. 472-79*
† c. 1080	ARNULF. MEDIOL.	ARNULFUS, clericus Mediolanensis	
1072-77	gest.	gesta archiepiscoporum Mediolanensium	*C. Zey, Arnulf von Mailand, Liber gestorum recentium (MG Script. rer. Germ. LXVII). 1994. – [L. C. Bethmann, W. Wattenbach MG Script. VIII (1848) p. 6-31]*
c. 1109-82	ARNULF. SAG.	ARNULFUS, archidiac. Sagiensis et episc. Lexoviensis	
c. 1133	invect.	invectiva in Girardum, episc. Engolismensem	*J. Dieterich MG Lib. Lit. III (1897) p. 85-108*
cod. s. XI.	ARS med.	ARS medicinae	*R. Laux, Kyklos 3 (1930) p. 418-32. add.: H. E. Sigerist, ArchGeschMed. 13 (1921) p. 146-56. K.-D. Fischer, MittellatJb. 22 (1987) p. 31-33 (cap. 6: elenchus ferramentorum)*
	ARTEPH.	ARTEPHIUS, alchimista Arabs, ut vid.	
s. XII.-XIII.	clav.	clavis maioris sapientiae de transmutatione metallica	*J. J. Mangetus, Bibliotheca chemica curiosa. I (1702) p. 503-09*

aetas	notae	notarum explicatio	editiones
s. XII.-XIII.	secret.	liber secretus	*Artefii Arabis philosophi liber secretus. Frankfurti (apud Jennisium). 1685. p. 13-59*
	ASILO	ASILO, clericus Wirziburgensis	
c. 1070	rhythmimach.	rhythmimachia	*A. Borst, Das mittelalterliche Zahlenkampfspiel (SBHeidelb. Suppl. V). 1986. p. 330-34. – [E. Wappler, ZMathPhys. (LitHistAbt.) 37 (1892) p. 14-17]*
c. 1200	ASINARIUS	ASINARIUS carmen	*S. Rizzardi, Asinarius (Commedie latine del XII e XIII secolo. IV. Pubblicazioni dell' istituto di filologia classica e medievale dell' universitá di Genova LXXIX). 1983. p. 194-250. – K. Langosch, Asinarius u. Rapularius (Samml. mittellat. Texte X). 1929. p. 15-37*
† post 853	AUDRAD.	AUDRADUS MODICUS, chorepisc. Senonensis	
	carm.	carmina	*L. Traube MG Poet. III (1896) p. 73-121. suppl.: p. 740-45. – carm. 1: F. Stella, Audrado di Sens, Il fonte della vita (Il Nuovo Melograno V). 1991*
	AUREL. REOM.	AURELIANUS, mon. Reomensis	
s. IX.ex.	mus.	musica disciplina	*L. Gushee, Aureliani Reomensis 'Musica disciplina' (Corp. script. de musica XXI) 1975. corr. et var. l.: M. Bernhard, Musica Disciplina 40 (1986) p. 49-59. – [M. Gerbert, Scriptores ecclesiastici de musica sacra potissimum. I (1784) p. 28-63. praef. et epil.: E. Dümmler MG Epist. VI (1925) p. 128-31]*
s. VIII.	AURELIUS	AURELIUS: liber de acutis passionibus	*C. Daremberg, Henschels Janus 2 (1847) p. 478-99. 690-731*
	[AURORA consurg.]	AURORA consurgens ...; hoc opus s. XIV./XV. non iam affertur	*[Auriferae artis, quam chemiam vocant, vol. I. Basileae. ²1593. p. 185-246]*
† 1157/58	BALDER.	BALDERICUS, scholasticus Treverensis	
c. 1152	Alber.	gesta Alberonis, archiep. Treverensis	*G. Waitz MG Script. VIII (1848) p. 243-60*
† 1200	BALDW. VICT.	BALDWINUS, mon. Victoriensis (Viktring), postea abb.	
post 1160	dict.	dictaminum liber	*S. Durzsa, Quadrivium 13,2 (1972) p. 13-41*
† 987	BALTH.	BALTHERUS (Baldericus) Seckingensis, episc. Spirensis	
970-75	Fridol.	vita Fridolini, confessoris Seckingensis	*B. Krusch MG Script. rer. Mer. III (1906) p. 354-69*

aetas	notae	notarum explicatio	editiones
c. 980-1051	BARDO	BARDO, archiep. Moguntinus	
1031	serm.	sermo	*W. Wattenbach MG Script. XI (1854) p. 330-35 (= VITA Bard. 16)*
	BEBO	BEBO, fort. diac. Bambergensis	
1021	ad Heinr. II.	epistolae ad Heinricum II. imp.	*P. Jaffé, Mon. Bambergensia (Bibl. rer. Germ. V). 1869. p. 484-97*
672/73-735	BEDA	BEDA VENERABILIS presb.	
731	hist. eccl.	historia ecclesiastica gentis Anglorum	*C. Plummer, Venerabilis Baedae opera historica. I (1896) p. 1-360. – B. Colgrave, R. A. B. Mynors, Bede's Ecclesiastical History of the English People. 1969. p. 2-570*
	[(?) mus.]	v. SCHOL. Boeth. mus.	
708	ad Plegu.	epistola ad Pleguinam de aetatibus saeculi	*C. W. Jones CC Ser. Lat. CXXIII^{C} (1980) p. 617-26. – [C. W. Jones, Bedae opera de temporibus (The Mediaeval Acad. of America XLI). 1943. p. 307-15]*
703	temp.	de temporibus	*C. W. Jones, op. cit. (1980) p. 585-601. – [C. W. Jones, op. cit. (1943) p. 295-303]*
725	temp. rat.	de temporum ratione	*C. W. Jones CC Ser. Lat. CXXIII^{B} (1977) p. 263-460. – [C. W. Jones, op. cit. (1943) p. 175-291]*
725-31	ad Wicth.	epistola ad Wicthedum de aequinoctio vernali	*C. W. Jones, op. cit. (1980) p. 635-42. – [C. W. Jones, op. cit. (1943) p. 319-25]*
s. VIII.$^{ex.}$	BENED. Frising.	BENEDICTIONALE Frisingense	*W. Dürig, ArchLiturgWiss. 4 (1955) p. 226-44. – R. Amiet, The Benedictionals of Freising (Henry Bradshaw Society LXXXVIII). 1974. p. 66-73*
	BENED. ANDR.	BENEDICTUS, mon. s. Andreae in Monte Soracte	
968-72	chron.	chronicon	*G. Zucchetti, Il Chronicon di Benedetto monaco di S. Andrea del Soratte (Fonti per la storia d'Italia). 1920. – [part.: G. H. Pertz MG Script. III (1839) p. 696-719]*
	BENED. MOG.	BENEDICTUS (Levita), diac. Moguntinus	
	---	capitularia v. CAPIT. Bened.	
c. 850	carm.	carmina capitularibus praemissa	*E. Dümmler MG Poet. II (1884) p. 672-74*
	BENVEN. GRAFF.	BENVENUTUS GRAFFEUS (Grassus), medicus Salernitanus	
c. 1200	ocul. A. B	practica oculorum	*A. M. Berger, T. M. Auracher, Des Benvenutus Grapheus Practica oculorum. I (1884) p. 15-38 (rec. A). II (1886) p. 7-58 (rec. B)*

aetas	notae	notarum explicatio	editiones
† 1089/90	BENZO	BENZO, episc. Albensis	
1085-86	ad Heinr. IV.	ad Heinricum IV. imp. libri	*H. Seyffert, Benzo von Alba, Sieben Bücher an Kaiser Heinrich IV. (MG Script. rer. Germ. LXV). 1996. - [K. Pertz MG Script. XI (1854) p. 597-681]*
† 1125/26	BERENG. TREV.	BERENGOSUS, abb. s. Maximini Treverensis	
	laud.	de laude et inventione s. crucis	*Migne PL 160 p. 935-82*
† 1088	BERNH. CONST.	BERNHARDUS Saxo, magister Constantiensis	
1085	can.	liber canonum contra Heinricum IV. imp.	*F. Thaner MG Lib. Lit. I (1891) p. 472-516*
1076	damn.	de damnatione schismaticorum epistola	*F. Thaner MG Lib. Lit. II (1892) p. 29-47*
	BERNH. GEIST.	BERNHARDUS GEISTENSIS, can. Westphalicus	
s. XIII.[1]	dial.	dialogismi Veritatis, Adulatoris, Iusticiae	*M. Flacius Illyricus, Varia doctorum piorumque virorum de corrupto ecclesiae statu poemata. Basileae (per Ludovicum Lucium). 1557. p. 15-28*
1246-80	palp.	palpanista	*C. Daumius, Palponista Bernardi Geystensis. Cygneae 1660*
c. 1110-88	BERNH. MAR.	BERN(H)ARDUS MARA(N)GO, provisor et legatus Pisanus	
c. 1180	annal.	annales Pisani	*K. Pertz MG Script. XIX (1866) p. 238-66. – [M. Lupo Gentile, Gli Annales Pisani di Bernardo Maragone (Rer. Ital. Script. N. E. VI 2). 1936]*
	BERNH. PROV.	BERNHARDUS PROVINCIALIS medicus	
s. XII.[2]	comm.	commentarium super tabulas Salerni	*S. de Renzi, Collectio Salernitana. V (1859) p. 269-328*
c. 978-1048	BERNO	BERNO, abb. Augiensis	
post 1021	div. ton.	de consona tonorum diversitate	*M. Gerbert, Scriptores ecclesiastici de musica sacra potissimum. II (1784) p. 114-17. – part.: F.-J. Schmale, Die Briefe des Abtes Bern von Reichenau (Veröffentl. d. Komm. f. geschichtl. Landeskunde in Baden-Württemb. Reihe A VI). 1961. p. 17-19 (= epist. 1). – [Migne PL 142 p. 1155-58]*
1008-48	epist.	epistolae	*F.-J. Schmale, op. cit. – [Migne PL 142 p. 1155-74]*

aetas	notae	notarum explicatio	editiones
ante 1048	mens. monoch.	de mensurando monochordo	*J. Smits van Waesberghe, Bernonis Augiensis 'De mensurando monochordo' (Divitiae musicae artis. ser. A. lib. VIa). 1978. – [M. Gerbert, op. cit. I (1784) p. 331-38 (olim: ANON. I mus. Gerbert)]*
c. 1040	modul. psalm.	de varia psalmorum atque cantuum modulatione	*M. Gerbert, op. cit. II (1784) p. 91-114. – [Migne PL 142 p. 1131-54]*
post 1022	ton.	tonarius	*M. Gerbert, op. cit. II (1784) p. 79-91. prol.: p. 62-79. – [Migne PL 142 p. 1099-1130]*
c. 1050-1100	BERNOLD. CONST.	BERNOLDUS (Bernaldus) Constantiensis, mon. Sanblasianus	
s. XI.ex.	chron.	chronicon	*G. H. Pertz MG Script. V (1844) p. 393-467*
1074-1100	libell.	libelli varii	*F. Thaner MG Lib. Lit. II (1892) p. 7-28. 48-160. app.: p. 161-68*
c. 1089	microl.	micrologus de ecclesiasticis observationibus sive de divinis officiis	*Migne PL 151 p. 977-1022. add.: RevBén. 8 (1891) p. 200-01*
† c. 1114	BERNOLD. WAT.	BERNOLDUS, praep. Watinensis	
c. 1091	chron.	chronica monasterii Watinensis	*O. Holder-Egger MG Script. XIV (1883) p. 163-75*
	BERTAR.	BERTARIUS, can. Virdunensis	
916-17	gest.	gesta episcoporum Virdunensium	*G. Waitz MG Script. IV (1841) p. 39-45*
c. 1030-88	BERTH.	BERTHOLDUS, mon. Augiensis	
1054-80	(?) annal.	annales sive chronicon	*G. H. Pertz MG Script. V (1844) p. 267-326. – part.: G. Waitz MG Script. XIII (1881) p. 730-32 (usque ad a. 1066)*
c. 1210-72	BERTH. RATISB.	BERTHOLDUS Ratisbonensis, praedicator O. F. M.	
1250-55	serm.	sermones ad religiosos	*P. Hoetzl, Beati fr. Bertholdi a Ratisbona sermones ad religiosos. 1882*
	serm. exc.	sermonum excerpta	*A. E. Schönbach, SBWien CXLVII 5 (1904) p. 2-82*
	BERTH. WERD.	BERTHOLDUS, mon. Werdinensis	
1118-55	narr.	narratio, quomodo portio vivificae crucis Werdeam pervenerit	*O. Holder-Egger MG Script. XV (1888) p. 768-70*
† c. 1169	BERTH. ZWIF.	BERTHOLDUS, abb. Zwifaltensis	
1137-39	chron.	chronicon sive libellus de constructione Zwifaltensis monasterii	*L. Wallach, E. König, K. O. Müller, Die Zwiefalter Chroniken Ortliebs u. Bertholds (Schwäb. Chroniken d. Stauferzeit II). 1941 (²1978) p. 136-286. – L. Wallach, Traditio 13 (1957) p. 187-233*

aetas	notae	notarum explicatio	editiones
	BERTHA	BERTHA, abb. Vilicensis	
c. 1056-57	Adelh.	vita Adelheidis, abb. Vilicensis	*O. Holder-Egger MG Script. XV (1888) p. 755-763*
672/75-754	BONIF.	BONIFATIUS (Wynfreth), Germanorum apostolus	
	carm.	carmina	*E. Dümmler MG Poet. I (1881) p. 3-19. app.: p. 19-23*
716-54	epist.	epistolae	*M. Tangl, Die Briefe des hl. Bonifatius u. Lullus (MG Epist. sel. I). 1916. p. 4-236*
	(?) metr.	de caesuris et metris	*B. Löfstedt CC Ser. Lat. CXXXIII^{B} (1980) p. 109-13. – [T. Gaisford, Scriptores Latini rei metricae. 1837. p. 577-85]*
	paen.	paenitentiale	*A. J. Binterim, Die vorzüglichsten Denkwürdigkeiten der christ-katholischen Kirche. V 3 (1829) p. 430-36*
† c. 1095	BONIZO	BONIZO (Bonitho), episc. Sutrinus	
1085-86	ad amic.	liber ad amicum	*E. Dümmler MG Lib. Lit. I (1891) p. 571-620*
cod. s. IX.	BOTAN. Sangall.	BOTANICUS Sangallensis	*E. Landgraf, Kyklos 1 (1928) p. 120-45*
† 916	BOVO CORB.	BOVO minor, abb. Corbeiensis (sc. Corbeiae Novae)	
900-16	Boeth.	commentarius in Boethii carmen (Boeth. cons. 3 carm. 9)	*R. B. C. Huygens, Sacris Erudiri 6 (1954) p. 383-98*
† 1065	BOVO SITH.	BOVO, abb. Sithiensis	
1050-52	Bert.	inventio Bertini	*O. Holder-Egger MG Script. XV (1887) p. 525-34*
798-814	BREV. NOTIT.	BREVES NOTITIAE de constructione ecclesiae Salisburgensis	*W. Hauthaler, F. Martin, Salzburger UB. II (1916) p. A2-A23 (in appendice). – F. Lošek, Mitteilungen d. Gesellsch. f. Salzburger Landeskunde 130 (1990) p. 102-40*
925-65	BRUNO COL.	BRUNO, archiep. Coloniensis	
962/65 ?	(?) carm.	carmen	*K. Strecker MG Poet. V (1937-79) p. 377-78*
	BRUNO MAGD.	BRUNO, clericus Magdeburgensis (vel Merseburgensis)	
1082	bell.	de bello Saxonico	*H. E. Lohmann, Brunos Buch vom Sachsenkrieg (MG Deutsches Mittelalter II). 1937*
c. 974-1009	BRUNO QUERF.	BRUNO Querfurtensis, Slavorum apostolus	
1004	Adalb. A	vita Adalberti, episc. Pragensis, rec. prior	*J. Karwasińska Mon. Polon. Hist. N. S. IV 2 (1969) p. 3-41. – [A. Bielowski Mon. Polon. Hist. I (1864) p. 189-222]*

aetas	notae	notarum explicatio	editiones
1008	Adalb. B	vita Adalberti, rec. posterior	*J. Karwasińska, op. cit. p. 45-69. – [G. H. Pertz MG Script. IV (1841) p. 596-612. – A. Kolberg, ZGeschErml. 15 (1904-05) p. 120-206]*
1008	fratr.	vita vel passio quinque fratrum	*J. Karwasińska Mon. Polon. Hist. N. S. IV 3 (1973) p. 27-84. – [R. Kade MG Script. XV (1888) p. 716-38]*
1008	ad Heinr. II.	epistola ad Heinricum II. regem	*J. Karwasińska, op. cit. (1973) p. 97-106. – [W. v. Giesebrecht, Gesch. der deutschen Kaiserzeit. ⁵II (1885) p. 702-05]*
† c. 1265	BRUNUS LONG.	BRUNUS Longoburgensis medicus	
1252	chirurg.	chirurgia magna	*Ars chirurgica Guidonis Chauliaci. Venetiis (apud Juntas). 1546. p. 103-30*
	BURCH.	BURCHARDUS (Bor-), ceterum ignotus	
c. s. XIII.	Iud.	carmen de Iuda	*P. Lehmann, Erforschung des Mittelalters. II (1959) p. 251-58*
	BURCH. ARGENT.	BURCHARDUS, vicedominus Argentinensis	
1175	itin.	itinerarium in Aegyptum et Syriam	*P. Lehmann, O. Glauning, Mittelalterliche Handschriftenbruchstücke der Universitätsbibl. u. des Georgianum zu München (Zentralblatt f. Bibliothekswesen. Beih. LXXII). 1940. p. 63-69. – [J. de Saint-Genois, Voyages faits en terre-sainte (Mém. de l'Académie Royale des Sciences ... de Belgique XXVI). 1851. p. 58-61]*
	BURCH. SION.	BURCHARDUS de Monte Sion (sive de Barby, de Saxonia)	
c. 1283	descr.	descriptio terrae sanctae	*J. C. M. Laurent, Peregrinationes medii aevi quatuor. ²1873. p. 19-94*
† c. 1231	BURCH. URSB.	BURCHARDUS, praep. Ursbergensis	
1229-30	chron.	chronicon	*O. Holder-Egger, B. v. Simson, Die Chronik des Propstes Burchard von Ursberg (MG Script. rer. Germ.). 1916*
965-1025	BURCH. WORM.	BURCHARDUS, episc. Wormatiensis	
	---	decreta v. DECRET. Burch.	
s. XI.in.	ieiun.	de ieiunio Moysi et Eliae	*H. Boos, Mon. Wormatiensia, Annalen u. Chroniken (Quellen z. Gesch. d. Stadt Worms III). 1893. p. 118-21 (= VITA Burch. Worm. 19)*
	---	lex v. LEX fam. Worm.	
c. 1180-1240/45	CAES. HEIST.	CAESARIUS, mon. Heisterbacensis	
1210-15	comm.	commentarius in sequentiam 'Ave, preclara maris stella'	*R. B. C. Huygens, Cîteaux 20 (1969) p. 119-27*

aetas	notae	notarum explicatio	editiones
c. 1236-37	Elis. I. II	vita Elisabethae, landgraviae Thuringensis, (= I) et sermo de eius translatione (= II)	*A. Huyskens in: A. Hilka, Die Wundergeschichten des Caesarius von Heisterbach (Publ. d. Gesellsch. f. Rhein. Geschichtskunde XLIII). III (1937) p. 344-81. (= I). 381-90 (= II)*
1226-37	Engelb.	vita Engelberti, archiep. Coloniensis	*F. Zschaeck in: A. Hilka, op. cit. III (1937) p. 234-327*
s. XIII.[1]	hom.	homiliae	*J. A. Coppenstein, Caesarii Heisterbacensis homiliae. Coloniae Agrippinae. 1615*
s. XIII.[1]	hom. exc.	homiliarum excerpta	*A. Hilka, op. cit. I (1933) p. 8-188*
1223	mirac. I	dialogus miraculorum	*J. Strange, Caesarii Heisterbacensis monachi ordinis Cisterciensis 'Dialogus miraculorum'. I. II (1851)*
1225-27	mirac. II	libri miraculorum	*A. Hilka, op. cit. III (1937) p. 15-128*
	CAES. PRUM.	CAESARIUS, abb. Prumiensis, mon. Heisterbacensis	
1222	gloss.	glossae ad registrum Prumiense	*I. Schwab, Das Prümer Urbar (Publ. d. Gesellsch. f. Rhein. Geschichtskunde XX 5). 1983. p. 164-259 (in notis)*
† 845	CAND. FULD.	CANDIDUS (Brun), mon. Fuldensis	
c. 840	Eigil. I. II	vita Eigilis, abb. Fuldensis, prosaica et metrica	*G. Waitz MG Script. XV (1887) p. 222-33 (= I). E. Dümmler MG Poet. II (1884) p. 96-117 (= II)*
	CANTAT.	CANTATORIUM	
s. XII.	Argent.	cantatorium Argentinense	*A. Wilmart, L'ancien Cantatorium de l'église de Strasbourg. 1928*
	---	Cantatorium s. Huberti v. CHRON. Andag.	
	CAPIT.	CAPITULA, CAPITULARE, -IA, CAPITULATIO	
c. 847-50	Bened.	capitularia Benedicti Levitae	*F. H. Knust MG Leg. II 2 (1837) p. 19-158*
s. IX.	episc. I-III	capitula episcoporum	*P. Brommer MG Capit. episc. I (1984). R. Pokorny, M. Stratmann, op. cit. II (1995). R. Pokorny, op. cit. III (1995)*
c. 782	part. Saxon.	capitulatio de partibus Saxoniae	*C. Frh. v. Schwerin, Leges Saxonum u. Lex Thuringorum (MG Font. iur. Germ. ant.). 1918. p. 37-44*
507-877	reg. Franc.	capitularia regum Francorum	*A. Boretius, V. Krause, Capitularia regum Francorum (MG Leg. sectio II). I (1883). II (1897) p. 1-469. add: H. Mordek, G. Schmitz, DtArch. 43 (1987) p. 396-423*
797	Saxon.	capitulare Saxonicum	*C. Frh. v. Schwerin, op. cit. p. 45-49*
	CARM.	CARMEN, CARMINA	
c. 705	Aldh.	carmina rhythmica ad scholam Aldhelmianam pertinentia	*R. Ehwald, Aldhelmi opera (MG Auct. Ant. XV). 1919. p. 524-37*

aetas	notae	notarum explicatio	editiones
c. s. IX.	Augiens.	carmina (versus) Augiensia (-es)	*K. Strecker MG Poet. IV (1923) p. 1112-16*
1075-76	de bello Saxon.	carmen de bello Saxonico (auctore fort. Erlungo, episc. Wirziburgensi)	*O. Holder-Egger, Carmen de bello Saxonico (MG Script. rer. Germ.). 1889. p. 1-23. – A. Pannenborg, Das Carmen de bello Saxonico Lamberts von Hersfeld. 1892*
s. IX.	de Bened.	carmen de Benedicta	*P. v. Winterfeld MG Poet. IV (1899) p. 209-31*
842-88	biblioth.	carmina (versus) bibliothecarum (i. codicum Sacrae Scripturae) et psalteriorum	*L. Traube MG Poet. III (1896) p. 243-64*
cod. s. XIII.	Bur. [A. B]	carmina Burana	*A. Hilka, O. Schumann, Carmina Burana. I 1.2 (1930-41). O. Schumann, B. Bischoff, op. cit. I 3 (1970) p. 1-109. add.: p. 111-87. app.: p. 189-90 (olim: CARM. Bur. B). – [J. A. Schmeller, Carmina Burana (Bibl. d. Literar. Vereins zu Stuttgart XVI[a]). 1847 (olim: CARM. Bur. A.)]*
s. XII.[ex.]	de cal. Erf.	carmen de calamitatibus Erfurtensibus anni 1184	*O. Holder-Egger, Mon. Erphesfurtensia (MG Script. rer. Germ.). 1899. p. 400-02*
	[Cantabr.]	v. CARM. Cantabr. A	
cod. s. XI.	Cantabr. A	carmina Cantabrigiensia	*K. Strecker, Die Cambridger Lieder (MG Script. rer. Germ.). 1926. app. 1: D. R. Bradley, MittellatJb. 22 (1987) p. 128-29. – J. M. Ziolkowski, The Cambridge Songs (Garland Library of Medieval Lit. LXVI. Ser. A). 1994. p. 2-126*
cod. s. XI.	Cantabr. B	carmina Cantabrigiensia, quae Strecker non ed.	*P. Dronke, M. Lapidge, P. Stotz, MittellatJb. 17 (1982) p. 62-94. – part.: J. M. Ziolkowski, op. cit. p. 140-52. 156-62*
s. IX.	de Cass.	carmen de Cassiano	*P. v. Winterfeld MG Poet. IV (1899) p. 181-96*
s. IX.[1]	Cenom.	carmina Cenomanensia	*E. Dümmler MG Poet. II (1884) p. 623-36*
s. IX.[2]	Cent.	carmina Centulensia	*L. Traube MG Poet. III (1896) p. 279-368*
s. IX.[1]	cod. Paris. (8812)	carmina codicis Parisini 8812	*K. Strecker MG Poet. VI (1951) p. 135-41*
c. 895	cod. Vat. (5330)	carmina codicis Vaticani 5330	*K. Strecker MG Poet. VI (1951) p. 144-53*
s. XI.-XII.	cod. Vindob. (806)	carmina codicis Vindobonensis 806	*R. Pörtner, Eine Sammlung lat. Gedichte in der Handschrift Wien ÖNB 806 aus dem 12. Jh. Diss. Tübingen. 1989*
c. 900	de conc. mens.	carmen de concordia mensuum	*K. Strecker MG Poet. VI (1951) p. 203-07*
1167-85	de Cunone	carmen de Cunone II., episc. Ratisbonensi	*W. Wattenbach, NArch. 2 (1877) p. 387-91*
s. XI.[1]	didasc.	carmen didascalicum 'Quid suum virtutis'	*A. Paravicini, Quid suum virtutis (EditHeidelb. XXI). 1980*
1162-66	de Frid. I. imp.	carmen de Friderico I. imp.	*I. Schmale-Ott, Carmen de gestis Frederici I. imperatoris in Lombardia (MG Script. rer. Germ.). 1965. – [E. Monaci, Gesta di Federico I. in Italia (Fonti per la storia d'Italia). 1887]*
c. s. IX.	Hraban. app.	carmina Hrabani, appendix	*E. Dümmler MG Poet. II (1884) p. 254-58*

aetas	notae	notarum explicatio	editiones
s. IX.-XI.^{1}	imag.	carmina imaginibus librorum adscripta	*K. Strecker MG Poet. V (1937-79) p. 425-63. suppl.: VI (1951) p. 163-66*
c. s. XIII.	de Iuda	carmen de Iuda	*P. Lehmann, Erforschung des Mittelalters. II (1959) p. 259-83*
801-10	de Karolo et Leone	carmen de Karolo Magno et Leone papa	*E. Dümmler MG Poet. I (1881) p. 366-79. – F. Brunhölzl, in: Karolus Magnus et Leo papa (Studien u. Quellen z. westfälischen Gesch. VIII). 1966. p. 60-96*
c. s. X.	de Lamb.	carmina de Lamberto (Landb-)	*P. v. Winterfeld MG Poet. IV (1899) p. 142-59*
s. VIII.^{2}	libr. I	carmina libris s. VIII. adiecta	*E. Dümmler MG Poet. I (1881) p. 89-98*
c. s. IX.	libr. II	carmina libris aevi Karolini adiecta	*K. Strecker MG Poet. IV (1923) p. 1056-72*
s. IX.-X.	libr. II A	carmina libris aevi Karolini adiecta, supplementum	*K. Strecker MG Poet. VI (1951) p. 167-78*
s. X.-XI.^{1}	libr. III	carmina libris aevi Ottonum adiecta	*K. Strecker MG Poet. V (1937-79) p. 373-414*
s. X.-XII.	libr. III A	carmina libris aevi Ottonum adiecta, supplementum	*G. Silagi, B. Bischoff MG Poet. V (1937-79) p. 668-72*
c. s. XII.	de litt.	carmen de litteris numeros significantibus	*T. Mommsen, Berichte über die Verhandlungen der K. Sächs. Gesellsch. d. Wiss. zu Leipzig. Philos.-hist. Cl. 5 (1853) p. 94-95*
s. XI.	de mus.	carmen de musica	*E. de Coussemaker, Scriptorum de musica medii aevi nova series. II (1867) p. 110-15 (olim: GUIDO ARET. form. epil.)*
c. s. VIII.^{2}	de Nyn.	carmen de Nynia episc.	*K. Strecker MG Poet. IV (1923) p. 944-61. hymn.: p. 961-62*
s. X.$^{ex.}$-XI.$^{in.}$	Otton. III.	carmina ad Ottonem III. spectantia	*K. Strecker MG Poet. V (1937-79) p. 464-89*
c. s. VIII.^{2}	Paul. Diac. app. I. II	carmina Pauli Diaconi, appendices	*K. Neff, Die Gedichte des Paulus Diaconus (QuellUntersLatPhil. III 4). 1908. p. 172-210 (= I). E. Dümmler MG Poet. I (1881) p. 78-85 (= II)*
s. X.^{2}	de philom.	carmen de philomela	*P. Klopsch, Carmen de philomela (Europäisches Mittelalter. Festschrift K. Langosch). 1973. p. 187-94*
s. IX.-XI.	potat.	carmina potatoria caritati in refectorio celebrandae destinata	*B. Bischoff, Mittelalterliche Studien II (1967) p. 69-74*
s. IX.	de Quint.	carmen de Quintino	*P. v. Winterfeld MG Poet. IV (1899) p. 197-208*
s. XI.^{2}-XII.$^{in.}$	Ratisb.	carmina Ratisbonensia	*A. Paravicini, Carmina Ratisponensia (EditHeidelb. XX). 1979*
s. XII.$^{ex.}$	de Rob.	carmen in laudem Roberti, abb. Ebersbergensis	*W. Wattenbach, NArch. 2 (1877) p. 391-96*
	[Salisb.]	v. CARM. Salisb. I	

aetas	notae	notarum explicatio	editiones
s. IX. 820-36	Salisb. I. II	carmina Salisburgensia	*E. Dümmler MG Poet. II (1884) p. 637-48 (= I). B. Bischoff, SBMünch. 1973/IV. p. 27-29 (= II)*
s. IX.[1]	Sangall. I	carmina Sangallensia	*E. Dümmler MG Poet. II (1884) p. 474-82*
s. IX.	Sangall. II	carmina Sangallensia varia	*K. Strecker MG Poet. IV (1923) p. 1092. 1108-12*
1031	pro schola Wirz.	carmen pro schola Wirziburgensi	*W. Bulst, Die ältere Wormser Briefsammlung (MG Die Briefe der deutschen Kaiserzeit III). 1949. p. 119-27*
c. s. IX.	Scot. I. II	carmina Scotorum Latina et Graecanica	*L. Traube MG Poet. III (1896) p. 685-701 (= I). K. Strecker MG Poet. IV (1923) p. 1119-27 (= II)*
c. s. XI.[1]	Teg.	carmina Tegernseensia	*K. Strecker, Die Tegernseer Briefsammlung (MG Epist. sel. III). 1925. p. 99-123*
s. VIII.[2]-IX.	de temp. rat.	carmen de temporum ratione	*K. Strecker MG Poet. VI (1951) p. 188-203*
c. 834	de Tim.	carmen anonymi, fort. Frisingensis, de Timone comite	*E. Dümmler MG Poet. II (1884) p. 120-24*
c. s. IX.	var. I	carmina varia aevi Karolini, pars I	*E. Dümmler MG Poet. II (1884) p. 649-86*
c. s. IX.	var. II	carmina varia aevi Karolini, pars II	*K. Strecker MG Poet. IV (1923) p. 1074-90*
c. s. IX.	var. II A	carmina varia aevi Karolini, supplementum	*K. Strecker MG Poet. VI (1951) p. 179-85*
s. X.-XI.[1]	var. III	carmina varia aevi Ottonum	*K. Strecker MG Poet. V (1937-79) p. 490-563*
s. X.-XI.	var. III A-C	carmina varia aevi Ottonum, supplementa	*G. Silagi, B. Bischoff MG Poet. V (1937-79) p. 596-628 (= A). 635-42 (= B). 643-58 (= C)*
s. XI.-XII.	var. Walther	carmina varia, quae ed. Walther	*H. Walther, Das Streitgedicht in der lat. Literatur des Mittelalters. 1920. p. 191-234*
s. IX.	de vita past.	carmen de vita pastorali	*B. Bischoff, DtArch. 37 (1981) p. 565-74*
s. IX.[1]	Walahfr. app.	carmina Walahfridi, appendix	*E. Dümmler MG Poet. II (1884) p. 423-28*
c. 1042	Winr.	carmen, q. d. Winrici (vel potius: querela magistri Paulini)	*L. Gompf, MittellatJb. 4 (1967) p. 100-21. – [F. X. Kraus, BonnJb. 50/51 (1871) p. 233-47 (olim: WENR. carm.)]*
	CARUS	CARUS Scotus, mon. Mettensis, ut vid.	
984-1005	Clem.	vita Clementis, episc. Mettensis	*K. Strecker MG Poet. V (1937-79) p. 112-45*
	CASUS	CASUS	
s. XI.ex.-XIII.in.	Gall. cont.	casus s. Galli, continuationes anonymae	*H. Leuppi, Casuum s. Galli continuatio anonyma. Diss. Zürich. 1987. – [G. Meyer v. Knonau, MittGeschStGallen XVII (N. F. VII). 1879. p. 3-119]*
1235-46	Geng.	casus monasterii Gengenbacensis	*A. Schulte, ZGeschOberrh. 43 (N. F. 4). 1889. p. 100-14 (olim: ACTA Geng.)*

aetas	notae	notarum explicatio	editiones
1156-1249	Petrish.	casus monasterii Petrishusensis	*O. Feger, Die Chronik des Klosters Petershausen (Schwäb. Chroniken d. Stauferzeit III). 1956. – [O. Abel, L. Weiland MG Script. XX (1868) p. 624-82]*
	CATAL.	CATALOGUS, -I	
s. IX.-XIII.	biblioth. A. B	catalogi bibliothecarum mediaevales	*Mittelalterliche Bibliothekskataloge Deutschlands u. der Schweiz. I (1918). III (1932-39). IV 1 (1977). IV 2 (1979) sqq. (= A). Mittelalterliche Bibliothekskataloge Österreichs. I (1915). III (1961). IV (1966) sqq. (= B)*
s. IX.-XIII.	biblioth. Becker	catalogi bibliothecarum mediaevales, quos ed. Becker	*G. Becker, Catalogi bibliothecarum antiqui. 1885*
	[biblioth. Gottlieb]	v. CATAL. biblioth. B I	
	[biblioth. Lehm.]	v. CATAL. biblioth. A I	
	[biblioth. Ruf]	v. CATAL. biblioth. A III	
s. XIII.[1]	cod. Conr. Schir.	catalogi imperatorum, regum, pontificum in foliis codici a Conrado Schirensi illuminato adiectis	*P. Jaffé MG Script. XVII (1861) p. 624-29 (olim: CONR. SCHIR. catal.)*
1278-80	fam. pap.	catalogus familiae papalis	*F. Baethgen, QuellForschItArch. 20 (1928-29) p. 195-206*
cod. s. IX.[2]	mensur.	catalogus mensurarum et ponderum	*B. Bischoff, Anecdota novissima (QuellUntersLatPhil. VII). 1984. p. 169-70*
s. VIII. ex.-XIII. med.	thes. Germ.	catalogi thesaurorum Germanicorum mediaevales	*Mittelalterliche Schatzverzeichnisse (VeröffZIMünch. IV). I (1967)*
	CHART.	CHARTAE	
1122-1280	Advoc.	chartae Advocatorum	*B. Schmidt, UB der Vögte von Weida, Gera u. Plauen (ThürGeschQuell. N. F. II). I (1885). add.: II (1892) p. 620-29*
675-705	Aldh.	chartae Aldhelmianae	*R. Ehwald, Aldhelmi opera (MG Auct. Ant. XV). 1919. p. 507-16*
	[Alsat.]	v. CHART. Alsat. A	
1212-80	Alsat. A	chartae Alsaticae	*A. Hessel, Elsässische Urkunden (Schriften d. Wiss. Gesellsch. in Straßburg XXIII). 1915*
496-918	Alsat. B	chartae Alsaticae	*A. Bruckner, Regesta Alsatiae aevi Merovingici et Karolini. I (1949)*
1137-1208	Altaerip.	chartae monasterii Altae Ripae (Hauterive)	*E. Tremp, Liber donationum Altaeripae (Mém. et doc. publ. par la Soc. d'histoire de la Suisse romande. III 15). 1984*
1138-1280	Altenberg.	chartae Altenbergenses	*H. Mosler, UB der Abtei Altenberg (Urkundenbücher d. geistl. Stiftungen d. Niederrheins III). I (1912)*
976-1280	Altenburg.	chartae Altenburgenses	*H. Patze, Altenburger UB (Veröffentl. d. Thür. Hist. Komm. V). 1955*

aetas	notae	notarum explicatio	editiones
934-1280	Anhalt.	chartae Anhaltinae	*O. v. Heinemann, Codex diplomaticus Anhaltinus. I (1867). II (1875). add.: V (1881) p. 277-311*
1101-1250	Aquens.	chartae Aquenses	*E. Meuthen, Aachener Urkunden 1101-1250 (Publ. d. Gesellsch. f. Rhein. Geschichtskunde LVIII). 1972*
937-1192	archiep. Magd.	chartae archiepiscopatus Magdeburgensis	*F. Israel, W. Möllenberg, UB des Erzstifts Magdeburg (GeschQuellProvSachs. N. R. XVIII). I (1937)*
662-1280	Argent.	chartae Argentinenses	*W. Wiegand, UB der Stadt Straßburg (Urkunden u. Akten d. Stadt Straßburg I). I (1879). II (1886). A. Schulte, op. cit. III (1884). add.: IV 1 (1898) p. 1-161*
704-1280	Arnstad.	chartae Arnstadienses	*C. A. H. Burkhardt, UB der Stadt Arnstadt (ThürGeschQuell. N. F. I). 1883*
861-1280	Aschaff.	chartae Aschaffenburgenses	*M. Thiel, UB des Stifts St. Peter u. Alexander zu Aschaffenburg (Veröffentl. d. Geschichts- u. Kunstvereins zu Aschaffenburg XXVI). 1986*
1125-1278	Asp.	chartae Aspacenses	*J. Geier, Die Traditionen, Urkunden u. Urbare des Klosters Asbach (QuellErörtBayerGesch. N. F. XXIII). 1969. p. 85-105*
777-1280	Austr. sup. I. II	chartae Austriae superioris	*UB des Landes ob der Enns, hrg. vom Verwaltungs-Ausschuß des Museums Francisco-Carolinum zu Linz. II (= I) 1856. III (= II) 1862. add.: IV (1867) p. 551-69. VI (1872) p. 575-78*
1115-1279	Babenb.	chartae Babenbergensium	*H. Fichtenau, E. Zöllner, UB z. Gesch. der Babenberger in Österreich (Publ. d. Inst. f. österr. Geschichtsforsch. III. Reihe). I (1950). II (1955). IV 1 (1968)*
708-1280	Basil. A	chartae Basileenses	*J. Trouillat, Monuments de l'histoire de l'ancien évêché de Bâle. I-III (1852-58)*
1218-80	Basil. B	chartae Basileenses	*H. Boos, UB der Landschaft Basel. I (1881)*
1096-1280	Basil. C	chartae Basileenses	*R. Wackernagel, R. Thommen, UB der Stadt Basel. I (1890). II (1893)*
965-1280	Berg. Magd.	chartae monasterii Bergensis Magdeburgensis	*H. Holstein, UB des Klosters Berge bei Magdeburg (GeschQuellProvSachs. IX). 1879*
762-1280	Bern.	chartae Bernenses	*Fontes rerum Bernensium. I-III (1877-83)*
1036-1280	Beron.	chartae Beronenses	*T. v. Liebenau, Der Geschichtsfreund 58 (1906) p. 65-221*
1015-1280	Biel.	chartae Bielefeldenses	*B. Vollmer, UB der Stadt u. des Stiftes Bielefeld. 1937*
786-1280	Brand. A-C	chartae Brandenburgenses	*A. F. Riedel, Novus codex diplomaticus Brandenburgensis. Erster Hauptteil (= A) I-XXV (1838-63). Zweiter Hauptteil (= B) I-VI (1843-58). Dritter Hauptteil (= C) I-III (1859-61). suppl.: Supplementband. 1865*

aetas	notae	notarum explicatio	editiones
787-1280	Brem.	chartae Bremenses	*R. Ehmck, W. v. Bippen, Bremisches UB. I (1873)*
845-1280	Brixin.	chartae Brixinenses	*L. Santifaller, Die Urkunden der Brixner Hochstifts-Archive (Schlern-Schriften XV). I (1929)*
1031-1280	Brunsv.	chartae Brunsvicenses	*L. Haenselmann, UB der Stadt Braunschweig. I (1873). II (1900). add.: IV (1912) p. 383-424*
765-1280	Bund.	chartae Bundenses	*E. Meyer-Marthaler, F. Perret, Bündner UB. I (1955) p. 11-371. II (1973). III (1985)*
	[Bund. app.]	v. REGISTR. Raet. Cur.	
1133-1280	Burgel.	chartae Burgelenses	*P. Mitzschke, UB von ... Bürgel (Thür.-sächs. Geschichtsbibl. III). I (1895)*
808-1280	Burgenl.	chartae Burgenlandenses	*H. Wagner, UB des Burgenlandes (Publ. d. Inst. f. österr. Geschichtsforsch. VII. Reihe). I (1955). I. Lindeck-Pozza, op. cit. II (1965) p. 1-147*
864-1280	Carinth.	chartae Carinthiae	*A. v. Jaksch, Mon. hist. ducatus Carinthiae. I-IV (1896-1906). H. Wiessner, op. cit. V (1956)*
777-1269	Carniol.	chartae Carniolenses	*F. Schumi, Urkunden- u. Regestenbuch des Herzogtums Krain. I (1882-83). II (1884-87)*
1068-1280	cell. Paulin.	chartae cellae Paulinae	*E. Anemüller, UB des Klosters Paulinzelle (ThürGeschQuell. N. F. IV). 1905*
1143-1280	Chemnit.	chartae Chemnitienses	*H. Ermisch, UB der Stadt Chemnitz u. ihrer Klöster (Cod. dipl. Sax. II 6). 1879*
1167-1280	civ. August.	chartae civitatis Augustanae	*C. Meyer, UB der Stadt Augsburg. I (1874)*
742-1280	civ. Erf.	chartae civitatis Erfurtensis	*C. Beyer, UB der Stadt Erfurt (GeschQuell-ProvSachs. XXIII. XXIV). I (1889). add.: II (1897) p. 821-23*
994-1280	civ. Halb.	chartae civitatis Halberstadensis	*G. Schmidt, UB der Stadt Halberstadt (Gesch-QuellProvSachs. VII). I (1878). add.: II (1879) p. 440-46*
c. 996-1280	civ. Hild.	chartae civitatis Hildesheimensis	*R. Doebner, UB der Stadt Hildesheim. I (1881). add.: III (1887) p. 631-50. VIII (1901) p. 851*
805-1280	civ. Magd.	chartae civitatis Magdeburgensis	*G. Hertel, UB der Stadt Magdeburg (Gesch-QuellProvSachs. XXVI). I (1892)*
1150-1280	civ. Misn.	chartae civitatis Misnensis	*E. G. Gersdorf, UB der Stadt Meißen u. ihrer Klöster (Cod. dipl. Sax. II 4). 1873*
893-1280	civ. Ratisb.	chartae civitatis Ratisbonensis	*J. Widemann, Regensburger UB (Mon. Boica LIII. N. F. VII). I (1912)*
634-1280	civ. Spir.	chartae civitatis Spirensis	*A. Hilgard, Urkunden z. Gesch. der Stadt Speyer. 1885*
1214-80	civ. Vratisl.	chartae civitatis Vratislaviensis	*G. Korn, Breslauer UB. I (1870)*
844-1280	Col.	chartae Colonienses	*L. Ennen, G. Eckertz, Quellen z. Gesch. der Stadt Köln. I-III (1860-67)*

aetas	notae	notarum explicatio	editiones
877-1280	com. Mansf.	chartae comitatus Mansfeldensis	*M. Krühne, UB der Klöster der Grafschaft Mansfeld (GeschQuellProvSachs. XX). 1888*
1152-1280	Const.	chartae Constantienses	*K. Beyerle, Die Konstanzer Grundeigentumsurkunden. 1902*
1228-80	Culm.	chartae Culmenses	*C. P. Woelky, UB des Bisthums Culm (Neues Preuß. UB. Westpreuß. Teil II 1). I (1885-87). add.: II (1887) p. 1153-54*
1123-1276	Diess.	chartae Diessenses	*W. Schlögl, Die Traditionen u. Urkunden des Stiftes Dießen (QuellErörtBayerGesch. N. F. XXII 1). 1967. p. 101-77*
899-1280	Dortm.	chartae Dortmundenses	*K. Rübel, Dortmunder UB. I 1 (1881). add.: II 2 (1894) p. 393-405. suppl.: Erg.-Band I (1910) p. 3-101*
877-1280	Drubic.	chartae Drubicenses	*E. Jacobs, UB des ... Klosters Drübeck (GeschQuellProvSachs. V). 1874*
904-1280	Duisb.	chartae Duisburgenses	*W. Bergmann (et al.), UB der Stadt Duisburg (Publ. d. Gesellsch. f. Rhein. Geschichtskunde LXVII 1). 1989*
1039-1280	Eberb.	chartae Eberbacenses (quae in REGISTR. Eberb. non inveniuntur)	*K. Rossel, UB der Abtei Eberbach im Rheingau. I (1862). II 1 (1865)*
1215-80	Ebstorf.	chartae monasterii Ebstorfensis	*K. Jaitner, UB des Klosters Ebstorf (Lüneburger UB, III. Abt.). 1985. p. 15-36*
706-1280	eccl. Erf.	chartae ecclesiarum Erfurtensium	*A. Overmann, UB der Erfurter Stifter u. Klöster (GeschQuellProvSachs. N. R. V. VII. XVI). I (1926). add.: II (1929) p. 502-03. III (1934) p. 407-10*
c. 1136-1280	eccl. Halb. I. II	chartae ecclesiarum Halberstadensium	*G. Schmidt, UB der Collegiat-Stifter s. Bonifacii (=I) u. s. Pauli (=II) in Halberstadt (GeschQuellProvSachs. XIII). 1881*
692-1280	eccl. Werd.	chartae ecclesiae Werdensis	*H. Kelleter, UB des Stiftes Kaiserswerth (Urkundenbücher d. geistl. Stiftungen d. Niederrheins I). 1904*
822-1280	Eichsf.	chartae Eichsfeldenses	*A. Schmidt, UB des Eichsfeldes (GeschQuellProvSachs. N. R. XIII). I (1933)*
c. 893-1280	Eichst.	chartae Eichstetenses	*F. L. Baumann, L. Steinberger, Urkunden des Hochstifts Eichstätt (Mon. Boica XLIX. N. F. III). 1910*
1122-1280	Engelb.	chartae Engelbergenses	*P. A. Vogel, Der Geschichtsfreund 49 (1894) p. 235-62 (nr. 1-27). 51 (1896) p. 3-123 (nr. 28-151)*
823-1280	episc. August.	chartae episcopatus Augustani	*Mon. episcopatus Augustani (Mon. Boica XXXIII). 1841*
780-1280	episc. Halb.	chartae episcopatus Halberstadensis	*G. Schmidt, UB des Hochstifts Halberstadt (Publ. a. d. K. Preuß. Staatsarch. XVII. XXI) I (1883). II (1884)*

aetas	notae	notarum explicatio	editiones
847-1280	episc. Hild.	chartae episcopatus Hildeshei-mensis	*K. Janicke, UB des Hochstifts Hildesheim (Publ. a. d. K. Preuß. Staatsarch. LXV). I (1896). H. Hoogeweg, op. cit. (Quellen u. Darstellungen z. Gesch. Niedersachsens VI. XI). II (1901). III (1903)*
962-1280	episc. Misn.	chartae episcopatus Misnensis	*E. G. Gersdorf, UB des Hochstifts Meißen (Cod. dipl. Sax. II). I (1864)*
c. 650-1280	episc. Spir.	chartae episcopatus Spirensis	*F. X. Remling, UB z. Gesch. der Bischöfe zu Speyer. Ältere Urkunden. 1852*
1227-80	episc. Vratisl.	chartae episcopatus Vratislaviensis	*G. A. Stenzel, Urkunden z. Gesch. d. Bisthums Breslau im Mittelalter. 1845*
823-1280	episc. Wirz.	chartae episcopatus Wirziburgensis	*E. v. Oefele, J. Petz, Mon. episcopatus Wirziburgensis (Mon. Boica XXXVII. XLV. XLVI). I-III (1864-1905)*
692-1222	Epternac.	chartae Epternacenses	*C. Wampach, Gesch. der Grundherrschaft Echternach im Frühmittelalter. I 2 (Quellenband). 1930*
794-1280	Francof.	chartae Francofurtenses	*F. Lau, UB der Reichsstadt Frankfurt. I (1901)*
1183-1280	Friberg.	chartae Fribergenses	*H. Ermisch, UB der Stadt Freiberg in Sachsen (Cod. dipl. Sax. II 12. 13). I (1883). II (1886)*
972-1280	Friburg.	chartae Friburgenses	*F. Hefele, Freiburger UB. I (1938-40)*
1101-1280	Fridesl.	chartae Frideslarienses	*K. E. Demandt, Quellen z. Rechtsgesch. der Stadt Fritzlar im Mittelalter (Veröffentl. d. Hist. Komm. f. Hessen u. Waldeck XIII 3). 1939*
1222-80	Friedb. Hass.	chartae civitatis Friedbergensis Hassiae	*M. Foltz, UB der Stadt Friedberg (Veröffentl. d. Hist. Komm. f. Hessen u. Waldeck III). I (1904)*
763-1280	Frising.	chartae Frisingenses	*J. Zahn, Codex diplomaticus Austriaco-Frisingensis (Font. rer. Austr. II 31. 35). I (1870). add.: II (1871) p. 347*
787-1280	Fris. or.	chartae Frisiae orientalis	*E. Friedlaender, Ostfriesisches UB. I (1878)*
747-1280	Fuld. A	chartae Fuldenses	*E. F. J. Dronke, Codex diplomaticus Fuldensis. 1850*
743-c. 802	Fuld. B	chartae Fuldenses	*E. E. Stengel, UB des Klosters Fulda (Veröffentl. d. Hist. Komm. f. Hessen u. Waldeck X 1). I 1-3 (1913-58)*
1068-1274	Garz.	chartae Garzenses	*H. Hofmann, Die Traditionen, Urkunden u. Urbare des Stiftes Gars (QuellErörtBayer-Gesch. N. F. XXXI). 1983. p. 81-122*
673-1280	Gelr.	chartae Gelrenses	*L. A. J. W. Sloet, Oorkondenboek der graafschappen Gelre en Zutfen. 1872-76*
1067-c. 1238	Georg. Col.	chartae ecclesiae s. Georgii Coloniensis	*A.-D. v. d. Brincken, Mitteilungen a. d. Stadtarchiv von Köln 51 (1966) p. 316-33*
866-1280	Ger. Col.	chartae ecclesiae s. Gereonis Coloniensis	*P. Joerres, UB des Stiftes St. Gereon zu Köln. 1893*

aetas	notae	notarum explicatio	editiones
973-1280	Gosl.	chartae Goslarienses	*G. Bode, UB der Stadt Goslar (GeschQuell-ProvSachs. XXIX. XXX). I (1893). II (1896)*
1058-1280	Gottwic.	chartae Gottwicenses	*A. F. Fuchs, Urkunden u. Regesten z. Gesch. des Benedictinerstiftes Göttweig (Font. rer. Austr. II 51). I (1901)*
1203-80	Grimm.	chartae Grimmenses	*L. Schmidt, UB der Stadt Grimma ... (Cod. dipl. Sax. II 15). 1895*
767-1280	Hagenow.	chartae Hagenowenses	*H. Reimer, UB z. Gesch. der Herren von Hanau (Hessisches UB II; Publ. a. d. K. Preuß. Staatsarch. XLVIII). I (1891)*
952-1280	Hall.	chartae Hallenses	*A. Bierbach, UB der Stadt Halle (GeschQuell-ProvSachs. N. R. X. XX). I (1930). add.: II (1939) p. 364-79*
786-1280	Hamb.	chartae Hamburgenses	*J. M. Lappenberg, Hamburgisches UB. I (1842)*
975-1280	Hans.	chartae Hanseaticae	*K. Hoehlbaum, Hansisches UB. I (1876). add.: II (1879) p. 335. III (1882-86) p. 380-413*
1220-80	Heinrichow.	chartae Heinrichowenses	*G. A. Stenzel, Liber fundationis claustri s. Mariae virginis in Heinrichow. 1854. p. 147-77*
1142-95	Heinr. Leon.	chartae Heinrici Leonis	*K. Jordan, Die Urkunden Heinrichs des Löwen (MG Die deutschen Geschichtsquellen d. Mittelalters). 1941*
1142-1280	Heist.	chartae Heisterbacenses	*F. Schmitz, UB der Abtei Heisterbach (Urkundenbücher d. geistl. Stiftungen d. Niederrheins II). 1908*
1158-1280	Helv. arb.	chartae Helvetiae occidentalis ad arbitria spectantes	*E. Usteri, Westschweizer Schiedsurkunden. 1955*
775-1100	Hersf.	chartae Hersfeldenses	*H. Weirich, UB der Reichsabtei Hersfeld (Veröffentl. d. Hist. Komm. f. Hessen u. Waldeck XIX 1). I 1 (1936)*
1253-80	Himmelport.	chartae Himmelportenses	*E. Jacobs, UB der Deutschordens-Commende Langeln u. der Klöster Himmelpforten u. Waterler ... (GeschQuellProvSachs. XV). 1882. p. 93-113*
1153-1280	Hohenloh.	chartae Hohenlohenses	*K. Weller, Hohenlohisches UB. I (1899). add.: II (1901) p. 684-86. III (1912) p. 634-36*
c. 1125-1278	Ioh. Halb.	chartae ecclesiae s. Iohannis Halberstadensis	*A. Diestelkamp, UB des Stifts St. Johann bei Halberstadt (Quellen z. Gesch. Sachsen-Anhalts IX). 1989*
1127-1280	Ioh. Ratisb.	chartae ecclesiae s. Iohannis Ratisbonensis	*M. Thiel, Die Urkunden des Kollegiatstifts St. Johann in Regensburg (QuellErörtBayer-Gesch. N. F. XXVIII). I (1975)*
776-1280	Ital. Ficker	chartae Italicae, quas ed. Ficker	*J. Ficker, Urkunden z. Rechts- u. Reichsgesch. Italiens (Forsch. z. Rechts- u. Reichsgesch. Italiens IV). 1874*
1202-80	Lac.	chartae monasterii in Lacu	*W. Küther, UB des Klosters Frauensee (Mitteldeutsche Forsch. XX). 1961*

aetas	notae	notarum explicatio	editiones
826-1280	Lamb. Leod.	chartae ecclesiae s. Lamberti Leodiensis	*S. Bormans, E. Schoolmeesters, Cartulaire de l'église Saint-Lambert de Liège. I (1893). II (1895). add.: VI (1933) p. 237-65*
1208-80	Landeshut.	chartae Landeshutenses	*T. Herzog, Landshuter UB (Bibl. familiengesch. Quellen XIII). I (1963)*
814-1280	Laus.	chartae Lausannenses	*C. Roth, Cartulaire du Chapitre de Notre-Dame de Lausanne (Mém. et doc. publ. par la Soc. d'histoire de la Suisse romande III 3,1). 1948*
1175-1253	Leub.	chartae Leubusenses	*I. G. Büsching, Die Urkunden des Klosters Leubus. 1821*
1021-1280	Lips.	chartae Lipsienses	*K. Frh. v. Posern-Klett, UB der Stadt Leipzig (Cod. dipl. Sax. II 8-10). I (1868). II (1870). J. Förstemann, op. cit. III (1894)*
1093-1280	Livon. A	chartae Livoniae	*F. G. v. Bunge, Liv-, Esth- u. Curländisches UB. I (1853). add.: III (1857) p. 1-76. VI (1873) p. 1-43*
1209-77	Livon. B	chartae Livoniae	*H. v. Bruiningk, N. Busch, Livländische Güterurkunden. 1908*
1139-1280	Lub.	chartae Lubecenses	*Codex diplomaticus Lubecensis, hrg. vom Vereine f. Lübeckische Gesch. u. Alterthumskunde (Lübeckisches UB I). I-IV (1843-73)*
956-1280	Luneb.	chartae Luneburgenses	*W. v. Hodenberg, Lüneburger UB. VII (1861-67). XV (1859)*
585-1280	Lux.	chartae Luxemburgenses	*C. Wampach, Urkunden- u. Quellenbuch z. Gesch. der altluxemburgischen Territorien. I-IV (1935-40). VIII (1951)*
948-1234	march. Misn.	chartae marchionum Misnensium	*O. Posse, Urkunden der Markgrafen von Meißen u. Landgrafen von Thüringen (Cod. dipl. Sax. I). I-III (1882-98)*
1016-1280	Mar. Magd.	chartae monasterii s. Mariae Magdeburgensis	*G. Hertel, UB des Klosters Unser Lieben Frauen zu Magdeburg (GeschQuellProvSachs. X). 1878*
786-1280	Me[c]kl.	chartae Meklenburgenses	*Meklenburgisches UB, hrg. von dem Verein f. Meklenburgische Gesch. u. Alterthumskunde. I (1863). II (1864). add.: IV (1867) p. 191-227. X (1877) p. 457-96. XXV (1936) p. 1-22*
962-1280	Merseb.	chartae Merseburgenses	*P. Kehr, UB des Hochstifts Merseburg (GeschQuellProvSachs. XXXVI). I (1899)*
628-1200	Mog. A	chartae Moguntinae	*M. Stimming, Mainzer UB. I (1932). P. Acht, op. cit. II 1 (1968). II 2 (1971)*
1102-1200	Mog. B	chartae Moguntinae	*K. F. Stumpf, Acta Maguntina saeculi XII. 1863*
888-1278	Monast.	chartae Monasteriensis monasterii	*M. Thiel, O. Engels, Die Traditionen, Urkunden u. Urbare des Klosters Münchsmünster (QuellErörtBayerGesch. N. F. XX). 1961. p. 87-132*

aetas	notae	notarum explicatio	editiones
775-1280	Mulh. Thur.	chartae civitatis Mulhusinensis Thuringiae	*K. Herquet, UB der ehemals freien Reichsstadt Mülhausen in Thüringen (GeschQuellProv-Sachs. III). 1874*
967-1207	Naumb.	chartae Naumburgenses	*F. Rosenfeld, UB des Hochstifts Naumburg (GeschQuellProvSachs. N. R. I). I (1925)*
1143-1280	Neocell. Brixin.	chartae ecclesiae Novae Cellae Brixinensis	*G. J. Kugler, Die Urkunden des Augustiner-Chorherrenstiftes Neustift bei Brixen (Font. rer. Austr. II 77). 1965*
1142-1280	Neocell. Frising.	chartae monasterii Novae Cellae Frisingensis	*H.-J. Busley, Die Traditionen, Urkunden u. Urbare des Klosters Neustift bei Freising (QuellErörtBayerGesch. N. F. XIX). 1961. p. 79-133*
907-1280	Nuremb.	chartae Nurembergenses	*Nürnberger UB, hrg. vom Stadtrat (Quellen u. Forsch. z. Gesch. der Stadt Nürnberg I). 1959*
1149-1280	Oelsn.	chartae Oelsnicenses	*W. Haeusler, Urkundensammlung z. Gesch. des Fürstenthums Oels. 1883*
787-1280	Old.	chartae Oldenburgenses	*G. Rüthning, Oldenburgisches UB. II (1926). IV (1928). V (1930). VIII (1935)*
786-1280	Onold.	chartae Onoldenses	*W. Scherzer, Urkunden u. Regesten des Klosters St. Gumbert in Ansbach (Veröffentl. d. Gesellsch. f. fränk. Gesch. III. Reihe). V (1989)*
1153-1280	ord. Teut.	chartae ordinis Teutonici	*E. Strehlke, Tabulae ordinis Theutonici. 1869*
1207-80	ord. Teut. (Hass.)	chartae ordinis Teutonici in Hassia	*A. Wyss, UB der Deutschordens-Ballei Hessen (Hessisches UB I; Publ. a. d. K. Preuß. Staats-arch. III). I (1879)*
1195-1280	ord. Teut. (Thur.)	chartae ordinis Teutonici in Thuringia	*K. H. Lampe, UB der Deutschordensballei Thüringen (ThürGeschQuell. N. F. VII). I (1936)*
819-1280	Osn.	chartae Osnabrugenses	*F. Philippi, M. Bär, Osnabrücker UB. I-III (1892-99). add.: IV (1902) p. 427-45*
1138-1278	Osterh.	chartae ecclesiae Osterhovensis	*J. Gruber, Die Urkunden u. das älteste Urbar des Stiftes Osterhofen (QuellErörtBayerGesch. N. F. XXXIII). 1985. p. 7-92*
1149-1280	Otterb.	chartae Otterbergenses	*M. Frey, F. X. Remling, UB des Klosters Otterberg in der Rheinpfalz. 1845*
786-1280	Pomm. [A. B]	chartae Pommeranenses	*K. Conrad, Pommersches UB (Veröffentl. d. Hist. Komm. f. Pommern II) I 1 (1970). R. Prümers, op. cit. II (²1970). – [K. F. W. Hasselbach, J. G. L. Kosegarten, Codex Pomeraniae diplomaticus. I (1862); (olim: CHART. Pomm. A). R. Klempin, Pommersches UB. I (1886). R. Prümers, op. cit. II 1. 2 (1881-85). add.: III (1891) p. 433-47. VI (1907) p. 320-59. VII (1934) p. 397-419 (olim: CHART. Pomm. B)]*
1140-1280	Pommerell.	chartae Pommerellenses	*M. Perlbach, Pommerellisches UB. 1882*

aetas	notae	notarum explicatio	editiones
1132-1280	Port.	chartae Portenses	*P. Boehme, UB des Klosters Pforte (GeschQuellProvSachs. XXXIII. XXXIV). I 1 (1893). add.: I 2 (1904) p. 530-57. II (1909-15) p. 362. 624-25*
1140-1280	Pruss. I. II	chartae Prussicae	*R. Philippi, C. P. Woelky, Preußisches UB. Polit. Abt. I 1 (= I) 1882. A. Seraphim, op. cit. I 2 (= II) 1909*
922-1280	Quedl.	chartae Quedlinburgenses	*K. Janicke, UB der Stadt Quedlinburg (GeschQuellProvSachs. II). I (1873). add.: II (1882) p. 158-59*
1143-1280	Raitenh.	chartae Raitenhaslacenses	*E. Krausen, Die Urkunden des Klosters Raitenhaslach (QuellErörtBayerGesch. N. F. XVII). 1959*
759-1280	Rapp.	chartae Rappoltsteinenses	*K. Albrecht, Rappoltsteinisches UB. I (1891). add.: IV (1896) p. 530-32*
779-1280	Rhen. inf.	chartae Rhenaniae inferioris	*T. J. Lacomblet, UB f. die Gesch. des Niederrheins. I (1840). II (1846). add.: IV (1858) p. 759-809*
634-1259	Rhen. med.	chartae Rhenaniae mediae	*H. Beyer, L. Eltester, A. Goerz, UB z. Gesch. der ... mittelrheinischen Territorien. I-III (1860-74)*
1133-1280	Ror.	chartae Rorenses	*H.-P. Mai, Die Traditionen, die Urkunden u. das älteste Urbarfragment des Stiftes Rohr (QuellErörtBayerGesch. N. F. XXI). 1966. p. 139-215*
1084-1280	Rotil.	chartae Rotilenses (Rettel)	*H. Müller, Jb. f. westdeutsche Landesgesch. 10 (1984) p. 7-35*
1140-1280	Salem.	chartae Salemenses	*F. v. Weech, Codex diplomaticus Salemitanus. I (1883). II (1886)*
790-1280	Salisb.	chartae Salisburgenses	*W. Hauthaler, F. Martin, Salzburger UB. II-IV (1916-33)*
1243-80	Samb.	chartae Sambienses	*C. P. Woelky, H. Mendthal, UB des Bisthums Samland (Neues Preuß. UB. Ostpreuß. Teil II 2). 1891-1905*
700-1280	Sangall. A	chartae Sangallenses	*H. Wartmann, UB der Abtei Sanct Gallen. I-III (1863-82). add.: IV (1899) p. 953-1019*
744-1280	Sangall. B	chartae Sangallenses	*F. Perret, UB der südlichen Teile des Kantons St. Gallen. I (1961)*
1004-1280	Sangall. C	chartae Sangallenses	*O. P. Clavadetscher, Chartularium Sangallense. III (1983). IV (1985)*
987-1167	Scafhus.	chartae monasterii s. Salvatoris Scafhusensis	*F. L. Baumann, Das Kloster Allerheiligen in Schaffhausen (QuellSchweizGesch. III 1). 1881. p. 3-124. app.: p. 125-35*
1140-1278	Scheftl.	chartae Scheftlarienses	*A. Weißthanner, Die Urkunden u. Urbare des Klosters Schäftlarn (QuellErörtBayerGesch. N. F. X 2). 1957*

aetas	notae	notarum explicatio	editiones
1102-1279	Schir.	chartae Schirenses	*M. Stephan, Die Urkunden u. die ältesten Urbare des Klosters Scheyern (QuellErörtBayer-Gesch. N. F. XXXVI 2). 1988. p. 3-82*
c. 1135-c. 1230	scrin. Col. A	chartae scriniorum Coloniensium	*R. Hoeniger, Kölner Schreinsurkunden des 12. Jhs. (Publ. d. Gesellsch. f. Rhein. Geschichtskunde I 1.2). I (1884-88). II 1 (1893). II 2 (1894)*
c. 1250-80	scrin. Col. B	chartae scriniorum Coloniensium	*H. Planitz, T. Buyken, Die Kölner Schreinsbücher des 13. u. 14. Jhs. (Publ. d. Gesellsch. f. Rhein. Geschichtskunde XLVI). 1937*
614-1280	select. Altmann	chartae selectae, quas ed. Altmann	*W. Altmann, E. Bernheim, Ausgewählte Urkunden z. Erläuterung der Verfassungsgesch. Deutschlands im Mittelalter. ⁴1909*
833-1280	select. Jesse	chartae selectae, quas ed. Jesse	*W. Jesse, Quellenbuch z. Münz- u. Geldgesch. des Mittelalters. 1924*
775-1280	select. Keutgen	chartae selectae, quas ed. Keutgen	*F. Keutgen, Urkunden z. städtischen Verfassungsgesch. (Ausgew. Urkunden z. deutschen Verfassungsgesch. I). 1901*
s. VI.ex.-1280	select. Loersch	chartae selectae, quas ed. Loersch	*H. Loersch, R. Schröder, Urkunden z. Gesch. des deutschen Privatrechts. ³1912*
614-1280	select. Sander	chartae selectae, quas ed. Sander	*P. Sander, H. Spangenberg, Urkunden z. Gesch. der Territorialverfassung (Ausgew. Urkunden z. deutschen Verfassungs- u. Wirtschaftsgesch. II). 1922-26*
556-1280	select. Schubart	chartae selectae, quas ed. Schubart-Fikentscher	*G. Schubart-Fikentscher, Quellen z. deutschen Privatrechtsgesch. vor der Rezeption. 1950*
1027-1280	select. Schwind	chartae selectae, quas ed. Schwind	*E. Frh. v. Schwind, A. Dopsch, Ausgewählte Urkunden z. Verfassungsgesch. der deutsch-österreichischen Erblande im Mittelalter. 1895*
959-1151	select. Waitz	chartae selectae, quas ed. Waitz	*G. Waitz, Urkunden z. deutschen Verfassungsgesch. ²1886*
s. VI.-1280	select. Wopfner	chartae selectae, quas ed. Wopfner	*H. Wopfner, Urkunden z. deutschen Agrargesch. (Ausgew. Urkunden z. deutschen Verfassungs- u. Wirtschaftsgesch. III). 1928*
c. 800-1280	Sev. Col.	chartae ecclesiae s. Severini Coloniensis	*J. Hess, Die Urkunden des Pfarrarchivs von St. Severin in Köln. 1901*
948-1280	Sigeb.	chartae Sigebergenses	*E. Wisplinghoff, Urkunden u. Quellen z. Gesch. von Stadt u. Abtei Siegburg. I (1964)*
1210-80	Sil. A	chartae Silesiae	*W. Wattenbach (et al.), Codex diplomaticus Silesiae. I (1857). II (1859). IV (1863). VIII-X (1867-81). XX (1900)*
1249-80	Sil. B	chartae Silesiae	*C. Grünhagen, H. Markgraf, Lehns- u. Besitzurkunden Schlesiens ... (Publ. a. d. K. Preuß. Staatsarch. VII). I (1881)*
1188-1280	Sil. C	chartae Silesiae	*G. A. Tzschoppe, G. A. Stenzel, Urkundensammlung z. Gesch. des Ursprungs der Städte ... in Schlesien u. der Ober-Lausitz. 1832*

aetas	notae	notarum explicatio	editiones
971-1280	Sil. D	chartae Silesiae	*H. Appelt, Schlesisches UB. I (1971). W. Irgang, op. cit. II-IV (1977-88)*
1121-1280	Sind.	chartae Sindelsbergenses	*E. Herr, Das ehemalige Frauenkloster Sindelsberg (Beitr. z. Landes- u. Volkeskunde von Elsaß-Lothringen u. d. angrenzenden Gebieten XLII). 1912. p. 86-123*
762-1277	Solod.	chartae Solodorenses	*A. Kocher, Solothurner UB. I (1952). II (1971). III (1981)*
c. 644-1280	Stab.	chartae Stabulenses	*J. Halkin, C.-G. Roland, Recueil des chartes de l'abbaye de Stavelot-Malmedy. I (1909). II (1930)*
1121-1280	Steinf.	chartae Steinfeldenses	*I. Joester, UB der Abtei Steinfeld (Publ. d. Gesellsch. f. Rhein. Geschichtskunde LX). 1976. p. 1-114*
800-1280	Steph. Wirz.	chartae abbatiae s. Stephani Wirziburgensis	*A. Chroust (et al.), UB der Benedictiner-Abtei St. Stephan in Würzburg (Veröffentl. d. Gesellsch. f. fränk. Gesch. III. Reihe). I (1912)*
798-1276	Stir.	chartae Stiriae	*J. Zahn, UB des Herzogthums Steiermark. I-III (1875-1903). add.: Erg.-Band (Veröffentl. d. Hist. Komm. f. Steiermark XXXIII). 1949. p. 13-49. H. Appelt, G. Pferschy, op. cit. IV (1975)*
979-1280	Teg.	chartae Tegernseenses	*Mon. Tegernseensia. Diplomatarium miscellum (Mon. Boica VI). 1766. p. 151-226. – [P. Acht, Die Urkunden des Klosters Tegernsee (Quell-ErörtBayerGesch. N. F. IX 2): haec editio in annum 1959 annuntiata in lucem adhuc non provenit]*
1104-1250	Ticin.	chartae Ticinenses	*L. Brentani, Codice diplomatico ticinese. I-V (1929-56)*
769-1253	Tirol.	chartae Tirolenses	*F. Huter, Tiroler UB. I-III (1937-57)*
1235-73	Tirol. notar.	chartae Tirolenses notariorum	*H. v. Voltelini, F. Huter, Die Südtiroler Notariats-Imbreviaturen des 13. Jhs. (Acta Tirolensia II. IV). I (1899). II (1951)*
695-1280	Traiect.	chartae Traiectenses	*S. Muller, A. C. Bouman, Oorkondenboek van het sticht Utrecht. I (1920). K. Heeringa, op. cit. II (1940). F. Ketner, op. cit. III (1949). IV (1954)*
1147-1280	Trident.	chartae Tridentinae	*L. Santifaller, Urkunden u. Forschungen z. Gesch. des Trienter Domkapitels im Mittelalter (Veröffentl. d. Inst. f. österr. Geschichtsforsch. VI). I (1948)*
724-1280	Turg.	chartae Turgowienses	*F. Schaltegger, Thurgauisches UB. I-III (1917-25)*
820-1280	Turic.	chartae Turicenses	*J. Escher, P. Schweizer, UB der Stadt u. Landschaft Zürich. I-V (1888-1901). add.: XII (1939) p. 1-121. XIII (1957) p. 1-83*

aetas	notae	notarum explicatio	editiones
1023-1280	Udalr. August. I. II	chartae monasterii s. Udalrici Augustani	*Mon. Sanulricana. Diplomatarium miscellum (Mon. Boica XXII). 1814. p. 161-228 (= I). (Mon. Boica XXIII). 1815. p. 1-18 (= II)*
854-1280	Ulm.	chartae Ulmenses	*F. Pressel, Ulmisches UB. I (1873)*
1131-1280	Walkenr.	chartae Walkenridenses	*Die Urkunden des Stiftes Walkenried (UB des Hist. Vereins f. Niedersachsen II). I (1852)*
1021-1280	Weihenst.	chartae monasterii s. Stephani Frisingensis	*B. Uhl, Die Urkunden des Klosters Weihenstephan (QuellErörtBayerGesch. N. F. XXVII 2). 1993*
1040-1278	Welt.	chartae Weltenburgenses	*M. Thiel, Die Traditionen, Urkunden u. Urbare des Klosters Weltenburg (QuellErörtBayerGesch. N. F. XIV). 1958. p. 101-38. app.: p. 251-56*
1121-1280	Wernig.	chartae Wernigerodenses	*E. Jacobs, UB der Stadt Wernigerode (GeschQuellProvSachs. XXV). 1891*
792-1280	Wessof.	chartae Wessofontanae	*Mon. Wessofontana. Diplomatarium miscellum (Mon. Boica VII). 1766. p. 372-401*
809-1280	Westph.	chartae Westphalicae	*H. A. Erhard, Regesta historiae Westfaliae. I (1847). II (1851). R. Wilmans (et al.), Westfälisches UB. III-VII (1871-1908). suppl.: Supplement (1885)*
1141-1280	Wetzlar.	chartae Wetzlarienses	*E. Wiese, UB der Stadt Wetzlar (Veröffentl. d. Hist. Komm. f. Hessen u. Waldeck VIII 1. 2). I (1911). M. Sponheimer, op. cit. II (1943)*
680-1280	Wirt.	chartae Wirtembergenses	*H. E. v. Kausler, C. F. v. Stälin, E. Schneider, Wirtembergisches UB. I-VIII (1849-1903)*
627-1280	Worm.	chartae Wormatienses	*H. Boos, UB der Stadt Worms (Quellen z. Gesch. d. Stadt Worms I). I (1886). p. 1-252. add.: II (1890) p. 715-30*
866-1280	Xant.	chartae Xantenses	*P. Weiler, UB des Stiftes Xanten. I (1935)*
976-1280	Ypolit.	chartae Ypolitenses	*J. Lampel, UB des aufgehobenen Chorherrenstiftes Sankt Pölten (Niederösterr. UB I 1). I (1891)*
1095-1280	Zoll.	chartae Zolleranae	*R. v. Stillfried, T. Maerker, Mon. Zollerana. UB z. Gesch. des Hauses Hohenzollern. I (1852). II (1856). add.: VIII (1890) p. 1-23. 93-101. 412-14. 426*
s. IX.-XIII.	CHIRURG. Sudhoff	CHIRURGICA varia, quae ed. Sudhoff	*K. Sudhoff, Beitr. z. Gesch. der Chirurgie im Mittelalter. I. II (1914-18)*
† post 880	CHRIST. STAB.	CHRISTIANUS, mon. Stabulensis	
865-70	Matth.	expositio in Matthaeum	*Migne PL 106 p. 1261-1504*
	CHRON.	CHRONICON, -A, -AE	
1122-35	Afflig.	chronicon Affligemense	*G. H. Pertz MG Script. IX (1851) p. 407-17*

aetas	notae	notarum explicatio	editiones
s. XIII.²	Albr.	chronica Albrici, mon. Trium Fontium, a quodam mon. novi monasterii Hoiensis interpolata	*P. Scheffer-Boichorst MG Script. XXIII (1874) p. 674-950*
1098-1106	Andag.	chronicon sive cantatorium s. Huberti Andaginensis	*K. Hanquet, La chronique de Saint-Hubert, dite Cantatorium. 1906. – [L. C. Bethmann, W. Wattenbach MG Script. VIII (1848) p. 568-630]*
1216-18	Basil.	chronica apostolicorum et imperatorum Basileensia	*O. Holder-Egger MG Script. XXXI (1903) p. 269-96. app.: p. 296-300*
s. XI.med. 1148-55	Bened. I. II	chronicon Benedictoburanum sive rotulus historicus (= I) et chronica Burensis monasterii (= II)	*W. Wattenbach MG Script. IX (1851) p. 212-21 (= I). 229-37 (= II)*
1133	Camer.	chronicon s. Andreae castri Cameracesii	*L. C. Bethmann MG Script. VII (1846) p. 526-50*
915-34	Cas.	chronica s. Benedicti Casinensis	*G. Waitz MG Script. rer. Lang. 1878. p. 468-88*
s. XI.ex.-XII.	Cosmae app.	chronicon Cosmae, appendices	*B. Bretholz, Die Chronik der Böhmen des Cosmas von Prag (MG Script. rer. Germ. N. S. II). 1923. p. 252-54. 257-61*
c. 1150 c. 1170	Cosmae cont. I. II	chronicon Cosmae, continuatio can. Wissegradensis (= I) et mon. Sazavensis (= II)	*R. Köpke MG Script. IX (1851) p. 132-48 (= I). 148-63 (= II). add.: p. 843-44*
c. 1050 c. 1250	Ebersb. I. II	chronicon Ebersbergense prius et posterius	*W. Arndt MG Script. XX (1868) p. 10-15 (= I). A. F. Oefele, Rer. Boic. Script. II (1763) p. 4-11 (= II)*
s. XII.med.-XIII.med.	Ebersh.	chronicon Ebersheimense	*L. Weiland MG Script. XXIII (1874) p. 431-53*
s. XIII.²	Erf. min.	chronica minor minoritae cuiusdam Erfurtensis	*O. Holder-Egger, Mon. Erphesfurtensia (MG Script. rer. Germ.). 1899. p. 524-671. cont.: p. 671-93. app.: p. 712-23*
c. 1209 post 1276	Erf. mod. I. II	chronica s. Petri Erfurtensis moderna	*O. Holder-Egger, op. cit. p. 153-206 (= I). 207-79 (= II)*
c. 613-58	Fred.	chronicae, q. d. Fredegarii scholastici	*B. Krusch MG Script. rer. Mer. II (1888) p. 18-168. – part.: J. M. Wallace-Hadrill, The Fourth Book of the Chronicle of Fredegar ... 1960. p. 1-79*
c. 736-68	Fred. cont.	chronicae, q. d. Fredegarii scholastici, continuationes	*B. Krusch, op. cit. p. 168-93. – J. M. Wallace-Hadrill, op. cit. p. 80-121*
c. 1150	Gozec.	chronicon Gozecense	*R. Ahlfeld, JbGeschMitteld. 16/17 (1968) p. 14-45. – [R. Köpke MG Script. X (1852) p. 141-57]*
c. s. XI.	Grad.	chronicon Gradense	*R. Cessi, Origo civitatum Italiae seu Venetiarum (Fonti per la storia d'Italia). 1933. p. 30-47. – [G. H. Pertz MG Script. VII (1846) p. 39-45]*
s. XI.²-XIII.	Hild.	chronicon Hildesheimense	*G. H. Pertz MG Script. VII (1846) p. 850-62*

aetas	notae	notarum explicatio	editiones
s. XI.in.-XIII.	Ioh. Ven. app.	chronicon Iohannis Veneti, appendices	*G. Monticolo, Cronache Veneziane antichissime (Fonti per la storia d'Italia). 1890. p. 175-87. – [part.: G. H. Pertz MG Script. VII (1846) p. 37-38]*
1204-05	Laet.	chronicon Laetiense	*J. Heller MG Script. XIV (1883) p. 492-501*
1151	Lippold.	chronicon Lippoldesbergense	*W. Arndt MG Script. XX (1868) p. 546-58*
s. XIII.	Magni cont.	chronicon Magni Reichersbergensis, continuatio	*W. Wattenbach MG Script. XVII (1861) p. 523-34*
s. XI.med.	Median.	chronicon Mediani monasterii seu liber de s. Hildulfi successoribus	*Migne PL 138 p. 203-20. – part.: G. Waitz MG Script. IV (1841) p. 87-92*
1136	Merseb.	chronica episcoporum Merseburgensium	*R. Wilmans MG Script. X (1852) p. 163-88*
c. 1034	Mich.	chronicon monasterii s. Michaelis ad Mosam	*A. Lesort, Mettensia 6 (1912) p. 1-38. – part.: G. Waitz MG Script. IV (1841) p. 79-86*
s. XIII.1	Mont. Ser.	chronicon Montis Sereni	*E. Ehrenfeuchter MG Script. XXIII (1874) p. 138-226*
c. 1027-50	Noval.	chronicon Novaliciense	*L. C. Bethmann MG Script. VII (1846) p. 79-121. app.: p. 121-28. – [C. Cipolla, Mon. Novaliciensia vetustiora (Fonti per la storia d'Italia). II (1901) p. 96-282. app.: p. 283-305]*
1141-45	Ortl. add.	chronicon Ortliebi, additamenta	*L. Wallach, E. König, K. O. Müller, Die Zwiefalter Chroniken Ortliebs u. Bertholds (Schwäb. Chroniken d. Stauferzeit II). 1941 (²1978) p. 124-34*
s. XII.-XIII.1	Ottenb.	chronicon Ottenburanum	*L. Weiland MG Script. XXIII (1874) p. 615-30*
c. s. IX.-XI.	patr. Grad.	chronica patriarcharum Gradensium	*G. Waitz MG Script. rer. Lang. 1878. p. 393-97*
c. 1113-16	Pol.	chronicae Polonorum Martino Gallo ascriptae	*K. Maleczyński Mon. Polon. Hist. N. S. II (1952). – [I. Szlachtowski, R. Köpke MG Script. IX (1851) p. 423-78]*
s. XII.2-XIII.med.	reg.	chronica regia Coloniensis	*G. Waitz, Chronica regia Coloniensis (MG Script. rer. Germ.). 1880. p. 1-127. cont.: p. 128-299*
s. XII.ex.-XIII.1	Reinh.	chronica Reinhardsbrunnensis	*O. Holder-Egger MG Script. XXX (1896) p. 514-611*
1268-73	rhythm. Austr.	chronicon rhythmicum Austriacum	*W. Wattenbach MG Script. XXV (1880) p. 350-68*
c. 1260	rhythm. Col.	chronicon rhythmicum Coloniense, fragmenta	*G. Waitz, Chronica regia Coloniensis (MG Script. rer. Germ.). 1880. p. 303-15*
c. 1119	rhythm. Leod.	chronicon rhythmicum can. Leodiensis	*C. de Clercq CC Cont. Med. IV (1966) p. 124-40. – [W. Wattenbach MG Script. XII (1856) p. 416-21]*

aetas	notae	notarum explicatio	editiones
c. 978	Salern.	chronicon Salernitanum	*U. Westerbergh, Chronicon Salernitanum (StudLatStockh. III). 1956. – [G. H. Pertz MG Script. III (1839) p. 469-559]*
s. XII.[2]-XIII.[1]	Sigeb. cont. Aquic.	chronicon Sigeberti, continuatio Aquicinctina	*L. C. Bethmann MG Script. VI (1844) p. 406-38*
1260-70	Tarv.	chronicon marchiae Tarvisinae et Lombardiae sive annales s. Iustinae Patavini	*L. A. Botteghi, Chronicon marchiae Tarvisinae et Lombardiae (Rer. Ital. Script. N. E. VIII 3). 1916. – [P. Jaffé MG Script. XIX (1866) p. 149-93]*
post 1119	Thietm.	chronicon Thietmari retractatum Corbeiae Novae	*R. Holtzmann, Die Chronik des Bischofs Thietmar von Merseburg u. ihre Korveier Überarbeitung (MG Script. rer. Germ. N. S. IX). 1935. p. 3-533 (in paginis imparium numerorum)*
s. X.[ex.]	Ved.	chronicon Vedastinum	*part.: G. Waitz MG Script. XIII (1881) p. 677-709*
s. IX.-XIII.	Ven. Alt.	chronicon Venetum, q. d. Altinate	*R. Cessi, Origo civitatum Italiae seu Venetiarum (Fonti per la storia d'Italia). 1933. p. 48-173. – [H. Simonsfeld MG Script. XIV (1883) p. 5-69]*
s. XIII.[ex.]	Worm.	chronicon Wormatiense	*H. Boos, Mon. Wormatiensia, Annalen u. Chroniken (Quellen z. Gesch. d. Stadt Worms III). 1893. p. 165-99*
s. XII.[med.]	CHRONOGR. Corb.	CHRONOGRAPHUS Corbeiensis (sc. Corbeiae Novae)	*I. Schmale-Ott, Annalium Corbeiensium continuatio s. XII et Historia Corbeiensis monasterii . . . (Veröffentl. d. Hist. Komm. f. Westfalen XLI 2). 1989. p. 60-86. add.: p. 88-96. – [P. Jaffé, Mon. Corbeiensia (Bibl. rer. Germ. I). 1864. p. 43-65]*
	- - -	Chronographus Saxo v. ANNAL. Magd.	
c. 1150	CIRCA INSTANS	de simplici medicina liber 'Circa instans' vocitatus	*'Circa instans'. Lugduni. 1512 (olim: IOH. PLATEAR. simpl. med.)*
† c. 827	CLAUD. TAUR.	CLAUDIUS, episc. Taurinensis	
811-c. 825	epist.	epistolae	*E. Dümmler MG Epist. IV (1895) p. 590-613*
† 1268	CLEM. IV.	CLEMENS IV. papa	
1265-68	registr.	registrum	*C. Rodenberg MG Epist. s. XIII. e regestis pontificum Romanorum sel. III (1894) p. 627-726*
	COD.	CODEX	
1041-60	Bald.	codex Baldwini, archiep. Salisburgensis	*W. Hauthaler, Salzburger UB. I (1910) p. 230-44. app.: p. 245-46*

aetas	notae	notarum explicatio	editiones
1165-93	Falk.	codex Falkensteinensis	*E. Noichl, Codex Falkensteinensis. Die Rechtsaufzeichnungen der Grafen von Falkenstein (QuellErörtBayerGesch. N. F. XXIX). 1978. p. 3-164. app.: p. 165-71. – [Drei bayerische Traditionsbücher aus dem XII. Jh. (H. Petz, Codex Falkensteinensis). 1880. p. 1-44 (olim: TRAD. Falk.)]*
958-91	Frid.	codex Fridarici, archiep. Salisburgensis	*W. Hauthaler, op. cit. p. 168-87*
991-1023	Hartw.	codex Hartwici, archiep. Salisburgensis	*W. Hauthaler, op. cit. p. 189-209*
739-91	Karol.	codex Karolinus, paparum epistolas ad principes Francorum directas continens	*W. Gundlach MG Epist. III (1892) p. 476-653*
755-1279	Lauresh.	codex Laureshamensis	*K. Glöckner, Codex Laureshamensis. I-III (1929-36)*
923-35	Odalb.	codex Odalberti, archiep. Salisburgensis	*W. Hauthaler, op. cit. p. 63-165*
1040-60	Thietm.	codex Thietmari, archiep. Salisburgensis	*W. Hauthaler, op. cit. p. 211-28*
s. X.-XIII.	Udalr.	codex Udalrici	*P. Jaffé, Mon. Bambergensia (Bibl. rer Germ. V). 1869. p. 17-469*
1027-1278	Wang. Trident.	codex Wangianus Tridentinus, sc. Friderici de Wangen episc.	*R. Kink, Codex Wangianus. UB des Hochstiftes Trient (Font. rer. Austr. II 5). 1852*
1160-80	COLLECT. Teg.	COLLECTANEA Tegernseensia	*H. Plechl, DtArch. 18 (1962) p. 464-69. 484-85. 492-95*
c. 543-615	COLUMB.	COLUMBA(NUS), abb. Luxoviensis et Bobiensis	
c. 590-615	epist.	epistolae prosaicae et metricae	*W. Gundlach MG Epist. III (1892) p. 156-90. – [G. S. M. Walker, Sancti Columbani opera (Script. Lat. Hibern. II). 1957. p. 1-58. 182-206]*
c. 1070-1100	COMM. microl.	COMMENTARIUS anonymus in micrologum Guidonis Aretini	*J. Smits van Waesberghe, Expositiones in Micrologum Guidonis Aretini (Musicologica medii aevi I). 1957. p. 99-172*
	COMPOS.	COMPOSITIONES	
c. s. VII.-VIII.	Luc.	compositiones ad tingenda musiva codicis Lucensis 490	*H. Hedfors, Compositiones ad tingenda musiva. Diss. Uppsala. 1932. p. 3-65*
c. s. VII.-VIII.	Luc. fragm.	compositiones codicis Lucensis 490, fragmentum	*J. Svennung, Compositiones Lucenses (Uppsala Univ. Årsskrift 1941/V) p. 26*
cod. c. 1130	Matr.	compositiones codicis Matritensis A 16	*J. M. Burnam, Recipes from Codex Matritensis A 16 (Univ. of Cincinnati Studies II 8,1). 1914*
codd. s. IX.	Voss. I. II	compositiones codicum Vossianorum Lat. 4° 33 (= I) et Gr. q. 7 (= II)	*B. Bischoff, Anecdota novissima (QuellUntersLatPhil. VII). 1984. p. 221 (= I). 223 (= II)*

aetas	notae	notarum explicatio	editiones
727	Comput. cod. Bern.	Computus paschalis anni 727 (ex codice Bernensi 611)	*B. Krusch, AbhBerl. 1937/VIII. p. 53-57*
	Conc.	Concilia	
	[Karol.]	v. Conc. Karol. A	
742-842	Karol. A	concilia aevi Karolini	*A. Werminghoff, Concilia aevi Karolini (MG Leg. sectio III. Concilia II 1.2). 1906-08. app. A-C: p. 294-306. app. 1-11: p. 816-60.*
843-74	Karol. B I. II	concilia aevi Karolini	*W. Hartmann, Die Konzilien der karolingischen Teilreiche (MG Concilia III). 1984 p. 3-493. app.: p. 496-98 (= I). (MG Concilia IV). 1996. (= II)*
s. VII.-XIII.	Mansi	concilia, quae ed. Mansi	*J. D. Mansi, Sacrorum conciliorum nova et amplissima collectio. XI (1765). XIV-XXIV (1769-80). (excerpsimus tantum acta conciliorum in Germania habitorum)*
511-695	Merov.	concilia aevi Merovingici	*F. Maassen, Concilia aevi Merovingici (MG Leg. sectio III. Concilia I). 1893. – C. de Clercq CC Ser. Lat. CXLVIII (1963)*
s. XI.	Confl. ovis et lini	Conflictus ovis et lini, auctore fort. Wenrico	*M. Haupt, ZDtAlt. 11 (1859) p. 215-37*
	Cono Laus.	Cono, praep. Lausannensis	
1235-40	gest.	gesta episcoporum Lausannensium	*G. Waitz MG Script. XXIV (1879) p. 775-76. 793-803. cont.: p. 804-10*
1215-39	notae	notae	*G. Waitz, op. cit. p. 781-93*
1106	Conquest. Heinr.	Conquestio Heinrici IV. imp. ad Heinricum filium	*O. Holder-Egger, Carmen de bello Saxonico (MG Script. rer. Germ.). 1889. p. 24-28. add.: P. Lehmann, NArch. 48 (1930) p. 445-47*
	Conr. Brunw.	Conradus, mon. Brunwilarensis	
1110-20	Wolfh.	vita Wolfhelmi, abb. Brunwilarensis	*H. E. Stiene, Konrad von Brauweiler, Vita Wolfhelmi (Pulheimer Beitr. z. Gesch. u. Heimatkunde. VI. Sonderveröffentlichung). 1991. – [part.: R. Wilmans MG Script. XII (1856) p. 181-95]*
† 1221	Conr. Eberb.	Conradus, mon. Clarevallensis, abb. Eberbacensis	
1206-21	exord.	exordium magnum ordinis Cisterciensis	*B. Griesser, Exordium magnum Cisterciense sive narratio de initio Cisterciensis Ordinis (Ser. script. s. ord. Cisterciensis II). 1961. – [Migne PL 185 p. 995-1198]*
s. XIII.[1]	Conr. Fab.	Conradus Fabariensis, mon. Sangallensis	

aetas	notae	notarum explicatio	editiones
c. 1226-39	Gall.	casuum s. Galli continuatio	*C. Gschwind-Gisiger, Conradus de Fabaria 'Casuum sancti Galli continuatio'. Die Geschicke des Klosters St. Gallen 1204-1234. 1989. – [G. Meyer v. Knonau, MittGeschStGallen XVII (N. F. VII). 1879. p. 135-252]*
	CONR. FRISING.	CONRADUS, sacrista Frisingensis	
c. 1187	gest.	gesta episcoporum Frisingensium	*G. Waitz MG Script. XXIV (1879) p. 318-23*
† 1202	CONR. HILD.	CONRADUS Querfurtensis, episc. Hildesheimensis et Wirziburgensis, cancellarius Heinrici VI. imp.	
c. 1195	ad Hartb.	epistola ad Hartbertum, praep. Hildesheimensem	*J. M. Lappenberg MG Script. XXI (1869) p. 193-96 (= ARNOLD. LUB. chron. 5,19)*
c. 1070-c. 1150	CONR. HIRS.	CONRADUS, magister Hirsaugiensis	
s. XII.1	dial.	dialogus super auctores	*R. B. C. Huygens, Accessus ad auctores, Bernard d'Utrecht, Conrad d'Hirsau, Dialogus super auctores. 1970. p. 71-131. – [R. B. C. Huygens, Conrad de Hirsau, Dialogus super auctores (Coll. Latomus XVII). 1955]*
s. XII.1	mund. cont.	dialogus de mundi contemptu vel amore	*R. Bultot, Dialogus de mundi contemptu vel amore attribué à Conrad d'Hirsau (Analecta Mediaevalia Namurcensia XIX). 1966*
	CONR. MEND.	CONRADUS MENDEWINUS, can. Argentinensis	
1270-80	Attal.	vita Attalae, primae abb. s. Stephani Argentinensis	*M. Barth, ArchElsKirchGesch. 2 (1927) p. 110-59*
c. 1210-81	CONR. MUR.	CONRADUS Murensis (de Mure), praecentor ecclesiae Turicensis	
1260-64	clip.	clipearius Teutonicorum	*P. Ganz, Gesch. der heraldischen Kunst in der Schweiz im 12. u. 13. Jh. 1899. p. 174-84*
s. XIII.med.	nat. animal.	de naturis animalium	*Á. P. Orbán, Konrad von Mure, De naturis animalium (EditHeidelb. XXIII). 1989*
c. 1276	summ.	summa de arte prosandi	*W. Kronbichler, Die Summa de arte prosandi des Konrad von Mure. 1968. – [part.: L. Rockinger, Briefsteller u. Formelbücher des 11. bis 14. Jhs. (QuellErörtBayerGesch. IX). I (1863) p. 417-82]*
† 1279	CONR. SAXO	CONRADUS Saxo O. F. M.	
c. 1264	spec.	speculum beatae Mariae virginis	*P. de Alcantara Martinez, Speculum seu salutatio beatae Mariae virginis ac sermones Mariani (Bibl. Francisc. Asc. XI). 1975. p. 141-504. – [Patres collegii s. Bonaventurae, Speculum beatae Mariae virginis (Bibl. Francisc. Asc. II). 1904]*

aetas	notae	notarum explicatio	editiones
† post 1245	CONR. SCHIR.	CONRADUS de Luppurg, abb. Schirensis	
	[annal.]	v. ANNAL. Schir.	
	[catal.]	v. CATAL. cod. Conr. Schir.	
1206-10	chron.	chronicon	*P. Jaffé MG Script. XVII (1861) p. 615-23*
	CONST.	CONSTITUTIONES, CONSTITUTUM	
	[CONST. I-III]	v. CONST. imp.	
s. VIII.med.-IX.med.	Constant.	constitutum Constantini	*H. Fuhrmann, Das Constitutum Constantini (MG Font. iur. Germ. ant. X). 1968*
921-1280	imp. I-III	constitutiones imperatorum et regum	*L. Weiland, Constitutiones et acta publica imperatorum et regum (MG Leg. sectio IV). I (1893). II (1896). J. Schwalm, op. cit. III (1904-06)*
1231	Melf.	constitutiones Melfienses	*H. Conrad, T. v. d. Lieck-Buyken, W. Wagner, Die Konstitutionen Friedrichs II. von Hohenstaufen f. sein Königreich Sizilien (Studien u. Quellen z. Welt Kaiser Friedrichs II. II). 1973*
† 1085	CONSTANT. AFRIC.	CONSTANTINUS Africanus, medicus et mon.	
s. XI.2	coit.	liber de coitu	*E. Montero Cartelle, Constantini liber de coitu (Monografías de la universidad de Santiago de Compostela LXXVII). 1983*
1076-85	grad.	de gradibus (sc. complexionis medicinarum)	*Constantini Africani ... opera. Basileae (apud Henricum Petrum). 1536. p. 342-87*
1076-85	theor.	theoricae pantegni	*Omnia opera Ysaac. Lugduni. 1515. p. 1-57. – [Constantini Africani ... opera. Basileae (apud Henricum Petrum). 1536. p. 1-346]*
† 1024	CONSTANT. METT.	CONSTANTINUS, abb. Mettensis	
c. 1015	Adalb.	vita Adalberonis II., episc. Mettensis	*G. H. Pertz MG Script. IV (1841) p. 659-72*
s. IX.	CONSTR. Farf.	CONSTRUCTIO monasterii Farfensis	*U. Balzani, Il chronicon Farfense di Gregorio di Catino (Fonti per la storia d'Italia). I (1903) p. 3-23. – [L. C. Bethmann MG Script. XI (1854) p. 523-30]*
	CONSUET.	CONSUETUDINES	
s. XII.in.	Bamb.	consuetudines Bambergenses	*J. Siegwart, Die Consuetudines des Augustiner-Chorherrenstiftes Marbach im Elsaß (Spicil. Friburg. X). 1965. p. 295-99*
c. 970	Eins.	consuetudines Einsidlenses	*M. Wegener, C. Elvert, Corp. Consuet. Monast. VII 3 (1984) p. 193-256. – [B. Albers, Consuetudines monasticae. V (1912) p. 73-110. – O. Ringholz, Gesch. ... von Einsiedeln. I (1904) p. 672-84]*

aetas	notae	notarum explicatio	editiones
	- - -	consuetudines Hirsaugienses v. WILH. HIRS. const.	
s. XII.in.	Marb.	consuetudines Marbacenses	*J. Siegwart, op. cit. p. 101-261. – [E. Amort, Vetus disciplina canonicorum. I (1747) p. 383-431 (olim: MANEG. [?] const.)]*
s. XII.med.	Mell.	consuetudines Mellicenses, fragmenta	*W. Neumüller, Corp. Consuet. Monast. VII 2 (1983) p. 385-408. – [W. Neumüller, MIÖG 62 (1954) p. 224-37]*
1112-22	Rod.	consuetudines canonicorum regularium Rodenses	*S. Weinfurter CC Cont. Med. XLVIII (1978)*
c. 1000-18	Trev.	consuetudines monasticae codicis Treverensis 1238/602	*M. Wegener, C. Elvert, op. cit. p. 263-364. – [B. Albers, Consuetudines monasticae. V (1912) p. 2-66]*
s. XI.-XII.	Vird.	consuetudines Virdunenses	*M. Wegener, K. Hallinger, Corp. Consuet. Monast. VII 3 (1984) p. 381-426*
	CONVERS.	CONVERSIO v. VITA	
c. 1045-1125	COSMAS	COSMAS, decanus Pragensis	
c. 1110-25	chron.	chronica Boemorum	*B. Bretholz, Die Chronik der Böhmen des Cosmas von Prag (MG Script. rer. Germ. N. S. II). 1923. p. 1-241*
	COZROH.	COZROHUS, scriba Frisingensis	
c. 824	praef.	praefatio libri traditionum	*T. Bitterauf, Die Traditionen des Hochstifts Freising (QuellErörtBayerGesch. N. F. IV). I (1905) p. 1-2*
cod. s. XI.-XII.	CYMBALA	CYMBALA, de mensuris cymbalorum tractatus	*J. Smits van Waesberghe, Cymbala (Musicological Studies and Documents I). 1951*
c. 1200/10-72	DAVID	DAVID Augustanus praedicator O. F. M.	
	compos.	de exterioris et interioris hominis compositione	*Patres collegii s. Bonaventurae, Fr. David ab Augusta O. F. M. 'De exterioris et interioris hominis compositione'. 1899*
c. 1260	expos. reg.	expositio regulae	*D. Flood, Franziskanische Studien 75 (1993) p. 205-39. – [excerpta: E. Lempp, ZKirchGesch. 19 (1899) p. 345-59]*
1256-72	(?) inquis.	de inquisitione haereticorum	*W. Preger, AbhMünch. XIV 2 (1879) p. 204-35*
s. XIII.	novic.	de officio magistri noviciorum	*excerpta: E. Lempp, op. cit. p. 340-43*
	DECRET.	DECRETUM, -A	
c. 1250	Bern.	decretum Bernense	*F. E. Welti (et al.), Die Rechtsquellen des Kantons Bern (Samml. Schweizerischer Rechtsquellen II. Abt.). I (1971) p. 39-59. – [H. Strahm, Die Berner Handfeste. 1953. p. 158-78]*
1008-12	Burch.	decreta Burchardi, episc. Wormatiensis	*Migne PL 140 p. 541-1058*

aetas	notae	notarum explicatio	editiones
s. XI.	Frision. A	decreta Frisionum priora	*K. Frh. v. Richthofen, Untersuchungen über Friesische Rechtsgesch. I (1880) p. 33-62*
s. XIII.	Frision. B	decreta Frisionum posteriora	*K. Frh. v. Richthofen, Friesische Rechtsquellen. 1840. p. 135-38. 283-88*
s. VIII.-IX.	DEFENS. med. I. II	DEFENSIO medicinae	*U. Stoll, Das 'Lorscher Arzneibuch' (Sudhoffs Arch. Beih. XXVIII). 1992. p. 48-62. – [K. Sudhoff, ArchGeschMed. 7 (1913) p. 224-33] (= I). K. Sudhoff, op. cit. p. 233-34 (= II)*
c. 590-655	DESID. CAD.	DESIDERIUS, episc. Cadurcensis	
630-55	epist.	epistolae	*D. Norberg, Epistulae S. Desiderii Cadurcensis (StudLatStockh. VI). 1961. p. 9-39. 56. – [W. Arndt MG Epist. III (1892) p. 193-207. add.: p. 720-21 et B. Krusch MG Script. rer. Mer. IV (1902) p. 555¹]*
1027-87	DESID. CAS.	DESIDERIUS, abb. Casinensis, papa Victor III.	
1076-79	dial.	dialogi de miraculis Benedicti	*G. Schwartz, A. Hofmeister MG Script. XXX (1934) p. 1116-51*
	DHUODA	DHUODA ducissa	
841-43	lib. man.	liber manualis, quem ad filium suum direxit	*P. Riché, Dhuoda, Manuel pour mon fils (Sources chrét. CCXXV). 1975. – [carm. rhythm.: K. Strecker MG Poet. IV (1923) p. 705-17 (= RHYTHM. 122-32)]*
codd. s. XI.-XII.	DIAETA Theod.	DIAETA Theodori	*K. Sudhoff, ArchGeschMed. 8 (1915) p. 381-403*
1206	DIAL. cler. et laic.	DIALOGUS clerici et laici contra persecutores ecclesiarum	*D. Maier, Annalen d. Hist. Vereins f. d. Niederrhein 195 (1992) p. 46-66. – [G. Waitz, Chronica regia Coloniensis (MG Script. rer. Germ.). 1880. p. 316-22]*
	DIPL.	DIPLOMATA	
1002-05	Arduini	diplomata Arduini	*H. Bresslau (et al.), Die Urkunden Heinrichs II. u. Arduins (MG Dipl. reg. et imp. Germ. III). 1900-03. p. 699-714*
887-99	Arnulfi	diplomata Arnulfi	*P. Kehr, Die Urkunden Arnolfs (MG Dipl. reg. Germ. ex stirpe Karolin. III). 1940*
911-18	Conr. I.	diplomata Conradi I.	*T. Sickel, Die Urkunden Konrad I., Heinrich I. u. Otto I. (MG Dipl. reg. et imp. Germ. I). 1879-84. p. 1-36*
1024-39	Conr. II.	diplomata Conradi II.	*H. Bresslau, Die Urkunden Konrads II. (MG Dipl. reg. et imp. Germ. IV). 1909. p. 1-417*
1129/38-52	Conr. III.	diplomata Conradi III.	*F. Hausmann, Die Urkunden Konrads III. u. seines Sohnes Heinrich (MG Dipl. reg. et imp. Germ. IX). 1969. p. 1-516*

aetas	notae	notarum explicatio	editiones
1195-98	Constantiae	diplomata Constantiae	*T. Kölzer, Die Urkunden der Kaiserin Konstanze (MG Dipl. reg. et imp. Germ. XI 3). 1990. p. 1-208. add.: p. 214-81*
1152-89	Frid. I.	diplomata Friderici I.	*H. Appelt (et al.), Die Urkunden Friedrichs I. (MG Dipl. reg. et imp. Germ. X 1-5). 1975-90*
920-35	Heinr. I.	diplomata Heinrici I.	*T. Sickel, Die Urkunden Konrad I., Heinrich I. u. Otto I. (MG Dipl. reg. et imp. Germ. I). 1879-84. p. 39-79*
1002-24	Heinr. II.	diplomata Heinrici II.	*H. Bresslau (et al.), Die Urkunden Heinrichs II. u. Arduins (MG Dipl. reg. et imp. Germ. III). 1900-03. p. 1-697. add.: p. 715-721 et H. Bresslau, Die Urkunden Konrads II. (MG Dipl. reg. et imp. Germ. IV). 1909. p. 419-28*
1039-56	Heinr. III.	diplomata Heinrici III.	*H. Bresslau, P. Kehr, Die Urkunden Heinrichs III. (MG Dipl. reg. et imp. Germ. V). 1931*
1056-1105	Heinr. IV.	diplomata Heinrici IV.	*D. v. Gladiss, A. Gawlik, Die Urkunden Heinrichs IV. (MG Dipl. reg. et imp. Germ. VI 1-3). 1941-78*
769-71	Karlom. (I.)	diplomata Karlomanni, fratris Karoli Magni	*E. Mühlbacher, Die Urkunden Pippins, Karlmanns u. Karls des Großen (MG Dipl. Karolin. I). 1906. p. 62-76*
876-79	Karlom. (II.)	diplomata Karlomanni, filii Ludowici Germanici	*P. Kehr, Die Urkunden Ludwigs des Deutschen, Karlmanns u. Ludwigs des Jüngeren (MG Dipl. reg. Germ. ex stirpe Karolin. I). 1934. p. 285-327*
876-87	Karoli III.	diplomata Karoli III.	*P. Kehr, Die Urkunden Karls III. (MG Dipl. reg. Germ. ex stirpe Karolin. II). 1937. p. 3-325. add.: p. 327-28. app.: p. 330-33*
769-813	Karoli M.	diplomata Karoli Magni	*E. Mühlbacher, Die Urkunden Pippins, Karlmanns u. Karls des Großen (MG Dipl. Karolin. I). 1906. p. 81-484*
822-55	Loth. I.	diplomata Lotharii I.	*T. Schieffer, Die Urkunden Lothars I. u. Lothars II. (MG Dipl. Karolin. III). 1966. p. 51-354*
855-69	Loth. II.	diplomata Lotharii II.	*T. Schieffer, op. cit. p. 383-457*
1125-37	Loth. III.	diplomata Lotharii III.	*E. v. Ottenthal, H. Hirsch, Die Urkunden Lothars III. u. der Kaiserin Richenza (MG Dipl. reg. et imp. Germ. VIII). 1927. p. 1-225*
851-74	Ludow. II.	diplomata Ludowici II.	*K. Wanner, Die Urkunden Ludwigs II. (MG Dipl. Karolin. IV). 1994*
829-76	Ludow. Germ.	diplomata Ludowici Germanici	*P. Kehr, Die Urkunden Ludwigs des Deutschen, Karlmanns u. Ludwigs des Jüngeren (MG Dipl. reg. Germ. ex stirpe Karolin. I). 1934. p. 1 -274*
900-11	Ludow. Inf.	diplomata Ludowici Infantis	*T. Schieffer, Die Urkunden Zwentibolds u. Ludwigs des Kindes (MG Dipl. reg. Germ. ex stirpe Karolin. IV). 1960. p. 95-232*

aetas	notae	notarum explicatio	editiones
876-82	Ludow. Iun.	diplomata Ludowici Iunioris	*P. Kehr, Die Urkunden Ludwigs des Deutschen, Karlmanns u. Ludwigs des Jüngeren (MG Dipl. reg. Germ. ex stirpe Karolin. I). 1934. p. 333-72*
s. VI.-752	Merov. I-III	diplomata regum e stirpe Merovingorum genuina (= I) et spuria (= III A) ac diplomata maiorum domus e stirpe Arnulfi genuina (= II) et spuria (= III B)	*K. A. F. Pertz, Diplomata regum Francorum e stirpe Merowingica (MG Dipl. imperii I). 1872. p. 3-88 (= I). 91-110 (= II). 113-208 (= III A). 209-15 (= III B). – part.: K. H. Debus, ArchDipl. 13 (1967) p. 1-109. 14 (1968) p. 1-192. – P. Lauer, C. Samaran, Les diplômes originaux des Mérovingiens. 1908*
936-73	Otton. I.	diplomata Ottonis I.	*T. Sickel, Die Urkunden Konrad I., Heinrich I. u. Otto I. (MG Dipl. reg. et imp. Germ. I). 1879-84. p. 89-638. add.: T. Sickel, Die Urkunden Otto des III. (MG Dipl. reg. et imp. Germ. II 2). 1893. p. 878-83*
961-83	Otton. II.	diplomata Ottonis II.	*T. Sickel, Die Urkunden Otto des II. (MG Dipl. reg. et imp. Germ. II 1). 1888. add.: T. Sickel, Die Urkunden Otto des III. (MG Dipl. reg. et imp. Germ. II 2). 1893. p. 883-86*
984-1002	Otton. III.	diplomata Ottonis III.	*T. Sickel, Die Urkunden Otto des III. (MG Dipl. reg. et imp. Germ. II 2). 1893. p. 393-875. add.: p. 876-77*
752-68	Pipp.	diplomata Pippini	*E. Mühlbacher, Die Urkunden Pippins, Karlmanns u. Karls des Großen (MG Dipl. Karolin. I). 1906. p. 3-60*
1136-37	Richenzae	diplomata Richenzae	*E. v. Ottenthal, H. Hirsch, Die Urkunden Lothars III. u. der Kaiserin Richenza (MG Dipl. reg. et imp. Germ. VIII). 1927. p. 227-34*
777-1280	Westph.	diplomata Westphalica	*R. Wilmans, Die Kaiserurkunden der Provinz Westfalen. I (1867) p. 3-267. F. Philippi, op. cit. II (1881)*
895-900	Zwent.	diplomata Zwentiboldi	*T. Schieffer, Die Urkunden Zwentibolds u. Ludwigs des Kindes (MG Dipl. reg. Germ. ex stirpe Karolin. IV). 1960. p. 1-68*
c. 1070-1136/37	DONIZO	DONIZO, mon. Canusinus	
1111-14	Mathild.	vita Mathildis comitissae metrica	*L. C. Bethmann MG Script. XII (1856) p. 351-409. – L. Simeoni, Vita Mathildis ... scripta a Donizone presbytero (Rer. Ital. Script. N. E. V 2). 1940*
c. 960-1026	DUDO	DUDO, decanus s. Quintini	
1015-26	hist.	historia Normannorum	*excerpta: G. Waitz MG Script. IV (1841) p. 93-106. – J. Lair, De moribus et actis primorum Normanniae ducum auctore Dudone S. Quintini. 1865*

aetas	notae	notarum explicatio	editiones
	DUNGAL.	DUNGALUS Scotus, reclusus s. Dionysii	
s. VIII.ex.-IX.in.	(?) carm.	carmina	*E. Dümmler MG Poet. I (1881) p. 395-413*
c. 800-27	epist.	epistolae	*E. Dümmler, MG Epist. IV (1895) p. 570-85*
s. XI.	DYASC.	DYASCORIDES, de simplicibus (medicinis), i. e. Dioscorides Lat. per ordinem alphabeti	*Dyascorides, De simplicibus. Colle (apud Johannem Allemannum de Medemblick). 1478. praef.: F. Stadler, ArchLatLex. 12 (1902) p. 13-20*
cod. s. IX.	DYNAMID. Hippocr.	DYNAMIDIA Hippocratis	*A. Mai, Classicorum auctorum e Vaticanis codicibus editorum tom. VII (1835) p. 399-458*
	EBERH. ALEM.	EBERHARDUS Alemannicus, magister Bremensis	
s. XIII.1	labor.	laborintus	*E. Faral, Les arts poétiques du XIIe et du XIIIe siècle. 1924. p. 337-77*
† 1170	EBERH. BAMB.	EBERHARDUS II., episc. Bambergensis	
	epist.	epistolae	*Migne PL 193 p. 495-564*
	EBERH. FRISING.	EBERHARDUS Frisingensis	
s. XI.	fist.	tractatus de mensura fistularum	*M. Gerbert, Scriptores ecclesiastici de musica sacra potissimum. II (1784) p. 279-82*
s. XIII.	EBERH. HEIST.	EBERHARDUS, mon. Heisterbacensis	
	Betel	Betel q. d. carmen	*M. Wesche, Das Gedicht 'Betel' des Magister Eberhard von Heisterbach (Arbor amoena comis. 25 Jahre Mittellat. Seminar in Bonn). 1990. p. 222-36*
† post 1047	EBERW.	EBERWINUS, abb. s. Martini Treverensis et Theolegiensis	
c. 1000	Magner.	vita Magnerici, archiep. Treverensis	*ASBoll. Iul. VI (1729) p. 183-91. – [excerpta: G. Waitz MG Script. VIII (1848) p. 208-09]*
c. 1035	Symeon.	vita Symeonis, reclusi Treverensis	*ASBoll. Iun. I (1695) p. 89-95. 3p. 86-92. – [excerpta: G. Waitz, op. cit. p. 209-11]*
† 1163	EBO BAMB.	EBO, mon. Bambergensis	
1151-59	Ott.	vita Ottonis, episc. Bambergensis	*J. Wikarjak Mon. Polon. Hist. N. S. VII 2 (1969). corr.: J. Petersohn, DtArch. 27 (1971) p. 190-92. – [P. Jaffé, Mon. Bambergensia (Bibl. rer. Germ. V). 1869. p. 588-692]*
s. XI.med. ?	ECBASIS capt.	ECBASIS cuiusdam captivi q. d. carmen	*K. Strecker, Ecbasis cuiusdam captivi per tropologiam (MG Script. rer. Germ.). 1935*
643	EDICT. Roth.	EDICTUS Rothari regis	*F. Bluhme MG Leg. IV (1868) p. 3-90*

aetas	notae	notarum explicatio	editiones
	EGBERT.	EGBERTUS, magister Leodiensis	
1022-24	fec. rat.	fecunda ratis, q. d. collectio proverbiorum	*E. Voigt, Egberts von Lüttich 'Fecunda Ratis'. 1889*
	EGILM.	EGILMARUS, episc. Osnabrugensis	
891	epist.	epistola ad Stephanum V. papam	*G. Laehr MG Epist. VII (1928) p. 359-62*
† 1120	EGINO	EGINO, abb. Augustanus	
1118-20	epist.	epistolae	*P. Jaffé MG Script. XII (1856) p. 443-47 (= UDALSC. Egin. 27. 29. 30. 31. app. 1)*
c. 750-822	EIGIL	EIGIL, abb. Fuldensis	
794-800	Sturm.	vita Sturmi, primi abb. Fuldensis	*P. Engelbert, Die Vita Sturmi des Eigil von Fulda (Veröffentl. d. Hist. Komm. f. Hessen u. Waldeck XXIX). 1968. p. 131-63. – [G. H. Pertz MG Script. II (1829) p. 366-77. praef.: E. Dümmler MG Epist. IV (1895) p. 557]*
c. 770-840	EINH.	EINHARDUS (Eginhardus)	
836	cruc.	quaestio de adoranda cruce	*K. Hampe MG Epist. V (1899) p. 146-49*
823-40	epist.	epistolae	*K. Hampe, op. cit. p. 109-41*
836	epist. ad Lup.	epistola ad Lupum Ferrariensem	*E. Dümmler MG Epist. VI (1925) p. 9-10. – P. K. Marshall, Servati Lupi epistolae. 1984. p. 4-6*
825-26	Karol.	vita Karoli Magni	*O. Holder-Egger, Einhardi vita Karoli Magni (MG Script. rer. Germ.). 1911. p. 1-40*
c. 830	Marc. et Petr. I	translatio et miracula Marcellini et Petri	*G. Waitz MG Script. XV (1887) p. 239-64*
c. 830	(?) Marc. et Petr. II	rhythmus de passione Marcellini et Petri	*E. Dümmler MG Poet. II (1884) p. 126-35*
c. 835-40	psalm.	libellus de psalmis	*excerpta: M. Vatasso, Bessarione 31 (1915) p. 95-104*
	EKKEB. HERSF.	EKKEBERTUS, mon. Hersfeldensis	
1072-80 vel post 1085	Heimer.	vita Heimeradi (Haim-), presb. Hasungensis	*R. Köpke MG Script. X (1852) p. 598-607*
c. 1130-84	EKKEB. SCHON.	EKKEBERTUS, abb. Schonaugiensis, frater Elisabethae	
1157-65	cath.	sermones contra catharos	*Migne PL 195 p. 11-98*
	opusc.	opuscula	*F. W. E. Roth, Die Visionen der hl. Elisabeth. 1884. p. 230-342*
† c. 973	EKKEH. I.	EKKEHARDUS I., mon. Sangallensis et decanus	
	hymn.	hymni et sequentiae	*W. v. d. Steinen, Notker der Dichter u. seine geistige Welt. Editionsband. 1948. p. 115-18. 130. 134*

aetas	notae	notarum explicatio	editiones
	- - -	Waltharius v. WALTHARIUS	
960-70	(?) Wibor.	vita Wiboradae	*W. Berschin, Vitae s. Wiboradae (MittGeschStGallen LI). 1983. p. 32-106. – [ASBoll. Mai. I (1680) p. 284-93. ³p. 289-98. – excerpta: G. Waitz MG Script. IV (1841) p. 452-57 (olim: HARTM. Wibor.)]*
c. 940-90	EKKEH. II.	EKKEHARDUS II. Palatinus	
	hymn.	hymni	*W. v. d. Steinen, Notker der Dichter u. seine geistige Welt. Editionsband. 1948. p. 112-17*
c. 980/90-c. 1057	EKKEH. IV.	EKKEHARDUS IV., mon. Sangallensis	
1027-35	bened. I. II	benedictiones super lectores per circulum anni (= I) et ad mensas (= II)	*J. Egli, Der Liber Benedictionum Ekkehards IV. (MittGeschStGallen XXXI). 1909. p. 1-280 (= I). 281-315 (= II). gloss.: in notis*
s. X.ex.-XI.in.	carm. Gall.	carmen in laudem s. Galli	*K. Strecker MG Poet. V (1937-79) p. 536-40. – [J. Egli, op. cit. p. 382-89. – P. Osterwalder, Das althochdeutsche Galluslied Ratperts u. seine lat. Übersetzungen durch Ekkehard IV. (Das Althochdeutsche von St. Gallen VI). 1982]*
s. XI.¹	carm. var. I. II	carmina varia	*J. Egli, op. cit. p. 390-408 (= I). K. Strecker, op. cit. p. 532-33. 547-53 (= II)*
post 1035	cas.	casus s. Galli	*H. F. Haefele, Ekkehard IV., St. Galler Klostergeschichten (Ausgew. Quellen z. deutschen Gesch. d. Mittelalters X). 1980. – [G. Meyer v. Knonau, MittGeschStGallen XV/XVI (N. F. V/VI). 1877. p. 1-450. – I. v. Arx MG Script. II (1829) p. 77-147]*
c. 1030	pict. Mog.	versus ad picturas domus Domini Moguntinae	*J. Egli, op. cit. p. 316-68*
ante 1025	pict. Sangall.	versus ad picturas claustri s. Galli	*K. Strecker MG Poet. V (1937-79) p. 541-46*
s.XI.¹	prol. Gall.	prologus vitae Galli a Notkero compositae	*W. Berschin, Notkers Metrum de vita S. Galli (Florilegium Sangallense. Festschrift J. Duft). 1980. p. 91-93. – [K. Strecker MG Poet. IV (1923) p. 1094-97]*
	[EKKEH. V. Notker.]	v. VITA Notkeri	
† post 1125	EKKEH. URAUG.	EKKEHARDUS, abb. Uraugiensis	
1108-13	Burch.	vita Burkardi (Burch-), episc. Wirziburgensis	*F. J. Bendel, Vita s. Burkardi. 1912 (olim: ENGELH. WIRZ. Burch.). – excerpta: O. Holder-Egger MG Script. XV (1887) p. 50-62*
c. 1105-25	chron.	chronica	*G. Waitz MG Script. VI (1844) p. 208-65 (olim: p. 33-265). – part.: F.-J. Schmale, I. Schmale-Ott, Frutolfs u. Ekkehards Chroniken ... (Ausgew. Quellen z. deutschen Gesch. d. Mittelalters XV). 1972. p. 124-204. 268-326. 334-76*

aetas	notae	notarum explicatio	editiones
1117	Hieros.	Hierosolymita	*H. Hagenmeyer, Ekkehardi Uraugiensis abb. Hierosolymita. 1877. – P. de Riant, Recueil des historiens des croisades. Historiens occidentaux. V (1895) p. 7-40. – F.-J. Schmale, I. Schmale-Ott, op. cit. p. 326-32*
	ELIAS SAL.	ELIAS SALOMON, clericus Perigordensis	
1274	mus.	scientia artis musicae	*M. Gerbert, Scriptores ecclesiastici de musica sacra potissimum. III (1784) p. 16-64*
1129-64	ELIS. SCHON.	ELISABETHA, virgo Schonaugiensis	
	(?) assumpt. virg.	de secunda assumptione beatae virginis	*F. W. E. Roth, Die Visionen der hl. Elisabeth. 1884. p. 153-54*
	epist.	epistolae	*F. W. E. Roth, op. cit. p. 139-53*
1156-57	viar.	liber viarum Dei	*F. W. E. Roth, op. cit. p. 88-122*
1156-57	virg .Col.	liber revelationum de sacro exercitu virginum Coloniensium	*F. W. E. Roth, op. cit. p. 123-38*
1156-59	vis.	visiones	*F. W. E. Roth, op. cit. p. 1-87*
c. 835-38	EMBOLIS Amalar.	EMBOLIS meorum (sc. Amalarii) opusculorum	*J. M. Hanssens, Amalarii episc. opera liturgica omnia (Studi e Testi CXXXVIII). I (1948) p. 367-87*
c. 1175-1237	EMO	EMO, abb. monasterii Horti Floridi seu Werumensis	
c. 1211-34	chron.	chronicon	*H. P. H. Jansen, A. Janse, Kroniek van het klooster Bloemhof te Wittewierum (Middeleeuwse Studies en Bronnen XX). 1991. p. 2-284. – [L. Weiland MG Script. XXIII (1874) p. 465-523]*
† ante 1210	ENGELH. LANGH.	ENGELHARDUS, mon. Langheimensis	
c. 1200	Mathild.	vita Mathildis (Mechtildis), praepositae Diessensis	*ASBoll. Mai. VII (1688) p. 444-57. [3]p. 436-49*
	[ENGELH. WIRZ. Burch.]	v. EKKEH. URAUG. Burch.	
	EPIST.	EPISTOLA, -AE	
1111-62	Adm.	epistolae Admontenses	*G. Hödl, P. Classen, Die Admonter Briefsammlung (MG Die Briefe d. deutschen Kaiserzeit VI). 1983. p. 33-148*
s. VIII.ex.-IX.in.	Alcuin.	epistolae ad Alcuinum	*E. Dümmler MG Epist. IV (1895) p. 20-401. app.: p. 483-93*
c. 700	Aldh.	epistolae ad Aldhelmum	*R. Ehwald, Aldhelmi opera (MG Auct. Ant. XV). 1919. p. 494-99*
1111	anon.	anonymi epistola de vitanda missa uxoratorum sacerdotum	*E. Sackur MG Lib. Lit. III (1897) p. 2-11*

aetas	notae	notarum explicatio	editiones
980-1235	Bamb.	epistolae Bambergenses	*P. Jaffé, Mon. Bambergensia (Bibl. rer Germ. V). 1869. p. 471-536*
s. VIII.	Bitur.	epistolae Bituricenses	*K. Zeumer, Formulae Merowingici et Karolini aevi (MG Leg. sectio V). 1886. p. 167-68*
s. VIII.	Bonif.	epistolae variorum in Bonifatii epistolarum collectione exstantes	*M. Tangl, Die Briefe des hl. Bonifatius u. Lullus (MG Epist. sel. I). 1916. p. 2-289*
865-74	Col.	epistolae Colonienses	*E. Dümmler MG Epist. VI (1925) p. 242-56*
630-55	Desid. Cad.	epistolae ad Desiderium Cadurcensem	*D. Norberg, Epistulae s. Desiderii Cadurcensis (StudLatStockh. VI). 1961. p. 41-54. 57-76. – [W. Arndt MG Epist. III (1892) p. 203-14]*
860-68	divort. Loth.	epistolae ad divortium Lotharii II. regis pertinentes	*E. Dümmler MG Epist. VI (1925) p. 209-40*
	[Dominic.]	v. EPIST. Praed.	
s. IX.	Einh.	epistolae variorum in Einhardi epistolarum collectione exstantes	*K. Hampe MG Epist. V (1899) p. 110-11. 128-29. 142-45*
818-38	Froth.	epistolae variorum in Frotharii epistolarum collectione exstantes	*K. Hampe MG Epist. V (1899) p. 281-94*
984-97	Gerb.	epistolae variorum in Gerberti epistolarum collectione exstantes	*F. Weigle, Die Briefsammlung Gerberts von Reims (MG Die Briefe d. deutschen Kaiserzeit II). 1966. p. 48-261*
s. XI.[2]	Hann.	epistolae Hannoveranae collectionis	*C. Erdmann, Briefsammlungen der Zeit Heinrichs IV. (MG Die Briefe d. deutschen Kaiserzeit V). 1950. p. 15-187. app.: p. 253-58*
1054-1106	Heinr. IV.	epistolae Heinrici IV. imp.	*C. Erdmann, Die Briefe Heinrichs IV. (MG Deutsches Mittelalter I). 1937*
1147-50	Heinr. (VI.)	epistolae Heinrici (VI.) regis, filii Conradi III.	*F. Hausmann, Die Urkunden Konrads III. u. seines Sohnes Heinrich (MG Dipl. reg. et imp. Germ. IX). 1969. p. 521-32*
c. s. XII.[2]	Hildeg.	epistolae variorum Hildegardis Bingensis collectioni insertae	*L. van Acker CC Cont. Med. XCI (1991) p. 6-211. XCI^{A} (1993) p. 243-529. – [J. B. Pitra, Analecta sacra spicilegio Solesmensi parata. VIII (1882) p. 336-439. Migne PL 197 p. 145-382 (olim: EPIST. ad Hildeg.)]*
	[ad Hildeg.]	v. EPIST. Hildeg.	
1177-99	Hildesh.	epistolae Hildesheimensis collectionis	*R. De Kegel, Die Jüngere Hildesheimer Briefsammlung (MG Die Briefe der deutschen Kaiserzeit VII). 1995 (nr. 134-144: Aurea gemma Oxoniensis)*
1261-64	Laens.	epistolae Laensis collectionis	*M. Weltin, Die 'Laaer Briefsammlung' (Veröffentl. d. Inst. f. österr. Geschichtsforsch. XXI). 1975. p. 97-131*
c. 500-772	Lang.	epistolae Langobardicae collectae	*W. Gundlach MG Epist. III (1892) p. 693-715. add.: p. 716-18*

aetas	notae	notarum explicatio	editiones
840-62	Lup. Ferr.	epistolae variorum in Lupi Ferrariensis collectione exstantes	*P. K. Marshall, Servati Lupi epistolae. 1984. – E. Dümmler MG Epist. VI (1925) p. 21-99. add.: p. 114-26. – [L. Levillain, Loup de Ferrières, Correspondance. I (1927). II (1935)]*
1057-85	Meginh.	epistolae collectionis Meginhardi Bambergensis	*C. Erdmann, Briefsammlungen der Zeit Heinrichs IV. (MG Die Briefe d. deutschen Kaiserzeit V). 1950. p. 192-248*
524-751	Merov.	epistolae aevi Merovingici collectae	*W. Gundlach MG Epist. III (1892) p. 434-68*
803-1201	Mog.	epistolae Moguntinae	*P. Jaffé, Mon. Moguntina (Bibl. rer. Germ. III). 1866. p. 317-421*
1103-39	Otton. Bamb.	epistolae variorum in Ottonis Bambergensis collectione exstantes	*Migne PL 173 p. 1315-56*
787-857	pont. Rom. sel. I. II	epistolae pontificum Romanorum selectae	*K. Hampe MG Epist. V (1899) p. 3-84 (= I). A. v. Hirsch-Gereuth, op. cit. p. 583-614 (= II)*
c. 1250-80	Praed.	epistolae fratrum ordinis Praedicatorum s. XIII.	*H. Finke, Ungedruckte Dominikanerbriefe des 13. Jhs. 1891. p. 51-107 (olim: EPIST. Dominic.)*
s. XI.ex.	Ratisb.	epistolae Ratisbonenses	*N. Fickermann, Briefsammlungen der Zeit Heinrichs IV. (MG Die Briefe d. deutschen Kaiserzeit V). 1950. p. 274-368. app.: p. 368-82*
c. 1103-60	Reinh.	epistolae Reinhardsbrunnenses	*F. Peeck, Die Reinhardsbrunner Briefsammlung (MG Epist. sel. V). 1952*
1161-77	Salisb.	epistolae Salisburgenses	*G. Hödl, P. Classen, Die Admonter Briefsammlung (MG Die Briefe d. deutschen Kaiserzeit VI). 1983. p. 151-97*
s. X.ex.-XI.1	Teg. [I]	epistolae Tegernseenses	*K. Strecker, Die Tegernseer Briefsammlung (MG Epist. sel. III). 1925. p. 2-147*
c. 767-c. 850	var. I	epistolae variorum, collectio I	*E. Dümmler MG Epist. IV (1895) p. 496-567*
c. 811-52	var. II	epistolae variorum, collectio II	*E. Dümmler MG Epist. V (1899) p. 300-60. suppl.: p. 615-40*
c. 831-77	var. III	epistolae variorum, collectio III	*E. Dümmler MG Epist. VI (1925) p. 128-206*
s. XII.med.	Udalr.	epistolae variorum in collectione Udalrici exstantes	*I. Joester, UB der Abtei Steinfeld (Publ. d. Gesellsch. f. Rhein. Geschichtskunde LX). 1976. p. 606. 623-25*
s. XI.ex. XII.in.	Vienn.	epistolae Viennenses spuriae	*W. Gundlach MG Epist. III (1892) p. 86-109*
1119-90	Wibald.	epistolae a Wibaldo collectae	*P. Jaffé, Mon. Corbeiensia (Bibl. rer. Germ. I). 1864. p. 77-605*
c. 586-c. 652	Wisig.	epistolae Wisigothicae	*W. Gundlach MG Epist. III (1892) p. 662-90. – J. Gil, Miscellanea Wisigothica (Publ. de la Universidad de Sevilla. Filosofía y letras XV). 1972. p. 3-49*
s. XI.	Worm. I	epistolae Wormatienses	*W. Bulst, Die ältere Wormser Briefsammlung (MG Die Briefe d. deutschen Kaiserzeit III). 1949*

aetas	notae	notarum explicatio	editiones
s. XIII.	Worm. II	epistolae Wormatienses	*H. Boos, UB der Stadt Worms (Quellen z. Gesch. d. Stadt Worms I). I (1886) p. 378-99*
1085-92	ad Wrat.	epistolae ad Wratislawum II., regem Bohemiae	*C. Erdmann, Briefsammlungen der Zeit Heinrichs IV. (MG Die Briefe der deutschen Kaiserzeit V). 1950. p. 387-400*
	EPITAPH.	EPITAPHIA	
s. IX.	var. I	epitaphia varia aevi Karolini	*K. Strecker MG Poet. IV (1923) p. 1026-42*
s. VIII.-X.	var. I A	epitaphia varia aevi Karolini, supplementum	*K. Strecker MG Poet. VI (1951) p. 154-58*
s. X.-XI.[1]	var. II	epitaphia varia aevi Ottonum	*K. Strecker MG Poet. V (1937-79) p. 282-353. – part.: U. Westerbergh, Beneventan Ninth Century Poetry (StudLatStockh. IV). 1957. p. 30-33*
	ERCHANB. [FRISING.]	ERCHANBERTUS, magister (Frisingensis ?)	
c. 820-42	gramm.	tractatus super Donatum	*W. V. Clausen, Erchanberti Frisingensis 'Tractatus super Donatum'. Diss. Chicago. 1948. interp.: V. Law, History of Linguistic Thought in the Early Middle Ages (Amsterdam Studies in the Theory and History of Linguistic Science. Ser. III. LXXI). 1993. p. 231-38*
	ERCHEMB. CAS.	ERCHEMBERTUS, mon. Casinensis	
s. IX.[ex.]	hist.	historia Langobardorum Beneventanorum	*G. Waitz MG Script. rer. Lang. 1878. p. 234-64*
	ERINH.	ERINHERUS, ceterum ignotus	
post 1162	Heimer.	vita Heimeradi (Haim-), presb. Hasungensis, metrica	*R. Köpke MG Script. X (1852) p. 608-12*
	- - -	ERLUNG, episc. Wirziburgensis v. CARM. de bello Saxon., VITA Heinr. IV.	
c. 814-74	ERMENR.	ERMENRICUS, mon. Elwangensis, episc. Pataviensis	
c. 854	ad Grim.	epistola ad Grimaldum	*E. Dümmler MG Epist. V (1899) p. 536-79*
848-54	Har.	vita Hariolfi, episc. Lingonensis	*V. Burr, Vita Hariolfi (Ellwangen 764-1964. Beitr. u. Untersuchungen z. Zwölfhundertjahrfeier). 1964. p. 14-28. – [G. H. Pertz MG Script. X (1852) p. 11-14]*
839-42	Sval.	sermo de vita Svalonis dicti Soli eremitae	*O. Holder-Egger MG Script. XV (1887) p. 153-63*
† post 838	ERMOLD.	ERMOLDUS NIGELLUS Aquitanus	
s. IX.[1]	carm. app.	carminum appendix	*E. Dümmler MG Poet. II (1884) p. 92-93*
826-28	Ludow.	carmen in honorem Ludowici Pii	*E. Dümmler, op. cit. p. 4-79. – [E. Faral, Ermold le Noir (Les classiques de l'histoire de France au moyen-âge XIV). 1932. p. 2-200]*

aetas	notae	notarum explicatio	editiones
c. 826	Pipp.	carmen in laudem Pippini regis	*E. Dümmler, op. cit. p. 79-91. – [E. Faral, op. cit. p. 218-32]*
	EUGEN. VULG.	EUGENIUS VULGARIUS, presb. Neapolitanus	
s. X.in.	calend.	calendarium metricum	*P. Meyvaert, AnalBoll. 84 (1966) p. 360-67*
s. X.in.	syll.	sylloga	*P. v. Winterfeld MG Poet. IV (1899) p. 412-40. app.: p. 441-44*
s. XI.ex.-XII.in.	EUPOLEMIUS	EUPOLEMIUS carmen	*K. Manitius, Eupolemius, Das Bibelgedicht (MG Quellen z. Geistesgesch. d. Mittelalters IX). 1973*
s. VIII.ex.-IX.in.	EXPOS. miss.	EXPOSITIO missae 'Dominus vobiscum'	*J. M. Hanssens, Amalarii episc. opera liturgica omnia (Studi e Testi CXXXVIII). I (1948) p. 284-338 (in paginis parium numerorum)*
c. s. XIII.	FABULAR. MIN.	FABULARIUS MINOR	*E. Seemann, Hugo von Trimberg u. die Fabeln seines Renners (MünchArch. VI). 1923. p. 217-55*
894-966	FLOD.	FLODOARDUS, can. Remensis	
	annal.	annales	*P. Lauer, Les annales de Flodoard (Coll. de textes pour servir à l' étude ... de l'histoire XXXIX). 1905. p. 1-164. – [G. H. Pertz MG Script. III (1839) p. 368-407]*
	hist.	historia Remensis ecclesiae	*J. Heller, G. Waitz MG Script. XIII (1881) p. 409-599*
† 859/60	FLOR. LUGD.	FLORUS, diac. Lugdunensis	
s. IX.med.	carm.	carmina	*E. Dümmler MG Poet. II (1884) p. 509-66*
838	ad Drogon.	epistola ad Drogonem	*E. Dümmler MG Epist. V (1899) p. 267-73*
c. 935-90	FOLCUIN.	FOLCUINUS, mon. Sithiensis, abb. Laubacensis	
c. 962	Bert.	gesta abbatum s. Bertini Sithiensium	*O. Holder-Egger MG Script. XIII (1881) p. 607-34 (sine chartis). – B. Guérard, Cartulaire de l'abbaye de St. Bertin. 1840. p. 15-168*
c. 980	Lob.	gesta abbatum Lobiensium (Laubacensium)	*G. H. Pertz MG Script. IV (1841) p. 54-74*
post 969	vita Folcuin.	vita Folcuini, episc. Morinensis	*O. Holder-Egger MG Script. XV (1887) p. 424-30*
	FORM.	FORMULAE	
s. VI.ex.	Andec.	formulae Andecavenses	*K. Zeumer, Formulae Merowingici et Karolini aevi (MG Leg. sectio V). 1886. p. 2-25*
s. IX.	Argent.	formulae Argentinenses	*K. Zeumer, op. cit. p. 337-38*
s. VIII.	Arvern.	formulae Arvernenses	*K. Zeumer, op. cit. p. 28-31*
s. VIII.ex.-IX.med.	Augiens.	formulae Augienses	*K. Zeumer, op. cit. p. 342-77. add.: p. 724-25*

aetas	notae	notarum explicatio	editiones
s. VIII.$^{in.}$-IX.$^{in.}$	Bitur.	formulae Bituricenses	*K. Zeumer, op. cit. p. 169-79. app.: p. 179-81*
s. VIII.$^{ex.}$-IX.$^{in.}$	Dion.	formulae collectionis s. Dionysii	*K. Zeumer, op. cit. p. 494-511*
s. IX.$^{in.}$	epist.	formulae epistolares, collectiones minores	*K. Zeumer, op. cit. p. 521-32. add.: p. 532*
s. VII.$^{ex.}$-IX.	extrav.	formulae extravagantes	*K. Zeumer, op. cit. p. 533-71. add.: p. 725*
s. VIII.$^{med.}$-IX. ?	Flav.	formulae collectionis Flaviniacensis	*K. Zeumer, op. cit. p. 471-89. add.: p. 489-92*
s. IX.^{1}	imp.	formulae imperiales	*K. Zeumer, op. cit. p. 287-327. add.: p. 327-28*
s. IX.^{2}	Laudun.	formulae codicis Laudunensis	*K. Zeumer, op. cit. p. 513-20*
s. VII.$^{ex.}$-VIII.$^{in.}$	Marculfi	formulae Marculfi	*A. Uddholm, Marculfi formularum libri duo. 1962. p. 8-330. suppl.: p. 332-46. add.: p. 348-60. – [K. Zeumer, op. cit. p. 32-106. suppl.: p. 107-09. add.: p. 110-12]*
s. VIII.^{2}	Marculfin.	formulae Marculfinae aevi Karolini	*K. Zeumer, op. cit. p. 115-27*
s. VIII.$^{ex.}$-IX.$^{med.}$	Morb.	formulae Morbacenses	*K. Zeumer, op. cit. p. 330-37*
843-48	Patav.	formulae Patavienses	*K. Zeumer, op. cit. p. 457-60*
s. VIII. ?	Pith. A	formulae Pithoei, fragmenta	*K. Zeumer, op. cit. p. 597-98*
s. VIII. ?	Pith. B	formulae Pithoei	*R. Poupardin, Bibl. de l'École des Chartes 69 (1908) p. 648-62*
817-40	Ratisb.	formulae codicis s. Emmerami Ratisbonensis, fragmenta	*K. Zeumer, op. cit. p. 463-68*
769-75	Sal. Bign.	formulae Salicae Bignonianae	*K. Zeumer, op. cit. p. 228-38*
s. VIII.$^{ex.}$-IX.$^{med.}$	Sal. Lind.	formulae Salicae Lindenbrogianae	*K. Zeumer, op. cit. p. 266-82. add.: p. 282-84*
s. VIII.$^{in.}$-X.	Sal. Merk.	formulae Salicae Merkelianae	*K. Zeumer, op. cit. p. 241-63. app.: p. 263-64*
	[Salisb.]	v. FORM. Salisb. I	
s. IX.$^{med.}$ s. VIII.-IX.$^{in.}$	Salisb. I. II	formulae Salisburgenses	*K. Zeumer, op. cit. 439-55. var. l.: B. Bischoff, SBMünch. 1973/IV. p. 34-38 (= I). B. Bischoff, op. cit. p. 30-61 (= II)*
s. VIII.$^{med.}$-IX.$^{ex.}$	Sangall.	formulae Sangallenses	*K. Zeumer, op. cit. p. 380-433. add.: p. 433-37*
s. VIII.$^{med.}$-IX.$^{med.}$	Senon. I. II	formulae Senonenses vetustiores (sive chartae) et recentiores	*K. Zeumer, op. cit. p. 185-207. app.: p. 208-11 (= I). 211-20. add.: p. 723-24 et G. J. J. Walstra, Les cinq épîtres rimées dans l'appendice des formules de Sens. 1962. p. 66-80. – [K. Zeumer, op. cit. p. 220-26](= II)*
s. VIII.$^{med.}$-IX.	Turon.	formulae Turonenses	*K. Zeumer, op. cit. p. 133-59. add.: p. 159-62. app.: p. 162-65*

aetas	notae	notarum explicatio	editiones
615-20	Wisig.	formulae Wisigothicae	*K. Zeumer, op. cit. p. 575-95. – J. Gil, Miscellanea Wisigothica (Publ. de la Universidad de Sevilla. Filosofía y letras XV). 1972. p. 71-112*
c. 816-30	FORMA mon. Sangall.	FORMA monasterii Sangallensis, auctore Heitone, ut vid.	*H. Reinhardt, Der St. Galler Klosterplan (XCII. Neujahrsblatt hrg. vom Hist. Verein d. Kantons St. Gallen). 1952. p. 1-16*
	FORTOLF.	FORTOLFUS, ceterum ignotus	
c. 1130	rhythmimach.	rhythmimachia	*A. Borst, Das mittelalterliche Zahlenkampfspiel (SBHeidelb. Suppl. V). 1986. p. 427-70. – [R. Peiper, Abh. z. Gesch. d. Math. 3 (1880) p. 169-97]*
	FRAGM.	FRAGMENTUM, -A	
c. 1190	de exp. Frid. I. imp.	fragmentum de expeditione Friderici I. imperatoris	*F. Frh. v. Reiffenberg, Bruchstück über den Kreuzzug Friedrichs I. (Bibl. d. Litterar. Vereins in Stuttgart IX^{a}). 1844. p. 5-24*
s. X.$^{med.}$	med. falc.	fragmentum de medicandis falconibus	*B. Bischoff, Anecdota novissima (QuellUnters-LatPhil. VII). 1984. p. 175-79*
cod. s. VIII.$^{ex.}$-IX.	mul. I-VI	fragmenta de mulierum causis	*F. P. Egert, Gynäkologische Fragmente ... (Abh. z. Gesch. d. Med. u. d. Naturwiss. XI). 1936 (= I-V). G. Walter, Bulletin of the Inst. of the History of Medicine 3 (1935) p. 603-05 (= VI)*
800-10	sacram. Arnon.	fragmenta sacramentarii, q. d. Arnonis .	*S. Rehle, Sacramentarium Arnonis (Textus patristici et liturgici VIII). 1970. p. 31-59. add.: p. 59-60 et A. Franz, Die kirchlichen Benediktionen im Mittelalter. II (1909) p. 605-08*
	FRANCO COL.	FRANCO de Colonia	
c. 1280	cant. mens.	ars cantus mensurabilis	*G. Reaney, A. Gilles, Franconis de Colonia 'Ars cantus mensurabilis' (Corp. script. de musica XVIII). 1974. – [S. M. Cserba, Hieronymus de Moravia O. P., Tractatus de musica. 1935. p. 230-59]*
	[disc.]	compendium discantus; hoc opus s. XIV. non iam affertur	*[E. de Coussemaker, Scriptorum de musica medii aevi nova series. I (1864) p. 154-56]*
† c. 1083	FRANCO LEOD.	FRANCO, scholasticus Leodiensis	
c. 1050	circ.	de quadratura circuli	*M. Folkerts, A. J. E. M. Smeur, Archives internationales d'histoire des sciences 26 (1976) p. 61-98*
1194-1250	FRID. II. IMP.	FRIDERICUS II. imperator	
c. 1247-48	art. ven.	de arte venandi cum avibus	*C. A. Willemsen, Friderici Romanorum imperatoris secundi 'De arte venandi cum avibus'. I. II (1942). var. l.: C. A. Willemsen, Kaiser Friedrich II., Über die Kunst mit Vögeln zu jagen. Kommentar. 1970. p. 95-197. app.: p. 201-18*

aetas	notae	notarum explicatio	editiones
	epist. A-C	epistolae	*H. M.Schaller, DtArch. 18 (1962) p. 194-202 (= A). 19 (1963) p. 418-29 (= B). J. R. Sweeney, DtArch. 45 (1989) p. 99-108 (= C)*
† c. 848	FROTH.	FROTHARIUS, episc. Tullensis	
813-48	epist.	epistolae	*K. Hampe MG Epist. V (1899) p. 277-98*
c. 960-1006/12	FROUM.	FROUMUNDUS, mon. Tegernseensis	
s. X.ex.	carm.	carmina	*K. Strecker, Die Tegernseer Briefsammlung (MG Epist. sel. III). 1925. p. XI-XIII. 1-96*
s. X.ex.-XI.in.	epist.	epistolae	*K. Strecker, op. cit. p. 5-98*
† 1103	FRUTOLF.	FRUTOLFUS, prior Michelsbergensis	
	brev.	breviarium de musica	*C. Vivell, SBWien CLXXXVIII 2 (1919) p. 26-113. – cap. 11: M. Bernhard, Quellen u. Studien z. Musiktheorie des Mittelalters (VeröffMusHistKommBAdW. VIII). I (1990) p. 40-66*
c. 1100	chron.	chronica	*G. Waitz MG Script. VI (1844) p. 33-211 (olim: p. 33-219). – part.: F.-J. Schmale, I. Schmale-Ott, Frutolfs u. Ekkehards Chroniken ... (Ausgew. Quellen z. deutschen Gesch. d. Mittelalters XV). 1972. p. 48-118*
	[(?) rhythmimach.]	v. FORTOLF. rhythmimach.	
	ton.	tonarius	*C. Vivell, op. cit. p. 113-83*
	FUND.	FUNDATIO	
1065-91	Brunw.	Brunwilarensis monasterii fundatorum actus	*G. Waitz MG Script. XIV (1883) p. 123-44*
1250-61	Consecr. Petri	de fundatione ecclesiae Consecrati Petri libellus	*P. A. Breatnach, Die Regensburger Schottenlegende. Libellus de fundacione ecclesie Consecrati Petri (Münchener Beitr. z. Mediävistik u. Renaissance-Forsch. XXVII). 1977. – [part: A. Dürrwächter, Die Gesta Caroli Magni der Regensburger Schottenlegende. 1887. p. 145-218 (olim: GESTA Karoli M.)]*
1190-1225	Grat. Dei	fundatio monasterii Gratiae Dei	*H. Pabst MG Script. XX (1868) p. 685-91*
c. 1266-73	Heinrichow.	fundatio claustri Heinrichowensis	*G. A. Stenzel, Liber fundationis claustri s. Mariae virginis in Heinrichow. 1854. p. 1-67. app.: p. 123-36*
s. XI.ex.-XII.1	Hild.	fundatio ecclesiae Hildesheimensis	*A. Hofmeister MG Script. XXX (1934) p. 941-46*
s. XII.med.	Mur.	acta fundationis Murensia	*M. Kiem, Das Kloster Muri im Kanton Aargau (QuellSchweizGesch. III 3). 1883. p. 16-100*
c. 1090-1155	Sangeorg.	notitiae fundationis et traditionum monasterii s. Georgii in Nigra Silva	*O. Holder-Egger MG Script. XV (1888) p. 1007-23*

aetas	notae	notarum explicatio	editiones
c. s. XIII.	Schild.	fundatio monasterii Schildecensis	*O. Holder-Egger, op. cit. p. 1046-52*
s. IX.-X.	Werd.	fundatio monasterii Werdinensis	*G. Waitz MG Script. XV (1887) p. 165-67. app.: p. 167-68 (olim: FUND. Werth.)*
	Werth.	v. FUND. Werd.	
	GALB.	GALBERTUS, clericus Brugensis	
1127-28	Karol.	passio Karoli Boni, comitis Flandriae	*J. Rider CC Cont. Med. CXXXI (1994). – R. Köpke MG Script. XII (1856) p. 561-619. – [H. Pirenne, Histoire du meurtre de Charles le Bon ... par Galbert de Bruges. 1891. p. 1-176]*
	[GARS. tract.]	v. TRACT. Garsiae	
† 1001	GEBEH. AUGUST.	GEBEHARDUS, episc. Augustanus	
	Udalr.	vita Udalrici, episc. Augustani	*Marci Velseri opera historica et philologica. Norimbergae. 1682. p. 591-95. prol.: G. Waitz MG Script. IV (1841) p. 381*
† 1088	GEBEH. SALISB.	GEBEHARDUS, archiep. Salisburgensis	
1081	ad Herm.	epistola ad Hermannum, episc. Mettensem	*K. Francke MG Lib. Lit. I (1891) p. 263-79*
	GEBER.	GEBERI nomen sortitum corpus scriptorum Latinorum artis chemicae q. d.	
c. 1250	clar.	liber claritatis totius alkimicae artis	*E. Darmstaedter, Archivio di storia della scienza 6 (1925) p. 320-30. 7 (1926) p. 257-65. Archeion (Archivio di storia della scienza) 8 (1927) p. 95-103. 214-28. 9 (1928) p. 63-80. 191-207. 462-79*
s. XIII.	forn.	liber fornacum	*Artis chemicae principes Avicenna atque Geber. Basileae (per Petrum Pernam). 1572. p. 736-67*
s. XIII.	invent.	de inventione veritatis sive perfectionis	*op. cit. p. 709-35*
s. XIII.	investig.	de investigatione perfectionis	*op. cit. p. 473-97*
s. XIII.ex.	summ.	summa perfectionis	*W. R. Newman, The Summa perfectionis of Pseudo-Geber (Coll. de travaux de l'académie internationale d'histoire des sciences XXXV). 1991. – [Artis chemicae principes Avicenna atque Geber. Basileae (per Petrum Pernam). 1572. p. 497-708]*
s. XIII.	test.	testamentum	*J. J. Mangetus, Bibliotheca chemica curiosa. I (1702) p. 562-64*
s. X.2-XIII.	GENEAL. Flandr. I-VI	GENEALOGIAE comitum Flandriae	*L. C. Bethmann MG Script. IX (1851) p. 302-25. cont. A-C: p. 325-34*
	[GEOGR. Baiuv.]	GEOGRAPHUS Baiuvarus; hoc opus non iam affertur	*[K. Zeuß, Die Deutschen u. die Nachbarstämme. 1837. p. 600-01]*

aetas	notae	notarum explicatio	editiones
c. 940-1003	GERB.	GERBERTUS, archiep. Remensis et Ravennas, postea Silvester II. papa	
s. X.-XI.	(?) astrolab.	liber de astrolabio	*N. Bubnov, Gerberti ... opera mathematica. 1899. p. 114-47*
983-97	epist.	epistolae	*F. Weigle, Die Briefsammlung Gerberts von Reims (MG Die Briefe d. deutschen Kaiserzeit II). 1966*
s. X.[2]	epist. math. I. II	epistolae ad res mathematicas pertinentes	*N. Bubnov, op. cit. p. 6-45 (= I). 99-106 (= II)*
c. 980-82	geom.	isagoge geometriae	*N. Bubnov, op. cit. p. 48-97*
	GERH. AUGUST.	GERHARDUS, presb. Augustanus	
c. 983-93	Udalr. [I. II]	vita (= lib. 1) et miracula (= lib. 2) Udalrici, episc. Augustani	*W. Berschin, A. Häse, Gerhard von Augsburg, Vita S. Uodalrici (EditHeidelb. XXIV). 1993. – [G. Waitz MG Script. IV (1841) p. 384-419 (olim: GERH. AUGUST. Udalr. I). 419-25 (olim: GERH. AUGUST. [?] Udalr. II)].*
† 1209	GERH. STED.	GERHARDUS, praep. Stederburgensis	
c. 1200	annal.	annales	*part.: G. H. Pertz MG Script. XVI (1859) p. 199-231*
1092/93-1169	GERHOH.	GERHOHUS, praep. Reichersbergensis	
1128	aedif.	opusculum de aedificio Dei	*Migne PL 194 p. 1187-1336. – excerpta: E. Sackur MG Lib. Lit. III (1897) p. 136-202*
1160-62	Antichr.	de investigatione Antichristi	*E. Sackur, op. cit. p. 305-95 (lib. 1). F. Scheibelberger, Gerhohi ... opera hactenus inedita. I (1875) p. 183-377 (lib. 2. 3)*
	[ad card.]	v. GERHOH. tract.	
	epist.	epistolae	*Migne PL 193 p. 489-618*
1163	glor.	de gloria et honore filii hominis	*Migne PL 194 p. 1073-1160. – excerpta: E. Sackur, op. cit. p. 396-99*
c. 1147	haer.	liber contra duas haereses	*Migne PL 194 p. 1161-84. – excerpta: E. Sackur, op. cit. p. 284-88*
1131	ad Innoc.	epistola ad Innocentium II. papam	*E. Sackur, op. cit. p. 203-39*
1155-56	novit.	liber de novitatibus huius temporis	*N. M. Häring, Gerhoch of Reichersberg, Letter to Pope Hadrian about the Novelties of the Day (Pontifical Inst. of Mediaeval Studies. Studies and Texts XXIV). 1974. – [O. J. Thatcher, Studies concerning Adrian IV. (Decennial Publ. of Chicago I 4,5). 1903. p. 36-88. – excerpta: E. Sackur, op. cit. p. 289-304]*
1142	ord.	libellus de ordine donorum sancti spiritus	*excerpta: E. Sackur, op. cit. p. 273-83*

aetas	notae	notarum explicatio	editiones
1144-68	psalm.	expositio psalmorum	*D. et O. van den Eynde, A. Rijmersdael, Gerhohi opera inedita (Spicil. pontificii Athenaei Antoniani IX. X). II. 1956 (psalm. 31-37. 78-117). E. Sackur, op. cit. p. 413-502 (psalm. 10. 23-25. 38. 39. 54. 64. 65. 133)*
1135	Sim.	liber de Simoniacis sive de eo, quod princeps mundi huius iam iudicatus sit	*E. Sackur, op. cit. p. 240-72*
s. XII.med.	tract.	tractatus et libelli varii	*D. et O. van den Eynde, A. Rijmersdael, op. cit. (Spicil. pontificii Athenaei Antoniani VIII). I (1955) p. 3-350. app. (ed. P. Classen): p. 357-77. – [part.: E. Sackur, op. cit. p. 400-11 (olim: GERHOH. ad card.)]*
s. XII.med.	(?) tract. I. II	tractatus duo	*N. M. Häring, ArchHistDoctrLitt. 32 (40). 1965. p. 142-52 (= I). 153-67 (= II)*
1167	vigil.	de quarta vigilia noctis	*E. Sackur, op. cit. p. 503-25*
1165-c. 1228	GERLAC.	GERLACUS, abb. Milovicensis	
s. XIII.in.	annal.	annales	*W. Wattenbach MG Script. XVII (1861) p. 683-710*
	GESTA	GESTA	
s. XII.med.	Alber.	gesta Alberonis, archiep. Treverensis, metrica	*G. Waitz MG Script. VIII (1848) p. 236-43*
c. s. IX.2	Aldr.	gesta Aldrici, episc. Cenomanensis	*excerpta: G. Waitz MG Script. XV (1887) p. 308-27*
s. X.	Apoll.	gesta Apollonii, regis Tyrii, metrica	*E. Dümmler MG Poet. II (1884) p. 484-506*
915-24	Bereng.	gesta Berengarii imp. metrica	*P. v. Winterfeld MG Poet. IV (1899) p. 355-401*
s. XII.ex.	Bert.	gesta abbatum s. Bertini Sithiensium	*O. Holder-Egger MG Script. XIII (1881) p. 663-73 (sine chartis)*
c. 1041-44	Camer.	gesta episcoporum Cameracensium	*L. C. Bethmann MG Script. VII (1846) p. 402-89*
c. 1076-1191	Camer. cont. I A-D	gesta episcoporum Cameracensium, continuationes priores et excerpta	*L. C. Bethmann MG Script. VII (1846) p. 489-97 (= A). 497-500 (= B). 500-04 (= C). 504-10 (= D)*
s. XII.	Camer. cont. II A-G	gesta episcoporum Cameracensium, continuationes posteriores	*G. Waitz MG Script. XIV (1883) p. 186-210 (= A). 210-11 (= B). 212-19 (= C). 220-24 (= D). 224-27 (= E). 228-47 (= F). 247-48 (= G). app.: p. 248-49*
c. 1222	crucig. Rhen.	gesta crucigerorum Rhenanorum	*R. Röhricht, Quinti belli sacri scriptores minores (Publ. de la Soc. de l'orient latin. Sér. hist. II). 1879. p. 29-56*
c. 800-35	Dagob.	gesta Dagoberti I., regis Francorum	*B. Krusch MG Script. rer. Mer. II (1888) p. 399-425*

aetas	notae	notarum explicatio	editiones
s. XII.²	Ern. duc. I	gesta Ernesti, ducis de Saxonia, versio prosaica prior	*P. Lehmann, AbhMünch. XXXII 5 (1927) p. 9-38*
s. XIII.ex.	Ern. duc. II	gesta Ernesti ducis, versio prosaica posterior	*M. Haupt, ZDtAlt. 7 (1849) p. 193-252*
833-40	Font.	gesta abbatum Fontanellensium	*F. Lohier, J. Laporte, Gesta sanctorum patrum Fontanellensis coenobii. 1936. – [S. Loewenfeld, Gesta abbatum Fontanellensium (MG Script. rer. Germ.). 1886]*
c. 1177	Frid. I. imp. A	gesta Friderici I. imperatoris in Lombardia	*O. Holder-Egger, Gesta Federici I. imperatoris in Lombardia (MG Script. rer. Germ.). 1892. p. 14-64*
s. XII.ex.	Frid. I. imp. B	gesta Friderici I. imperatoris in expeditione sacra	*O. Holder-Egger. op. cit. p. 78-96*
s. XII.med.	Godefr. Trev.	gesta Godefridi, archiep. Treverensis	*G. Waitz MG Script. VIII (1848) p. 200-04*
c. 1209	Halb.	gesta episcoporum Halberstadensium	*L. Weiland MG Script. XXIII (1874) p. 78-123*
c. 1267-75	Hort. Mar.	gesta abbatum Horti s. Mariae	*L. Weiland MG Script. XXIII (1874) p. 576-608. – [A. W. Wybrands, Gesta abbatum Orti s. Mariae. 1879. p. 147-251]*
	[Karoli M.]	v. FUND. Consecr. Petri	
1162	Lob.	gesta abbatum Lobiensium (Laubacensium)	*W. Arndt MG Script. XXI (1869) p. 308-33*
	[Magd.]	v. ARNOLD. BERG. gest.	
s. XII.med.	Mett.	gesta episcoporum Mettensium	*G. Waitz MG Script. X (1852) p. 534-44*
post 1180-post 1260	Mett. cont. I. II	gesta episcoporum Mettensium, continuationes	*G. Waitz, op. cit. p. 544-47 (= I). 547-51 (= II)*
s. VIII. ex.-IX.in.	Neap.	gesta episcoporum Neapolitanorum	*G. Waitz MG Script. rer. Lang. 1878. p. 402-24*
s. XI.ex.	Rom. eccl.	gesta Romanae ecclesiae contra Hildebrandum	*K. Francke MG Lib. Lit. II (1892) p. 369-422*
	---	gesta episcoporum Traiectensium v. NARR. de Gron.	
s. XII.¹	Trev.	gesta Treverorum	*G. Waitz MG Script. VIII (1848) p. 130-74*
s. XII.¹-XIII.	Trev. cont. I-V	gesta Treverorum, continuationes	*G. Waitz MG Script. VIII (1848) p. 175-200 (= I). XXIV (1879) p. 376-414 (= II-V)*
c. 1136-38 c. 1183	Trud. cont. I. II	gesta abbatum Trudonensium, continuationes	*R. Köpke MG Script. X (1852) p. 272-80. 291-317. 332 (= I). 333-61 (= II). – [C. de Borman, Chronique de l'abbaye de Saint-Trond. I (1877) p. 1-81 (= II). 119-41. 171. 286-87 (= I)]*
s. XII.in.	Tull.	gesta episcoporum Tullensium	*G. Waitz MG Script. VIII (1848) p. 632-48*
c. 1047 c. 1200	Vird. cont. I. II	gesta episcoporum Virdunensium, continuationes	*G. Waitz MG Script. IV (1841) p. 45-51 (= I). X (1852) p. 516-25 (= II)*

aetas	notae	notarum explicatio	editiones
† 1095	GISLEB. ELNON.	GISLEBERTUS, decanus Elnonensis	
c. 1066	inc.	carmen de incendio monasterii s. Amandi Elnonensis	*L. C. Bethmann MG Script. XI (1854) p. 414-32*
c. 1150-1224	GISLEB. MONT.	GISLEBERTUS, praep. Montensis	
1196	chron.	chronicon Hanoniense	*L. Vanderkindere, La chronique de Gislebert de Mons. 1904. p. 1-332. app.: p. 334-43. – [W. Arndt MG Script. XXI (1869) p. 490-605]*
	GLOSS.	GLOSSAE, -ULAE, GLOSSARIUM	
s. IX.-XI.in.	... K.	glossae codicis seminarii Treverensis R. III. 13, quas ed. Katara	*P. Katara, Die Glossen des Codex Seminarii Trevirensis R. III. 13. 1912*
s.VIII.ex.-XIII.in.	... M.	addenda ad glossas latino-theodiscas, quae ed. Mayer	*H. Mayer, Althochdeutsche Glossen: Nachträge. Old High German Glosses: A Supplement. (1974)*
s. VIII.-XI.	... St.-S.	glossae latino-theodiscae, quas ed. Steinmeyer et Sievers	*E. Steinmeyer, E. Sievers, Die althochdeutschen Glossen. I-V (1879-1922)*
s. VIII.-XI.	... Th.	glossae latino-theodiscae, quas ed. Thoma	*H. Thoma, Beitr. z. Gesch. d. deutschen Sprache u. Liter. 73 (1951) p. 197-271 (= I). H. Thoma, Althochdeutsche Glossen z. Alten Testament. 1975 (= II)*
c. 700	med.	glossae medicinales	*J. L. Heiberg, Glossae medicinales (Historisk-filologiske Meddelelser udgivne af det kgl. Danske Videnskabernes Selskab IX 1). 1924*
cod. s. VIII.-IX.	med. cod. Leninopol.	glossae medicinales codicis Leninopolitani F. v. VI. 3	*G. Walter, Sudhoffs Arch. 28 (1936) p. 271-73*
cod. s. XII.	med. cod. Mon.	glossae medicinales codicis Monacensis Lat. 4622	*H. Balzli, Vokabularien im Codex Salernitanus (Studien z. Gesch. d. Med. XXI). 1931. p. 21-24*
c. s. X.	med. cod. Trev.	glossae medicinales codicis Treverensis 40	*C. Ferckel, ArchGeschMed. 7 (1914) p. 130-41. ArchGeschNat. 4 (1912) p. 165. O. Schlutter, Anglia 35 (1911) p. 145-54. E. Roth, E. Schröder, ZDtAlt. 52 (1910) p. 172-74. corr.: O. Schlutter, ZDtWortforsch. 13 (1912) p. 323-26*
ante 788	psalt. Lunaelac.	glossae psalterii Lunaelacensis	*F. Unterkircher, Die Glossen des Psalters von Mondsee (Spicil. Friburg. XX). 1974*
c. 1250	Roger. I A. B	glossulae quattuor magistrorum (rec. A) et Rolandi (rec. B) super chirurgiam Rogerii	*S. de Renzi, Collectio Salernitana. II (1853) p. 497-724*
c. s. XIII.²	Roger. II	glossae super Rogerii chirurgiam in codice Amploniano in octavo 62a	*K. Sudhoff, Beitr. z. Gesch. der Chirurgie im Mittelalter. II (1918) p. 249-63*
1180-90	Roger. III	glossae super Rogerii chirurgiam in codice Monacensi Latino 614	*K. Sudhoff, op. cit. p. 268-94*
cod. s. XII.²	Salern.	glossarium Salernitanum	*H. Balzli, op. cit. p. 3-21*

aetas	notae	notarum explicatio	editiones
1125-92 / 1202 ?	GODEFR. VIT.	GODEFRIDUS Viterbiensis, capellanus Conradi III. et Friderici I.	
c. 1185	Frid.	gesta Friderici I. imp.	*G. Waitz MG Script. XXII (1872) p. 307-34. – [G. H. Pertz, Gotifredi Viterbiensis gesta Friderici I. et Heinrici VI. (MG Script. rer. Germ.). 1870. p. 1-45]*
c. 1202	(?) Heinr.	gesta Heinrici VI. imp.	*G. Waitz, op. cit. p. 334-38. – [G. H. Pertz, op. cit. p. 46-52]*
c. 1185	mem.	memoria saeculorum sive liber memorialis	*excerpta: G. Waitz, op. cit. p. 94-106*
c. 1191	panth.	pantheon sive liber universalis	*part.: G. Waitz, op. cit. p. 107-307*
c. 1180	spec.	speculum regum	*G. Waitz, op. cit. p. 30-93. catal.: p. 22-30. gloss.: in notis*
s. XI.ex.	GODESC. AQUENS.	GODESCALCUS, praep. Aquensis	
	opusc.	opuscula	*G. M. Dreves, Gottschalk, Mönch von Limburg an der Hardt u. Probst von Aachen. 1897. p. 63-166*
	sequ.	sequentiae	*G. M. Dreves, op. cit. p. 169-92. – [G. M. Dreves, AnalHymn. L (1907) p. 340-69]*
	GODESC. BENED.	GODESCALCUS, mon. Benedictoburanus	
s. XI.med.	Anast.	translatio Anastasiae mart.	*W. Wattenbach MG Script. IX (1851) p. 224-29*
s. XI.med.	brev.	breviarium chronici Benedictoburani	*W. Wattenbach, op. cit. p. 221-24*
	GODESC. GEMBL.	GODESCALCUS, mon. Gemblacensis	
c. 1130-40	gest.	gesta abbatum Gemblacensium	*G. H. Pertz MG Script. VIII (1848) p. 542-57*
† c. 869	GODESC. SAXO	GODESCALCUS SAXO, mon. Orbacensis	
	carm. [I. II]	carmina	*M.-L. Weber, Die Gedichte des Gottschalk von Orbais (Lat. Sprache u. Liter. d. Mittelalters XXVII). 1992. – [L. Traube MG Poet. III (1896) p. 724-37. app.: p. 737-39 (olim: GODESC. SAXO carm. I). N. Fickermann MG Poet. VI (1951) p. 89-106 (olim: GODESC. SAXO carm. II)]*
849	conf.	confessiones	*C. Lambot, Œuvres théologiques et grammaticales de Godescalc d'Orbais (Spicil. Sacrum Lovaniense XX). 1945. p. 52-78*
	epist.	epistola	*C. Lambot, op. cit. p. 49-51*
850-69	fragm.	fragmenta	*C. Lambot, op. cit. p. 9-46*
850-69	gramm.	opuscula de rebus grammaticis	*C. Lambot, op. cit. p. 353-496*
850-69	theol.	opuscula theologica	*C. Lambot, op. cit. p. 81-350*

aetas	notae	notarum explicatio	editiones
	GONZO	GONZO, abb. Florinensis	
c. 1045	Geng.	miracula Gengulfi, mart. Varennensis	*ASBoll. Mai. II (1680) p. 648-55. ³p. 647-52. – excerpta: O. Holder-Egger MG Script. XV (1888) p. 791-96*
	GOSW.	GOSWINUS, ceterum ignotus	
1217-18	carm.	carmen de expugnatione Salaciae	*G. Waitz, Chronica regia Coloniensis (MG Script. rer. Germ.). 1880. p. 349-54*
† post 1074	GOZECH.	GOZECHINUS (Goswinus), can. Moguntinus	
1060-62	Alban.	passio Albani, mart. Moguntini	*J. Basnage in: H. Canisius, Thesaurus mon. ecclesiasticorum et hist. IV (1725) p. 158-66. – excerpta: O. Holder-Egger MG Script. XV (1888) p. 985-90*
c. 1065-66	epist.	epistola ad Valcherum	*R. B. C. Huygens CC Cont. Med. LXII (1985) p. 11-43. – [Migne PL 143 p. 885-908]*
† 1085	GREG. VII.	GREGORIUS VII. papa	
1073-83	registr.	registrum	*E. Caspar, Das Register Gregors VII. (MG Epist. sel. II). I (1920). II (1923)*
† 1241	GREG. IX.	GREGORIUS IX. papa	
1227-41	registr.	registrum	*C. Rodenberg MG Epist. s. XIII. e regestis pontificum Romanorum sel. I (1883) p. 261-728. 731-39*
	GREG. CAT.	GREGORIUS Catinensis	
1106-18	chron.	chronicon Farfense	*U. Balzani, Il chronicon Farfense di Gregorio di Catino (Fonti per la storia d'Italia). I (1903) p. 109-366. II (1903) p. 3-287. app.: p. 291-322. – [excerpta: L. C. Bethmann MG Script. XI (1854) p. 558-85]*
	GUIC.	GUICENNA(N)S, miles Teutonicus	
s. XIII.[1]	(?) bers.	de arte bersandi	*K. Lindner, De arte bersandi (Quellen u. Studien z. Gesch. d. Jagd I). 1954. – G. Tilander, Guicennas, De arte bersandi (Cynegetica III). 1956*
992/99-1050	GUIDO ARET.	GUIDO Aretinus	
	[(?) arithm. mus.]	v. PS. GUIDO ARET. arithm. mus.	
	[form.]	v. ODO ARET. ton. B	
	[form. epil.]	v. CARM. de mus.	
	[form. praef.]	v. PS. GUIDO ARET. epil.	
post 1028	ign. cant.	epistola de ignoto cantu	*M. Gerbert, Scriptores ecclesiastici de musica sacra potissimum. II (1784) p. 43-50 (olim: GUIDO ARET. ign. cant. II)*

aetas	notae	notarum explicatio	editiones
	[ign. cant. I]	v. GUIDO ARET. prol. antiph.	
	[ign. cant. II]	v. GUIDO ARET. ign. cant.	
c. 1025/26	microl.	micrologus	*J. Smits van Waesberghe, Guidonis Aretini Micrologus (Corp. Script. de musica IV). 1955 (olim: GUIDO ARET. micr.)*
s. XI.-XII.	[mot.]	v. GUIDO ARET. reg. rhythm. app.	
ante 1023	prol. antiph.	prologus in antiphonarium	*J. Smits van Waesberghe, Guidonis 'Prologus in antiphonarium' (Divitiae musicae artis. ser. A. lib. III). 1975 – [M. Gerbert, op. cit. p. 34-37 (olim: GUIDO ARET. ign. cant. I)]*
1026-32	reg. rhythm.	regulae rhythmicae	*J. Smits van Waesberghe, Guidonis Aretini 'Regulae rhythmicae' (Divitiae musicae artis. ser. A. lib. IV). 1985. p. 94-126. [M. Gerbert, op. cit. p. 25-33]. app.: p. 128-33. [E. de Coussemaker, Scriptorum de musica medii aevi nova series. II (1867) p. 115-16 (olim: GUIDO ARET. mot.)]*
	GUIDO AUGENS.	GUIDO Augensis (Eu)	
c. 1140	mus.	regulae de arte musica	*C. Maître, La réforme cistercienne du plain-chant (Cîteaux: Studia et documenta VI). 1995. add.: E. de Coussemaker, Scriptorum de musica medii aevi nova series. II (1867) p. 191-92 (olim: GUIDO CIST. mus.). – [E. de Coussemaker, op. cit. p. 150-90]*
	[GUIDO CIST.]		
	[antiph.]	v. ANON. mus. Guenter	
	[mus.]	v. GUIDO AUGENS. mus.	
	- - -	GUILELMUS v. WILHELMUS	
	GUMP.	GUMPOLDUS, episc. Mantuanus	
980-83	Wenc.	vita Wenceslai, ducis Bohemiae	*G. H. Pertz MG Script. IV (1841) p. 213-23*
1019-75	GUNDECH.	GUNDECHARIUS II., episc. Eichstetensis	
1071-75	lib. pont.	liber pontificalis Eichstetensis	*L. C. Bethmann MG Script. VII (1846) p. 242-50*
† 871	GUNTH. COL.	GUNTHARIUS, archiep. Coloniensis	
863-64	diab. cap. A. B	diabolica ad Nicolaum I. papam capitula	*G. Waitz, Annales Bertiniani (MG Script. rer. Germ.). 1883. p. 68-70 (= A). F. Kurze, Annales Fuldenses (MG Script. rer. Germ.). 1891. p. 60-61 (= B)*
† 1210/20	GUNTH. PAR.	GUNTHERUS, mon. Parisiensis (Pairis)	
1207-08	hist.	historia Constantinopolitana	*P. Orth, Gunther von Pairis, Hystoria Constantinopolitana (Spolia Berolinensia V). 1994. – [P. de Riant, Guntheri ... historia Constantinopolitana. 1875]*

aetas	notae	notarum explicatio	editiones
	- - -	Ligurinus v. LIGURINUS	
1217-18	orat.	de oratione, ieiunio, eleemosyna	*Migne PL 212 p. 99-222*
	- - -	Solimarius v. SOLIMARIUS	
	GUNZO	GUNZO Italicus	
c. 965	epist.	epistola ad Augienses	*K. Manitius, Gunzo, Epistola ad Augienses, u. Anselm von Besate, Rhetorimachia (MG Quellen z. Geistesgesch. d. Mittelalters II). 1958. p. 19-57*
† c. 1300	GUTOLF.	GUTOLFUS, mon. s. Crucis	
ante 1287	Agn.	vita Agnetis metrica	*A. E. Schönbach, SBWien CL 2 (1905) p. 82-94*
1281-87	Delic.	translatio Delicianae	*O. Redlich, A. E. Schönbach, SBWien CLIX 2 (1908) p. 8-20*
c. 1278	hist.	historia	*W. Wattenbach MG Script. IX (1851) p. 649-54*
s. XIII.ex.	sermo de Schol.	sermo de Scholastica	*A. E. Schönbach, SBWien CLI 2 (1906) p. 87-97*
† 872	HADR. II.	HADRIANUS II. papa	
867-72	epist.	epistolae	*E. Perels MG Epist. VI (1925) p. 695-765*
	HAIMO	HAIMO, prior Hirsaugiensis	
s. XII.in.	(?) Wilh.	vita Wilhelmi, abb. Hirsaugiensis	*W. Wattenbach MG Script. XII (1856) p. 211-25*
† 1139	HAIMO BAMB.	HAIMO, can. s. Iacobi Bambergensis	
1135	chronogr.	chronographia	*excerpta: A.-D. v. d. Brincken, DtArch. 16 (1960) p. 171-94. – P. Jaffé, Mon. Bambergensia (Bibl. rer. Germ. V). 1869. p. 541-51*
c. 1060-1143	HARIULF.	HARIULFUS, mon. Centulensis, abb. Aldeburgensis	
c. 1114-21	Arnulf.	vita Arnulfi, episc. Suessionensis	*excerpta: O. Holder-Egger MG Script. XV (1888) p. 875-904*
c. 1088	chron.	chronicon Centulense	*F. Lot, Hariulf, Chronique de l'abbaye de Saint-Riquier (Coll. de textes pour servir à l'étude ... de l'histoire XVII). 1894. – [excerpta: O. Holder-Egger, op. cit. p. 696-98]*
	[HARTM. Wibor.]	v. EKKEH. I. (?) Wibor.	
	HARTW.	HARTWICUS, mon. Ratisbonensis	
c. 1030	Emm.	vita Emmerammi mart.	*K. Strecker MG Poet. V (1937-79) p. 518-21*
† post 1083	HEINR. AUGUST.	HEINRICUS, can. Augustanus	
s. XI.med.	mus.	musica	*J. Smits van Waesberghe, Musica domini Heinrici Augustensis magistri (Divitiae musicae artis. ser. A. lib. VII). 1977*

aetas	notae	notarum explicatio	editiones
s. XI.²	planct.	planctus Evae	*M. L. Colker, Traditio 12 (1956) p. 161-228*
1187-post 1259	HEINR. LETT.	HEINRICUS Lettus sacerdos	
1225-27	chron.	chronicon Livoniae	*L. Arbusow, A. Bauer, Heinrichs Livländische Chronik (MG Script. rer. Germ.). 1955*
	HEINR. TEG.	HEINRICUS, mon. Tegernseensis	
1165-70	advoc.	de advocatis	*J. Weißensteiner, ArchÖstGesch. 133 (1983) p. 275-87*
1165-70	Quir. I. II	passio secunda (= I) et miracula (= II) Quirini mart.	*J. Weißensteiner, op. cit. p. 247-55. app.: p. 256-59 (= I). 259-75 (= II). – [excerpta: T. Mayer, ArchÖstGeschQuell. 42,2 (1849) p. 325-51]*
	HEINR. TREV.	HEINRICUS, clericus Treverensis	
c. 1272	gest.	gesta Heinrici, archiep. Treverensis, et Theoderici, abb. s. Eucharii	*G. Waitz MG Script. XXIV (1879) p. 414-53*
† 1265	HEINR. WIRZ.	HEINRICUS, can. Wirziburgensis	
1263-64	cur.	carmen de statu curiae Romanae	*H. Grauert, AbhMünch. XXVII (1912) p. 65-106*
841-post 875	HEIRIC.	HEIRICUS, mon. Autissiodorensis	
873-75	Germ. I	vita Germani, episc. Autissiodorensis, metrica	*L. Traube MG Poet. III (1896) p. 427-517*
c. 873	Germ. II	miracula Germani	*excerpta: G. Waitz MG Script. XIII (1881) p. 401-04*
762/63-836	HEITO	HEITO (Hatto), abb. Augiensis, episc. Basileensis	
824	Wett.	visio Wettini, mon. Augiensis	*E. Dümmler MG Poet. II (1884) p. 267-75*
† post 1177	HELM.	HELMOLDUS, presb. Bosoviensis	
post 1163	chron.	chronica Slavorum	*B. Schmeidler, Helmolds Slavenchronik (MG Script. rer. Germ.). 1937. p. 1-218*
† 1252	HELW.	HELWICUS, lector Magdeburgensis	
	denar.	denarius sive decacordum sive libellus de beneficiis acceptis	*F. Doelle, Beitr. z. Gesch. der sächs. Franziskanerprovinz vom Heiligen Kreuze. I (1908) p. 87-96*
c. s. X. s. XII.-XIII.	HERACLIUS I. II	HERACLIUS: de coloribus et artibus Romanorum, pars metrica (= I) et prosaica (= II)	*A. Ilg, Heraclius, Von den Farben u. Künsten der Römer (Quellenschriften f. Kunstgesch. IV). 1873. p. 3-47 (= I). p. 49-97 (= II). suppl. ad II: J. C. Richards, Speculum 15 (1940) p. 263-67. – [excerpta ad I: J. C. Richards, op. cit. p. 261-63]*

aetas	notae	notarum explicatio	editiones
† 1168	HERBORD.	HERBORDUS, scholasticus Bambergensis	
1158-59	Ott.	vita Ottonis, episc. Bambergensis	*J. Wikarjak Mon. Polon. Hist. N. S. VII 3 (1974). corr.: J. Petersohn, DtArch. 33 (1977) p. 546-59. – [R. Köpke MG Script. XX (1868) p. 704-69. – P. Jaffé, Mon. Bambergensia (Bibl. rer. Germ. V). 1869. p. 705-835]*
† 1042	HERIB.	HERIBERTUS, episc. Eichstetensis	
	hymn.	hymni	*G. M. Dreves, AnalHymn. L (1907) p. 291-96*
† 1007	HERIG.	HERIGERUS, abb. Laubacensis	
c. 980	gest.	gesta episcoporum Tungrensium, Traiectensium et Leodiensium	*R. Köpke MG Script. VII (1846) p. 162-89*
s. XI.$^{in.}$	rat.	ratio numerorum abaci	*N. Bubnov, Gerberti ... opera mathematica. 1899. p. 221-24*
s. X.$^{ex.}$	reg.	regulae de numerorum abaci rationibus	*N. Bubnov, op. cit. p. 208-21*
ante 980	Ursm.	vita Ursmari, abb. Laubacensis, metrica	*K. Strecker MG Poet. V (1937-79) p. 178-208. hymn.: p. 208-10*
1200/01-73	HERM. ALTAH.	HERMANNUS, abb. Altahensis	
1251-73	annal.	annales	*P. Jaffé MG Script. XVII (1861) p. 381-407*
1013-54	HERM. AUGIENS.	HERMANNUS CONTRACTUS, mon. Augiensis	
	abac.	qualiter multiplicationes fiant in abaco	*P. Treutlein, Bullettino di bibliografia e di storia delle scienze matematiche e fisiche, pubblicato da B. Boncompagni 10 (1877) p. 643-47*
s. XI.$^{med.}$	chron.	chronica	*G. H. Pertz MG Script. V (1844) p. 74-133*
	hymn.	hymni	*G. M. Dreves, AnalHymn. L (1907) p. 309-19*
c. 1048	mens. astrolab.	de mensura astrolabii	*J. Drecker, Isis 16 (1931) p. 203-12. – [Migne PL 143 p. 381-90]*
1054	mus.	musica	*L. Ellinwood, Musica Hermanni Contracti (Eastman School of Music Studies II). 1952. – [W. Brambach, Hermanni Contracti Musica. 1884]*
c. 1040	rhythmimach.	rhythmimachia	*A. Borst, Das mittelalterliche Zahlenkampfspiel (SBHeidelb. Suppl. V). 1986. p. 335-39. – [E. Wappler, ZMathPhys. (LitHistAbt.) 37 (1892) p. 12-14]*
1044-46	vit.	de octo vitiis principalibus	*E. Dümmler, ZDtAlt. 13 (1867) p. 385-431*
c. 1048	util. astrolab.	de utilitatibus astrolabii	*Migne PL 143 p. 405-12*
	HERM. CARINTH.	HERMANNUS de Carinthia	
1143	essent.	de essentiis	*C. Burnett, Hermann of Carinthia, De essentiis (Studien u. Texte z. Geistesgesch. d. Mittelalters XV). 1982*

aetas	notae	notarum explicatio	editiones
1107/10- c. 1181	HERM. IUD.	HERMANNUS Iudaeus Coloniensis, praep. Schedensis	
s. XII.med.	conv.	de conversione sua	*G. Niemeyer, Hermannus quondam Judaeus, Opusculum de conversione sua (MG Quellen z. Geistesgesch. d. Mittelalters IV). 1963*
	HERM. SANGALL.	HERMANNUS (falso Hepidannus), mon. Sangallensis	
c. 1075	Wibor.	vita et miracula Wiboradae reclusae	*W. Berschin, Vitae s. Wiboradae (MittGesch-StGallen LI). 1983. p. 110-230. – [ASBoll. Mai. I (1680) p. 293-308. 3p. 298-313]*
	HERM. TORN.	HERMANNUS, abb. Tornacensis	
1146	rest.	liber de restauratione monasterii s. Martini Tornacensis	*G. Waitz MG Script. XIV (1883) p. 274-317*
† post 1196	HERRAT	HERRAT Landsbergensis, abb. Hohenburgensis	
1175-91	hort.	hortus deliciarum	*excerpta: C. M. Engelhardt, Herrad von Landsperg . . . u. ihr Werk 'Hortus deliciarum'. 1818. p. 117-69. – [R. Green (et al.), Herrad of Hohenbourg, Hortus deliciarum (Studies of the Warburg Inst. XXXVI). 1979]*
† 847	HETTI	HETTI, archiep. Treverensis	
817-18	epist.	epistolae	*K. Hampe MG Epist. V (1899) p. 277-78*
	(?) interr.	interrogationes	*A. E. Burn, ZKirchGesch. 23 (1902) p. 87-97*
	- - -	HIBERNICUS EXUL v. DUNGAL. (?) carm.	
	HIER. MOR.	HIERONYMUS de Moravia	
1272-1307	mus.	tractatus de musica	*S. M. Cserba, Hieronymus de Moravia O. P., Tractatus de musica. 1935. p. 3-189. 194. 288-91*
1098-1179	HILDEG.	HILDEGARDIS, abb. Bingensis	
c. s. XII.2	carm.	carmina	*P. Barth, M. I. Ritscher, J. Schmidt-Görg, Hildegard von Bingen: Lieder. 1969. p. 214-99. app. crit.: M. I. Ritscher, Kritischer Bericht zu Hildegard von Bingen: Lieder. 1969. - W. Berschin, Hildegard von Bingen, Symphonia. 1995*
1151-58	caus.	causae et curae	*P. Kaiser, Hildegardis causae et curae. 1903*
1170	Disib.	vita Disibodi episc.	*Migne PL 197 p. 1095-1116. prol.: J. B. Pitra, Analecta sacra spicilegio Solesmensi parata. VIII (1882) p. 352-57*
1163-74	div. op.	liber divinorum operum simplicis hominis	*Migne PL 197 p. 741-1038*

aetas	notae	notarum explicatio	editiones
	epist. [I. II]	epistolae	*L. van Acker CC Cont. Med. XCI (1991) p. 3-215. XCI^{A} (1993) p. 244-532. – [Migne PL 197 p. 145-381 (olim: HILDEG. epist. I). J. B. Pitra op. cit. p. 331-400. 518-75 (olim: HILDEG. epist. II)]*
1150-57	euang.	expositiones quorundam evangeliorum	*J. B. Pitra, op. cit. p. 245-327*
	fragm.	fragmentum	*H. Schipperges, Sudhoffs Arch. 40 (1956) p. 47-74*
c. s. XII.[2]	ordo virt.	ordo virtutum	*P. Dronke, Nine medieval Latin plays (Cambridge Medieval Classics I). 1994. p. 160-80. – P. Barth, M. I. Ritscher, J. Schmidt-Görg, op. cit. p. 300-14*
1151-58	phys.	physica	*C. Daremberg in: Migne PL 197 p. 1125-1352. var. l. cod. G: H. Fischer, Die hl. Hildegard von Bingen. 1927. p. 489-534*
c. 1170-73	Rup.	vita Ruperti ducis, confessoris Bingensis	*Migne PL 197 p. 1083-92. epil.: J. B. Pitra, op. cit. p. 358-68. auct.: J. B. Pitra, op. cit. p. 490*
1141-51	scivias	scivias sive visiones ac revelationes	*A. Führkötter, A. Carlevaris CC Cont. Med. XLIII. XLIII^{A} (1978). – [Migne PL 197 p. 383-738]*
1158-63	vit. mer.	liber vitae meritorum	*A. Carlevaris CC Cont. Med. XC (1995). – J. B. Pitra, op. cit. p. 1-244*
c. 806-82	HINCM.	HINCMARUS, archiep. Remensis	
c. 861-82	annal.	annales	*F. Grat, J. Vielliard, S. Clémencet, Annales de Saint-Bertin. 1964. p. 84-251. – [G. Waitz, Annales Bertiniani (MG Script. rer. Germ.). 1883. p. 55-154]*
	- - -	capitula v. CAPIT. episc. II (p. 34-89)	
	carm.	carmina	*L. Traube MG Poet. III (1896) p. 409-20*
857-58	coll.	collectio de ecclesiis et capellis	*M. Stratmann, Hinkmar von Reims, Collectio de ecclesiis et capellis (MG Font. iur. Germ. ant. XIV). 1990*
860	divort.	de divortio Lotharii regis et Theutbergae reginae	*L. Böhringer, Hinkmar von Reims, De divortio Lotharii regis et Theutbergae reginae (MG Concilia IV). suppl. I (1992) p. 107-234. app.: p. 235-61*
845-68	epist. [I]	epistolae	*E. Perels MG Epist. VIII (1939)*
882	ord. pal.	de ordine palatii	*T. Gross, R. Schieffer, Hinkmar von Reims, De ordine palatii (MG Font. iur. Germ. ant. III). 1980. – [A. Boretius, V. Krause, Capitularia regum Francorum (MG Leg. sectio II). II (1897) p. 518-30]*
878	Remig.	vita Remigii, episc. Remensis	*B. Krusch MG Script. rer. Mer. III (1896) p. 250-341. app.: p. 341-49*

aetas	notae	notarum explicatio	editiones
	HIST.	HISTORIA, -AE	
s. XIII.	Augiens.	historiae Augienses (Weissenau)	*G. Waitz MG Script. XXIV (1879) p. 648-59*
s. VIII.med.	Daret.	historia Daretis Frigii q. d. de origine Francorum	*B. Krusch MG Script. rer. Mer. II (1888) p. 194-200*
1190-1202	de exp. Frid. imp.	historia de expeditione Friderici I. imperatoris	*A. Chroust, Quellen z. Gesch. des Kreuzzuges Kaiser Friedrichs I. (MG Script. rer. Germ. N. S. V). 1928. p. 1-115*
c. 1168	Frid. imp. cont.	historia Friderici I. imperatoris, continuatio	*F. Güterbock, Das Geschichtswerk des Otto Morena u. seiner Fortsetzer (MG Script. rer. Germ. N. S. VII). 1930. p. 177-218. – F.-J. Schmale, Italische Quellen über die Taten Kaiser Friedrichs I. ... (Ausgew. Quellen z. deutschen Gesch. d. Mittelalters XVIIa). 1986. p. 196-238*
c. 1221	Frid. imp. retr.	historia Friderici I. imperatoris, retractatio M	*F. Güterbock, op. cit. p. 1-218*
s. XII.-XIII.	Hirs.	historia sive codex Hirsaugiensis	*G. Waitz MG Script. XIV (1883) p. 254-61. app.: p. 261-64*
807-10	Lang. Goth.	historia Langobardorum codicis Gothani	*G. Waitz MG Script. rer. Lang. 1878. p. 7-11*
s. XII.med.	Lunaelac.	historia monasterii Lunaelacensis metrica	*O. Holder-Egger MG Script. XV (1888) p. 1101-05*
c. 1072	mart. Trev.	historia martyrum Treverensium	*ASBoll. Oct. II (1768) p. 373-82. – excerpta: G. Waitz MG Script. VIII (1848) p. 220-23*
1040-50	Mosom.	historia monasterii Mosomensis	*M. Bur, Chronique ou Livre de fondation du monastère de Mouzon. 1989. – [W. Wattenbach MG Script. XIV (1883) p. 601-18]*
c. 1194	peregr.	historia peregrinorum	*A. Chroust, op. cit. p. 116-72. app.: p. 173-78*
1160-84	Torn.	historiae Tornacenses	*G. Waitz MG Script. XIV (1883) p. 327-52. app.: p. 352-60*
s. XII.med.-1244	Walc.	historia sive chronicon monasterii Walciodorensis	*G. Waitz MG Script. XIV (1883) p. 505-33. cont.: p. 533-41. app.: p. 541-42. prol.: W. Levison MG Script. XXX (1934) p. 1384*
1170-91	Welf.	historia Welforum Weingartensis	*L. Weiland MG Script. XXI (1869) p. 457-71. cont.: p. 471-72. – [E. König, Historia Welforum (Schwäb. Chroniken d. Stauferzeit I). 1938. p. 2-68. cont.: p. 68-74]*
† 1227	HONOR. III.	HONORIUS III. papa	
1216-27	registr.	registrum	*C. Rodenberg MG Epist. s. XIII. e regestis pontificum Romanorum sel. I (1883) p. 1-260. 729-30*
floruit s. XII.[1]	HONOR. AUGUST.	HONORIUS Augustodunensis	
	anim.	de animae exsilio et patria, alias de artibus	*Migne PL 172 p. 1241-46*

aetas	notae	notarum explicatio	editiones
	cant.	expositio in cantica canticorum	*Migne PL 172 p. 347-496*
s. XII.in.	eluc.	elucidarium sive dialogus de summa totius christianae theologiae	*Y. Lefèvre, L'Elucidarium et les Lucidaires (Bibl. des écoles françaises d'Athènes et de Rome. CLXXX). 1954. p. 359-477. – [Migne PL 172 p. 1109-76]*
	gemm.	gemma animae sive de divinis officiis	*Migne PL 172 p. 541-738*
	glor.	summa gloria	*J. Dieterich MG Lib. Lit. III (1897) p. 63-80*
1133-53	imag.	imago mundi	*V. I. J. Flint, ArchHistDoctrLitt. 49 (57). 1982. p. 49-151. epist.: p. 49. prol.: p. 48-49. – [Migne PL 172 p. 115-86. – excerpta: R. Wilmans MG Script. X (1852) p. 132-34]*
	offend.	de offendiculo	*J. Dieterich, op. cit. p. 38-57*
	phys.	clavis physicae	*P. Lucentini, Honorius Augustodunensis, Clavis physicae (Temi e Testi XXI). 1974*
	quaest. I. II	liber duodecim quaestionum (= I) et libellus octo quaestionum (= II)	*Migne PL 172 p. 1177-86 (= I). 1185-92 (= II)*
	sacram.	sacramentarium	*Migne PL 172 p. 737-806*
s. XII.in.	spec.	speculum ecclesiae	*Migne PL 172 p. 807-1108. add.: J. Kelle, SBWien CXLV 8 (1902) p. 2-19*
c. 780-856	HRABAN.	HRABANUS MAURUS, abb. Fuldensis, archiep. Moguntinus	
855-56	anim.	de anima	*Migne PL 110 p. 1109-20 (praef. = epist. 57)*
	carm.	carmina	*E. Dümmler MG Poet. II (1884) p. 159-244*
	carm. euang.	carmen figuratum evangeliorum expositioni praemissum	*K. Strecker MG Poet. IV (1923) p. 928-29*
c. 810	cruc.	de laudibus sanctae crucis	*Migne PL 107 p. 141-294*
	epist.	epistolae	*E. Dümmler MG Epist. V (1899) p. 381-515. fragm.: p. 517-30*
822-25 847-55	hom. I. II	homiliae, collectiones duae	*Migne PL 110 p. 9-134 (= I). 135-468 (= II). praeff. = epist. 6. 51*
819	inst. cler.	de institutione clericorum	*A. Knoepfler, Rabani Mauri 'De institutione clericorum libri III' (Veröffentl. a. d. Kirchenhist. Seminar München V). 1900*
843-45	martyr.	martyrologium	*J. McCulloh CC Cont. Med. XLIV (1979) p. 3-134. – [Migne PL 110 p. 1121-88]*
c. 842-46	univ.	de universo sive de rerum naturis	*Migne PL 111 p. 13-614*
c. 935-c. 975	HROTSV.	HROTSVITHA, can. Gandersheimensis	
963-65	Abr.	Abraham sive lapsus et conversio Mariae, neptis Abrahae eremicolae	*P. v. Winterfeld, Hrotsvithae opera (MG Script. rer. Germ.). 1902. p. 147-61. – K. Strecker, Hrotsvithae opera. 1930. p. 166-84*

aetas	notae	notarum explicatio	editiones
962-63	Agn.	passio Agnetis, mart. Romanae	*P. v. Winterfeld, op. cit. p. 93-105. – K. Strekker, op. cit. p. 98-111*
ante 959	asc.	de ascensione Domini	*P. v. Winterfeld, op. cit. p. 30-34. – K. Strecker, op. cit. p. 31-35*
962-63	Bas.	vita Basilii, episc. Caesariensis	*P. v. Winterfeld, op. cit. p. 77-84. – K. Strecker, op. cit. p. 82-89*
963-65	Cal.	resuscitatio Drusianae et Calimachi	*P. v. Winterfeld, op. cit. p. 135-46. – K. Strekker, op. cit. p. 151-65*
962-63	Dion.	passio Dionysii, episc. Parisiensis	*P. v. Winterfeld, op. cit. p. 85-92. – K. Strecker, op. cit. p. 90-97*
963-65	Dulc.	Dulcitius sive passio sacrarum virginum Agapis, Chioniae, Hierenae	*P. v. Winterfeld, op. cit. p. 127-34. – K. Strekker, op. cit. p. 140-50*
963-65	Gall.	conversio Gallicani militis	*P. v. Winterfeld, op. cit. p. 109-26. – K. Strekker, op. cit. p. 117-39*
965-68	gest.	gesta Ottonis imp.	*P. v. Winterfeld, op. cit. p. 201-28. – K. Strekker, op. cit. p. 227-55*
ante 959	Gong.	passio Gongolfi mart.	*P. v. Winterfeld, op. cit. p. 35-51. – K. Strecker, op. cit. p. 36-53*
c. 965	lib. 1 epil.	operum libri primi epilogus	*P. v. Winterfeld, op. cit. p. 105. – K. Strecker, op. cit. p. 111-12*
962-63	lib. 1 praef.	operum libri primi praefatio	*P. v. Winterfeld, op. cit. p. 2-3. – K. Strecker, op. cit. p. 1-2*
c. 965	lib. 2 praef.	operum libri secundi praefatio	*P. v. Winterfeld, op. cit. p. 106-08. – K. Strekker, op. cit. p. 113-16*
c. 965	lib. 2 app.	operum libri secundi appendices	*P. v. Winterfeld, op. cit. p. 199-200. – K. Strekker, op. cit. p. 226*
ante 959	Mar.	Maria sive historia ... intactae Dei genetricis	*P. v. Winterfeld, op. cit. p. 5-29. – K. Strecker, op. cit. p. 4-30*
963-65	Pafn.	Pafnutius sive conversio Thaidis meretricis	*P. v. Winterfeld, op. cit. p. 162-80. – K. Strekker, op. cit. p. 185-206*
956-59	Pel.	passio Pelagii, mart. Cordubensis	*P. v. Winterfeld, op. cit. p. 52-62. – K. Strecker, op. cit. p. 54-66*
ante 973	prim.	primordia coenobii Gandersheimensis	*P. v. Winterfeld, op. cit. p. 229-46. – K. Strekker, op. cit. p. 256-74*
963-65	Sap.	Sapientia sive passio virginum Fidei, Spei, Karitatis	*P. v. Winterfeld, op. cit. p. 181-98. – K. Strekker, op. cit. p. 207-25*
ante 959	Theoph.	lapsus et conversio Theophili vicedomini	*P. v. Winterfeld, op. cit. p. 63-75. – K. Strecker, op. cit. p. 67-80*
c. 840- 930	HUCBALD.	HUCBALDUS, mon. Elnonensis	
	carm.	carmina	*P. v. Winterfeld MG Poet. IV (1899) p. 265-73. app.: p. 274-75*
920-30	Cass.	passio Cassiani mart.	*F. Dolbeau, RevBén. 87 (1977) p. 246-56*

aetas	notae	notarum explicatio	editiones
	[harm. inst.]	v. HUCBALD. mus.	
c. 920	Leb.	vita Lebuini, Saxonum apostoli	*Migne PL 132 p. 877-94. praef.: A. Hofmeister, Geschichtliche Studien A. Hauck z. 70. Geburtstag dargebracht. 1916. p. 89-90. – excerpta: G. H. Pertz MG Script. II (1829) p. 361-64*
c. 900	mus.	musica	*Y. Chartier, L'œuvre musicale d'Hucbald de Saint-Amand (Cahiers d'études médiévales; Cahier spéc. V). 1995. p. 122-212. – [M. Gerbert, Scriptores ecclesiastici de musica sacra potissimum. I (1784) p. 104-22. – A. Traub, Beitr. z. Gregorianik 7 (1989). – Migne PL 132 p. 905-25 (olim: HUCBALD. harm. inst.)]*
907	Rictr.	vita Rictrudis, abb. Marchianensis	*ASBoll. Mai. III (1680) p. 81-89. [3]p. 81-88. – excerpta: W. Levison MG Script. rer. Mer. VI (1913) p. 93-94*
	HUGEB.	HUGEBURC, mon. Heidenheimensis	
c. 778	Willib.	vita Willibaldi, episc. Eichstetensis	*O. Holder-Egger MG Script. XV (1887) p. 86-106*
c. 778	Wynneb.	vita Wynnebaldi, abb. Heidenheimensis	*O. Holder-Egger, op. cit. p. 106-17*
972-1039	HUGO FARF.	HUGO, abb. Farfensis	
	opusc. hist.	opuscula historica	*U. Balzani, Il chronicon Farfense di Gregorio di Catino (Fonti per la storia d'Italia). I (1903) p. 27-77. – [L. C. Bethmann MG Script. XI (1854) p. 532-44]*
1065-c. 1140	HUGO FLAV.	HUGO, abb. Flaviniacensis	
1090-1102	chron.	chronicon	*G. H. Pertz MG Script. VIII (1848) p. 288-502. necrol.: p. 285-87*
† 1118/35	HUGO FLOR.	HUGO, mon. Floriacensis	
c. 1115	act.	liber, qui modernorum regum Francorum continet actus	*G. Waitz MG Script. IX (1851) p. 376-95*
1109-10	hist.	historia ecclesiastica	*excerpta: G. Waitz MG Script. IX (1851) p. 349-64. 377-95 (in notis)*
	HUGO HONAUG.	HUGO, scholasticus Honaugiensis	
1179-82	div.	liber de diversitate naturae et personae proprietatumque personalium	*N. M. Häring, ArchHistDoctrLitt. 29 (37). 1962. p. 120-216*
ante 1179	hom.	liber de homoysion et homoeysion	*N. M. Häring, ArchHistDoctrLitt. 34 (42). 1967. p. 132-253. 35 (43). 1968. p. 211-91*
1180/90	(?) ignor.	liber de ignorantia	*N. M. Häring, MediaevStud. 25 (1963) p. 214-30*

aetas	notae	notarum explicatio	editiones
1200/10-68	HUGO RIPELIN	HUGO RIPELIN Argentinensis, prior O. P.	
1250-60	compend.	compendium theologicae veritatis	*A. Borgnet, Alberti Magni ... opera omnia. XXXIV (1895) p. 1-261*
c. 1235-post 1313	HUGO TRIMB.	HUGO Trimbergensis, rector scholarum	
1266-80	laur.	laurea sanctorum	*H. Grotefend, AnzDtVorz. N. F. 17 (1870) p. 301-11. add.: 18 (1871) p. 308-09. prol.: K. Langosch, Das 'Registrum multorum auctorum' des Hugo von Trimberg (Germ. Studien CCXXXV). 1942. p. 279-81*
1280	registr.	registrum multorum auctorum	*K. Langosch, op. cit. p. 160-95*
1284	sols.	solsequium	*part.: E. Seemann, Hugo von Trimbergs lat. Werke (Münchner Texte IX). I (1914). epil.: B. Bischoff, ZDtPhil. 70 (1947-48) p. 42-51*
† 1061	HUMB.	HUMBERTUS, episc. card. Silvae Candidae	
1058	Sim.	adversus Simoniacos	*F. Thaner MG Lib. Lit. I (1891) p. 100-253*
	HYMN.	HYMNUS, -I	
cod. s. VIII.-IX.	abeced.	hymnus abecedarius	*W. Bulst, Almus altus agnus aptus (Britannica. Festschrift H. M. Flasdieck). 1960. p. 82-83*
c. s. IX.[1]	Hraban.	hymni Hrabano adscripti	*G. M. Dreves, AnalHymn. L (1907) p. 181-209. – part.: E. Dümmler MG Poet. II (1884) p. 244-58*
s. IX.[2]-XI.[1]	Sangall.	hymni et sequentiae Sangallenses	*W. v. d. Steinen, Notker der Dichter u. seine geistige Welt. Editionsband. 1948. p. 94-135*
	- - -	IAMATUS v. IOH. IAMAT.	
	[IDO Libor.]	v. TRANSL. Libor. II	
	IDUNG. PRUF.	IDUNGUS Prufeningensis, magister scholarum	
c. 1145	argum.	argumentum super quatuor questionibus	*R. B. C. Huygens, Le moine Idung et ses deux ouvrages: 'Argumentum super quatuor questionibus' et 'Dialogus duorum monachorum' (Biblioteca degli 'Studi Medievali' XI). 1980. p. 57-88*
c. 1153	dial.	dialogus duorum monachorum	*R. B. C. Huygens, op. cit. p. 91-186*
† 1216	INNOC. III.	INNOCENTIUS III. papa	
1198-1200	registr.	registrum	*O. Hageneder (et al.), Die Register Innocenz' III. (Publ. ... d. österr. Kulturinst. in Rom. II. Abt., I. Reihe). I (1964). II (1979)*

aetas	notae	notarum explicatio	editiones
† 1254	INNOC. IV.	INNOCENTIUS IV. papa	
1243-54	registr. A. B	registrum	*C. Rodenberg MG Epist. s. XIII. e regestis pontificum Romanorum sel. II (1887) p. 1-557. add.: p. 558-64. (= A). III (1894) p. 1-313. add.: p. 727-28 (= B)*
s. VIII.-XIII.	INSCR. Germ.	INSCRIPTIONES Germanicae	*Die deutschen Inschriften, hrg. von den Akademien der Wiss. in Berlin, Düsseldorf, Göttingen, Heidelberg, Leipzig, Mainz, München u. ... Wien. I (1942) sqq.*
	INVENT.	INVENTIO v. VITA	
s. XIII.	IOCALIS	IOCALIS q. d. proverbiorum collectio	*P. Lehmann, SBMünch. 1938/IV. p. 59-92*
	IOH.	IOHANNES alchimista, ceterum ignotus	
s. XII.-XIII.	sacerd.	liber sacerdotum	*M. Berthelot, La chimie au moyen âge. I (1893) p. 187-228*
† 882	IOH. VIII.	IOHANNES VIII. papa	
872-82	epist. A-D	epistolae	*E. Caspar MG Epist. VII (1928) p. 1-272 (= A). 273-312 (= B). 313-29 (= C). 330-33 (= D)*
	IOH. AEGID.	IOHANNES Aegidius Zamorensis	
s. XIII. ex.	mus.	ars musica	*M. Robert-Tissot, Johannes Aegidius de Zamora, Ars musica (Corp. script. de musica XX). 1974. – [M. Gerbert, Scriptores ecclesiatici de musica sacra potissimum. II (1784) p. 370-93 (olim: AEG. ZAM. mus.)]*
	IOH. AFFLIG.	IOHANNES Cotto(nius) sive Affligemensis	
c. 1100	mus.	musica	*J. Smits van Waesberghe, Iohannis Affligemensis 'De musica cum tonario' (Corp. script. de musica I). 1950. p. 44-162*
† 1004	IOH. CANAP.	IOHANNES CANAPARIUS, abb. s. Bonifatii et Alexii Romae	
	[Adalb.]	v. IOH. CANAP. Adalb. A	
998-99	Adalb. A	vita Adalberti, episc. Pragensis et mart.; redactio Aventinensis prior (imperialis)	*J. Karwasińska Mon. Polon. Hist. N. S. IV 1 (1962) p. 3-47. – [G. H. Pertz MG Script. IV (1841) p. 581-95. – A. Bielowski Mon. Polon. Hist. I (1864) p. 157-83]*
c. 1003	Adalb. B	vita Adalberti, redactio Aventinensis altera	*J. Karwasińska, op. cit. p. 51-67*
s. XI.[1]	Adalb. C	vita Adalberti, redactio Casinensis	*J. Karwasińska, op. cit. p. 71-84*
	IOH. CODAGN.	IOHANNES CODAGNELLUS Placentinus	
s. XIII.[1]	annal.	annales Placentini	*O. Holder-Egger, Iohannis Codagnelli Annales Placentini (MG Script. rer. Germ.). 1901*

aetas	notae	notarum explicatio	editiones
s. XIII.[1]	gest.	gesta obsidionis Damiatae	*O. Holder-Egger MG Script. XXXI (1903) p. 463-503*
c. 1230	trist.	libellus tristitiae et doloris	*O. Holder-Egger, Gesta Federici I. imperatoris in Lombardia (MG Script. rer. Germ.). 1892. p. 14-61*
	IOH. DIAC.	IOHANNES DIACONUS Romanus	
875	cen.	versiculi de cena Cypriani	*K. Strecker MG Poet. IV (1923) p. 872-900*
	IOH. ELNON.	IOHANNES, mon. Elnonensis	
995-1012	Rictr.	vita Rictrudis metrica	*G. Silagi MG Poet. V (1937-79) p. 569-95. praef.: p. 567-69*
	IOH. GARL.	IOHANNES de Garlandia (Gallicus, dictus Primarius?)	
	[contrap.]	optima introductio in contrapunctum; hoc opus s. XIV./XV. non iam affertur	*[E. de Coussemaker, Scriptorum de musica medii aevi nova series. III (1869) p. 12-13]*
c. 1250	introd. mus.	introductio musicae	*E. de Coussemaker, op. cit. I (1864) p. 157-75*
c. 1250	mus. mens. [I. II]	de musica mensurabili	*E. Reimer, Johannes de Garlandia, De mensurabili musica (ArchMusWiss. Beih. X). 1972. – [S. M. Cserba, Hieronymus de Moravia O. P., Tractatus de musica. 1935. p. 194-230. – E. de Coussemaker, op. cit. I (1864) p. 97-117 (olim: IOH. GARL. mus. mens. I). 175-82 (olim: IOH. GARL. mus. mens. II)]*
	IOH. IAMAT.	IOHANNES IAMATUS, medicus Italicus	
c. 1230-52	chirurg.	chirurgia	*J. L. Pagel, Chirurgia Jamati. 1909*
† ante 984	IOH. METT.	IOHANNES, abb. Mettensis	
c. 975-83	Ioh.	vita Iohannis, abb. Gorziensis	*G. H. Pertz MG Script. IV (1841) p. 337-77*
	IOH. NEAP.	IOHANNES, diac. Neapolitanus	
s. IX.[2]	gest.	gestorum episcoporum Neapolitanorum continuatio	*G. Waitz MG Script. rer. Lang. 1878. p. 424-35. – [B. Capasso, Mon. ad Neapolitani ducatus historiam pertinentia. I (1881) p. 198-220]*
s. X.[in.]	Ian.	passio et translatio Ianuarii Beneventani sociorumque eius	*ASBoll. Sept. VI (1757) p. 874-82. – excerpta: G. Waitz, op. cit. p. 459-63*
902	Sever.	translatio Severini, presb. in Norico Ripensi	*B. Capasso, op. cit. p. 291-300. – excerpta: G. Waitz, op. cit. p. 452-59*
	[IOH. PLATEAR. simpl. med.]	v. CIRCA INSTANS	
	IOH. S. PAUL.	IOHANNES de S. Paulo, medicus Salernitanus	
s. XII.[2]	diaet.	flores diaetarum	*H. J. Ostermuth, Flores Diaetarum. Diss. Leipzig. 1919*

aetas	notae	notarum explicatio	editiones
† post 870	IOH. SCOT.	IOHANNES Scotus (Eriugena)	
	carm.	carmina	*L. Traube MG Poet. III (1896) p. 527-53. app.: p. 555-56. – M. W. Herren, Iohannis Scotti Eriugenae carmina (Script. Lat. Hibern. XII). 1993. p. 58-122. 126*
850-55	praedest.	de divina praedestinatione	*G. Madec CC Cont. Med. L (1978)*
	IOH. VEN.	IOHANNES, diac. Venetus	
s. XI.in.	chron.	chronicon Venetum	*G. Monticolo, Cronache Veneziane antichissime (Fonti per la storia d'Italia). 1890. p. 59-171. – [G. H. Pertz MG Script. VII (1846) p. 4-47]*
	IOH. WIRZ.	IOHANNES, clericus Wirziburgensis	
1160-70	descr.	descriptio terrae sanctae	*R. B. C. Huygens CC Cont. Med. CXXXIX (1994). p. 79-138. app.: p. 139-41. – [T. Tobler, Descriptiones Terrae Sanctae. 1874. p. 108-92]*
	IONAS BOB.	IONAS, abb. Bobiensis	
641-42	Columb.	vita Columbani, abb. Luxoviensis et Bobiensis, discipulorumque eius	*B. Krusch, Ionae Vitae s. Columbani, Vedastis, Iohannis (MG Script. rer. Germ.). 1905. p. 144-294. - M. Tosi, Jonas, Vita Columbani et discipulorum eius. 1965*
659	Ioh.	vita Iohannis, abb. Reomensis	*B. Krusch, op. cit. p. 326-44*
c. 640	Ved.	vita Vedastis, episc. Atrebatensis	*B. Krusch, op. cit. p. 309-20*
	IORDAN. RUFF.	IORDANUS RUFFUS Calabriensis, medicus veterinarius	
c. 1252	equ.	de medicina equorum	*H. Molin, Iordani Ruffi Calabriensis Hippiatria. 1818*
† 1237	IORDAN. SAXO	IORDANIS (-US) de Saxonia, minister generalis O. P.	
1222/23-36	epist. I-III	epistolae	*A. Walz, Beati Iordani de Saxonia epistulae (Mon. Ord. Fratrum Praedicatorum Hist. XXIII). 1951. p. 3-69 (= I). T. Kaeppeli, Archivum Fratrum Praedicatorum 22 (1952) p. 182-85. E. Montanari, B. Iordanis de Saxonia litterae encyclicae (Bibl. del Centro per il collegamento degli studi medievali e umanistici in Umbria X). 1993. p. 69-73 (= II). 255-61 (= III)*
1232-34	princ.	de principiis ordinis Praedicatorum libellus	*H. C. Scheeben, Libellus de principiis ordinis Praedicatorum (Mon. Ord. Fratrum Praedicatorum Hist. XVI). 1935. p. 25-88*
† 1180	ISINGR.	ISINGRIMUS, abb. Ottenburanus	
s. XII.med.	annal.	annales Ottenburani	*G. H. Pertz MG Script. XVII (1861) p. 312-15*

aetas	notae	notarum explicatio	editiones
† 871	Iso	Iso, magister Sangallensis	
c. 864-67	Otm.	miracula Otmari, abb. Sangallensis	*I. v. Arx MG Script. II (1829) p. 47-54. – excerpta: G. Meyer v. Knonau, MittGeschStGallen XII (N. F. II). 1870. p. 114-39*
	Itin.	Itinerarium	
1063	Petr. Dam.	itinerarium Petri Damiani, episc. card. Ostiensis	*G. Schwartz, A. Hofmeister MG Script. XXX (1934) p. 1035-46*
c. s. XI.	Willib.	itinerarium Willibaldi, episc. Eichstetensis	*T. Tobler, A. Molinier, Itinera Hierosolymitana et descriptiones Terrae Sanctae bellis sacris anteriora. I (1879) p. 285-97*
c. 642-90	Iulian. Tolet.	Iulianus, archiep. Toletanus	
673-80	insult.	insultatio vilis storici in tyrannidem Galliae	*W. Levison MG Script. rer. Mer. V (1910) p. 526-29*
673-80	iudic.	iudicium in tyrannorum perfidia promulgatum	*W. Levison, op. cit. p. 529-35*
673-80	Wamb.	historia Wambae regis	*W. Levison, op. cit. p. 500-26*
† c. 1280	Iustin.	Iustinus, magister Lippensis	
1259-64	Lippifl.	Lippiflorium	*G. Laubmann, Magistri Iustini Lippiflorium. 1872*
	Lamb.	Lambertus, magister Anglicus	
c. 1270	mus. quadr.	tractatus de musica quadrata seu mensurata	*E. de Coussemaker, Scriptorum de musica medii aevi nova series. I (1864) p. 251-81. – [Migne PL 90 p. 919-38]*
	Lamb. Ard.	Lambertus, magister Ardensis	
c. 1200	hist.	historia comitum Ghisnensium	*J. Heller MG Script. XXIV (1879) p. 557-642*
† post 1081	Lamb. Hersf.	Lambertus, mon. Hersfeldensis, abb. Haserensis	
1077-80	annal.	annales	*O. Holder-Egger, Lamperti ... opera (MG Script. rer. Germ.). 1894. p. 3-304*
c. 1076	inst.	libelli de institutione Hersfeldensis ecclesiae fragmenta	*O. Holder-Egger, op. cit. p. 343-54*
1063-73	Lull.	vita Lulli, archiep. Moguntini	*O. Holder-Egger, op. cit. p. 307-40*
	Lamb. Leod.	Lambertus Leodiensis, mon. s. Eucharii Treverensis	
1186 1186-90	Matth. I. II	vita Matthiae apostoli metrica (= I) et prosaica (= II)	*R. M. Kloos, Lambertus de Legia, De vita, translatione, inventione ac miraculis s. Matthiae Apostoli libri V (Trierer Theol. Studien VIII). 1958. p. 74-160 (= I). 169-80 (= II)*
s. XII.ex.	Matth. III. IV	miracula et inventiones Matthiae	*ASBoll. Febr. III (1658) p. 445-48. ³p. 451-54 (= III). B. Pez, Thesaurus anecdotorum novissimus. II 3 (1721) p. 7-26. – [excerpta: G. Waitz MG Script. VIII (1848) p. 231-32] (= IV)*

aetas	notae	notarum explicatio	editiones
† 1069	LAMB. TUIT.	LAMBERTUS, mon. Tuitiensis, abb. s. Laurentii Leodiensis	
s. XI.med.	Herib.	vita et miracula Heriberti, archiep. Coloniensis	*G. H. Pertz MG Script. IV (1841) p. 740-53 (lib. 1). O. Holder-Egger MG Script. XV (1888) p. 1245-60 (lib. 2)*
1108-c. 1170	LAMB. WAT.	LAMBERTUS WATERLOS, can. Cameracensis	
c. 1152-70	annal.	annales Cameracenses	*G. H. Pertz MG Script. XVI (1859) p. 510-54*
† paulo post 1099/1100	LAND. MEDIOL.	LANDULFUS maior, clericus Mediolanensis	
paulo post 1075	hist. [I]	historia Mediolanensis	*L. C. Bethmann, W. Wattenbach MG Script. VIII (1848) p. 36-100. – [A. Cutolo, Landulphi senioris Mediolanensis historiae libri quattuor (Rer. Ital. Script. N. E. IV 2). 1942]*
	LAND. MEDIOL.	LANDULFUS minor de s. Paulo Mediolanensi	
	[hist. II]	v. LAND. MEDIOL. hist. cont.	
1136-37	hist. cont.	historiae Mediolanensis a Landulfo maiore conscriptae continuatio	*L. C. Bethmann, P. Jaffé MG Script. XX (1868) p. 21-49. – [C. Castiglioni, Landulphi iunioris ... historia Mediolanensis (Rer. Ital. Script. N. E. V 3). 1934]*
	LAUR. LEOD.	LAURENTIUS, mon. Leodiensis	
1144	gest.	gesta episcoporum Virdunensium	*G. Waitz MG Script. X (1852) p. 489-516*
	LEG.	LEGES	
s. V.ex.-VI.in.	Burgund. const. I. II	leges Burgundionum, liber constitutionum et constitutiones extravagantes	*R. v. Salis, Leges Burgundionum (MG Leg. sectio I). II 1 (1892) p. 29-116 (= I). 117-22 (= II)*
s. V.ex.	Burgund. Rom.	leges Burgundionum, lex Romana	*R. v. Salis, op. cit. p. 123-63*
s. VII.med.-XI.ex.	Lang.	leges Langobardorum	*F. Bluhme, A. Boretius MG Leg. IV (1868) p. 91-664*
506-s. VIII.	Wisig.	leges Wisigothorum	*K. Zeumer, Leges Visigothorum (MG Leg. sectio I). I (1902) p. 35-456. add.: p. 462-64. chron.: p. 457-61. suppl.: p. 465-86*
c. 475	Wisig. cod. Eur.	leges Wisigothorum, codex Euricianus	*K. Zeumer, op. cit. p. 3-27*
† 816	LEO III.	LEO III. papa	
808-14	epist.	epistolae	*K. Hampe MG Epist. V (1899) p. 87-104*
† 1115	LEO MARS.	LEO Marsicanus, bibliothecarius Casinensis, episc. card. Ostiensis	
c. 1100	chron.	chronica monasterii Casinensis	*H. Hoffmann MG Script. XXXIV (1980) p. 3-409. – [W. Wattenbach MG Script. VII (1846) p. 574-727]*

aetas	notae	notarum explicatio	editiones
	LEX	LEX	
c. 712-25	Alam.	lex Alamannorum	*K. Lehmann, K. A. Eckhardt, Leges Alamannorum (MG Leg. sectio I). V 1 (²1966) p. 36-157. – [K. Lehmann, Leges Alamannorum (MG Leg. sectio I). V 1 (1888) p. 36-157]*
ante 756 ?	Baiuv.	lex Baiuvariorum	*E. Frh. v. Schwind, Lex Baiwariorum (MG Leg. sectio I). V 2 (1926)*
c. 1020-25	fam. Worm.	lex familiae Wormatiensis ecclesiae	*L. Weiland, Constitutiones et acta publica imperatorum et regum (MG Leg. sectio IV). I (1893) p. 640-44*
802-03	Franc. Cham.	lex Francorum Chamavorum	*K. A. Eckhardt, Lex Ribvaria II. ²1966. p. 89-94. – [R. Sohm, Lex Ribuaria et Lex Francorum Chamavorum (MG Font. iur. Germ. ant.). 1883. p. 117-23]*
c. 802-03	Frision.	lex Frisionum	*K. A. Eckhardt, A. Eckhardt, Lex Frisionum (MG Font. iur. Germ. ant. XII). 1982. add. I-XI: p. 80-102 (iud. Wul.: p. 90-92). – [K. Frh. v. Richthofen MG Leg. III (1863) p. 656-82. add.: p. 682-97. iud. Wul.: p. 698-700]*
s. XII.med. s. XII.²	minist. Col. I. II	iura ministerialium s. Petri Coloniensis	*F. Frensdorff, Mittheilungen a. d. Stadtarchiv von Köln 1,2 (1883) p. 4-10 (= I). p. 59-62 (= II)*
s. VIII.med.	Raet. Cur.	lex Romana Raetica Curiensis	*E. Meyer-Marthaler, Die Rechtsquellen des Kantons Graubünden. Lex Romana Curiensis (Samml. Schweizerischer Rechtsquellen. XV. Abt.). 1959. p. 3-613. add.: p. 645-49. – [K. Zeumer MG Leg. V (1875-89) p. 305-441. add.: p. 441-44]*
c. s. VII.¹	Ribv.	lex Ribvaria	*F. Beyerle, R. Buchner, Lex Ribvaria (MG Leg. sectio I). III 2 (1954)*
802-03	Sal. Karol.	lex Salica, rec. Karolina	*K. A. Eckhardt, Pactus legis Salicae (MG Leg. sectio I). IV 1 (1962) p. 2-235 (rec. K). app.: K. A. Eckhardt, Pactus legis Salicae II 2 (Kapitularien u. 70 Titel-Text). 1956. p. 529-36. – [K. A. Eckhardt, op. cit. (1956) p. 466-528]*
507-96	Sal. Merov.	lex Salica, rec. Merovingica	*K. A. Eckhardt, op. cit. (1962) p. 2-267. caus.: p. 269-73. decr. Child.: K. A. Eckhardt, op. cit. (1956) p. 440-49. capit.: p. 450-56. – [K. A. Eckhardt, Pactus legis Salicae II 1 (65 Titel-Text). 1955. p. 98-356. II 2 (= op. cit. 1956) p. 362-440. caus.: p. 456-62]*
763-65 et 798	Sal. Pipp.	lex Salica, rec. Pippina	*K. A. Eckhardt, Lex Salica (MG Leg. sectio I). IV 2 (1969) p. 2-172. decr. Child.: p. 174-91. chron.: p. 192-95. – [K. A. Eckhardt, Lex Salica (100 Titel-Text). 1953. p. 82-240. decr. Child.: p. 242-58. chron.: p. 260-68]*
802-03	Saxon.	lex Saxonum	*C. Frh. v. Schwerin, Leges Saxonum u. Lex Thuringorum (MG Font. iur. Germ. ant.). 1918 p. 15-34*

aetas	notae	notarum explicatio	editiones
802-03	Thuring.	lex Thuringorum	*C. Frh. v. Schwerin, op. cit. p. 57-66*
	LIBELL.	LIBELLUS	
s. XI.[1]	de cal. Trev.	libellus de calamitate abbatiae s. Martini Treverensis	*G. Waitz MG Script. XV (1888) p. 739-41*
871	de conv. Baiuv.	libellus de conversione Baiuvariorum et Carantanorum	*W. Wattenbach MG Script. XI (1854) p. 4-14. – M. Kos, Conversio Bagoariorum et Carantanorum (Razprave Znanstvenega Drustva Ljubliani XI). 1936. p. 126-40. – [H. Wolfram, Conversio Bagoariorum et Carantanorum. 1979. p. 34-58]*
cod. s. IX.in.	prec. Col.	libellus precum Coloniensis	*A. Wilmart, Precum libelli quattuor aevi Karolini. 1940. p. 49-59*
cod. s. IX.in.	prec. Paris.	libellus precum Parisinus	*A. Wilmart, op. cit. p. 33-45*
cod. s. IX.in.	prec. Trec.	libellus precum Trecensis	*A. Wilmart, op. cit. p. 9-30*
cod. c. 850	prec. Turon.	libellus precum Turonensis	*A. Wilmart, op. cit. p. 65-166. add.: p. 63-64*
s. XI.med.	de reb. Trev.	libellus de rebus Treverensibus	*G. Waitz MG Script. XIV (1883) p. 99-106*
1018-39	de Willig.	libellus de Willigisi, archiep. Moguntini, consuetudinibus	*G. Waitz MG Script. XV (1888) p. 743-45*
	LIBER	LIBER	
s. XI.[2]	argum.	liber argumentorum	*J. Smits van Waesberghe, Expositiones in Micrologum Guidonis Aretini (Musicologica medii aevi I). 1957. p. 13-30. – [excerpta: A. de La Fage, Essais de diphtérographie musicale. I (1864) p. 185-88]*
s. VII.-VIII.	diurn.	liber diurnus	*T. v. Sickel, Liber diurnus Romanorum pontificum. 1889. – [H. Förster, Liber diurnus Romanorum pontificum. 1958]*
726-27	hist. Franc.	liber historiae Francorum	*B. Krusch MG Script. rer. Mer. II (1888) p. 238-328*
s. XII.	ordin. Patav.	liber ordinarius monasterii s. Nicolai Pataviensis	*E. Amort, Vetus disciplina canonicorum. II (1747) p. 922-1048*
c. 1114-23	ordin. Rhenaug.	liber ordinarius Rhenaugiensis	*A. Hänggi, Der Rheinauer Liber Ordinarius (Spicil. Friburg. I). 1957*
1262-87	ordin. Sedun.	liber ordinarius cathedralis ecclesiae Sedunensis	*F. Huot, L'Ordinaire de Sion (Spicil. Friburg. XVIII). 1973*
s. XI.[2]	spec.	liber specierum	*J. Smits van Waesberghe, Expositiones in Micrologum Guidonis Aretini (Musicologica medii aevi I). 1957. p. 31-58*
s. VIII. ?	Theodolae	liber Theodolae Sibyllae q. d. descriptio paradisi	*B. Bischoff, Anecdota novissima (QuellUnters-LatPhil. VII). 1984. p. 66-79*
s. XI.[1]	tram.	liber tramitis	*P. Dinter, Corp. Consuet. Monast. X (1980)*
1092-93	de unit. eccl.	liber de unitate ecclesiae conservanda	*W. Schwenkenbecher MG Lib. Lit. II (1892) p. 184-284*

aetas	notae	notarum explicatio	editiones
	LIBRI	LIBRI	
s. VIII.med.-XI.	confrat.	libri confraternitatum	*P. Piper MG Libri confraternitatum s. Galli, Augiensis, Fabariensis. 1884*
c. 790	Karol.	libri Karolini	*H. Bastgen, Libri Carolini sive Caroli Magni capitulare de imaginibus (MG Leg. sectio III. Concilia II. suppl.). 1924*
1186-87	LIGURINUS	LIGURINUS carmen, auctore Gunthero	*E. Assmann, Gunther der Dichter, Ligurinus (MG Script. rer. Germ. LXIII). 1987. p. 151-495. – [Migne PL 212 p. 331-476]*
s. IX.	LIOS MON.	LIOS MONOCUS: libellulus sacerdotalis	*P. v. Winterfeld MG Poet. IV (1899) p. 278-95*
742-809	LIUTG.	LIUTGERUS, episc. Monasteriensis	
c. 790	Greg.	vita Gregorii, abb. Traiectensis	*O. Holder-Egger MG Script. XV (1887) p. 66-79*
	LIUTOLF.	LIUTOLFUS, presb. Moguntinus	
c. 858	Sever. I. II	vita (= I) et translatio (= II) Severi, episc. Ravennatis	*L. v. Heinemann MG Script. XV (1887) p. 289-91 (= I). 291-93 (= II)*
† c. 972	LIUTPR.	LIUTPRANDUS, episc. Cremonensis	
958-62	antap.	antapodosis	*J. Becker, Die Werke Liudprands von Cremona (MG Script. rer. Germ.). 1915. p. 1-158*
964-65	hist.	historia Ottonis I. imp.	*J. Becker, op. cit. p. 159-75*
c. 968	leg.	relatio de legatione Constantinopolitana	*J. Becker, op. cit. p. 175-212*
† post 1256	LUDOLF.	LUDOLFUS, magister Hildesheimensis	
c. 1240-60	summ.	summa dictaminum	*L. Rockinger, Briefsteller u. Formelbücher des 11. bis 14. Jhs. (QuellErörtBayerGesch. IX). I (1863) p. 359-98. app.: p. 399-402*
c. 1160	LUDUS de Antichr.	LUDUS de Antichristo	*G. Vollmann-Profe, Ludus de Antichristo (Litterae LXXXII 1.2). 1981*
c. 705-86	LULL.	LULLUS, archiep. Moguntinus	
745-85	epist.	epistolae in Bonifatii collectione exstantes	*M. Tangl, Die Briefe des hl. Bonifatius u. Lullus (MG Epist. sel. I). 1916. p. 62-282*
† post 862	LUP. FERR.	LUPUS SERVATUS, abb. Ferrariensis	
c. 830-62	epist.	epistolae	*P. K. Marshall, Servati Lupi epistolae. 1984. E. Dümmler MG Epist. VI (1925) p. 7-107. add.: p. 107-14. – [L. Levillain, Loup de Ferrières, Correspondance. I (1927). II (1935)]*
836	Wigb[ert].	vita Wigberti, abb. Friteslariensis	*O. Holder-Egger MG Script. XV (1887) p. 37-43*

aetas	notae	notarum explicatio	editiones
	LUP. PROT.	LUPUS, protospatharius Barensis	
c. s. XI.ex.	chron.	chronicon	*G. H. Pertz MG Script. V (1844) p. 52-63*
† 768	MAGING.	MAGINGAOZ, episc. Wirziburgensis	
754-68	epist.	epistolae in Bonifatii collectione exstantes	*M. Tangl, Die Briefe des hl. Bonifatius u. Lullus (MG Epist. sel. I). 1916. p. 268-75*
† 1195	MAGNUS	MAGNUS, presb. Reichersbergensis	
	[annal.]	v. ANNAL. Reichersb.	
s. XII.ex.	chron.	chronicon	*W. Wattenbach MG Script. XVII (1861) p. 476-523*
† c. 1103	MANEG.	MANEGOLDUS, mon. Lautenbacensis, praep. Marbacensis	
	[(?) const.]	v. CONSUET. Marb.	
c. 1083-85	ad Gebeh.	liber ad Gebehardum, archiep. Salisburgensem	*K. Francke MG Lib. Lit. I (1891) p. 308-430*
1085	c. Wolfh.	liber contra Wolf(h)elmum	*W. Hartmann, Manegold von Lautenbach, Liber contra Wolfelmum (MG Quellen z. Geistesgesch. d. Mittelalters VIII). 1972*
s. XIII.1	MAPPA Ebstorf.	MAPPA Ebstorfensis	*K. Miller, Die Ebstorfkarte (Mappae mundi. Die ältesten Weltkarten V). 1896. p. 7-62*
s. VIII.2	MAPPAE CLAVIC.	MAPPAE CLAVICULA cum additamentis Adelardi Bathonensis	*T. Phillipps, Archaeologia 32 (1847) p. 183-244. var. l. cod. S: C. S. Smith, J. G. Hawthorne, Mappae Clavicula (Transactions of the American Philos. Soc. N. S. LXIV 4). 1974. p. 77-93*
c. 1035-1123	MARB. RED.	MARBODUS, episc. Redonensis	
c. 1090	lap.	liber lapidum	*Migne PL 171 p. 1737-70. – [J. M. Riddle, Marbode of Rennes' ... De Lapidibus (Sudhoffs Arch. Beih. XX). 1977. p. 34-92]*
	MARC. GRAEC.	MARCUS GRAECUS, ceterum ignotus	
s. XIII.2	ign.	liber ignium ad comburendos hostes	*M. Berthelot, La chimie au moyen âge. I (1893) p. 100-20. app.: p. 123-27*
	[MARC. VALER.]	v. MART. VALER.	
c. 1028-c. 1082	MARIAN.	MARIANUS Scotus, reclusus Moguntinus	
c. 1073-82	chron. a. Chr.	chronicon, annus Christi	*G. Waitz MG Script. V (1844) p. 495-562. XIII (1881) p. 78-79 (rec. B)*
c. 1073-82	chron. a. m.	chronicon, annus mundi	*J. Pistorius, Rer. Germ. script., tertium ed. B. G. Struve. I (1726) p. 448-544*

aetas	notae	notarum explicatio	editiones
† 1278	MART. OPP.	MARTINUS Oppaviensis sive Polonus	
1265-77	chron.	chronicon pontificum et imperatorum	*L. Weiland MG Script. XXII (1872) p. 397-475*
	MART. VALER.	MARTIUS (MARCUS) VALERIUS, ceterum ignotus	
s. XII.	buc.	bucolica	*F. Munari, M. Valerio, Bucoliche. 1970. – [F. Munari, Marci Valerii Bucolica (Coll. Filologica. Testi e Manuali II). 1955]*
c. s. X.	MARTYR. Fuld.	MARTYROLOGIUM Fuldense	*D. Georgius, Martyrologium Adonis. 1745. p. 656-75*
s. XI.-XII.	MATHEM. var. Bubnov	MATHEMATICA varia, quae ed. Bubnov	*N. Bubnov, Gerberti ... opera mathematica. 1899. p. 246-93. 382. 385-86*
† 1161	MATTH. PLATEAR.	MATTHAEUS PLATEARIUS, magister Salernitanus	
	gloss.	glossae in antidotarium Nicolai	*Opera Mesuae. Venetiis (apud Vincentium Valgrisium). 1561. p. 366-97*
c. 1130-1214	MAURUS	MAURUS, magister Salernitanus	
1160-65	anat. I	anatomia	*K. Sudhoff, ArchGeschMath. 12 (1930) p. 27-32*
c. 1170	(?) anat. II	demonstratio anatomica corporis animalis	*K. H. Benedict, Die Demonstratio anatomica corporis animalis. Diss. Leipzig. 1920*
1160-80	phleb.	de phlebotomia	*R. Buerschaper, Ein bisher unbekannter Aderlaßtraktat des Salernitaner Arztes Maurus. Diss. Leipzig. 1919*
s. XII.[2]	progn.	commentarius in librum prognosticorum	*M. H. Saffron, Maurus of Salerno (Transactions of the American Philos. Soc. N. S. LX 1). 1972*
s. XII.[2]	urin. I-III	liber de urinis, regulae urinarum, tractatus urinarum	*A. Kadner, Ein Liber de urinis des Breslauer Codex Salernitanus. Diss. Leipzig. 1919 (= I). S. de Renzi, Collectio Salernitana. III (1854) p. 2-51 (= II). IV (1856) p. 407-08 (= III)*
	MEGINFR.	MEGINFRIDUS, magister Magdeburgensis (Manfredus ?)	
1050	(?) carm.	carmen computisticum auctore Manfredo	*Migne PL 94 p. 641-55*
1030	Emm.	de vita et virtutibus beati Emmerammi liber	*Migne PL 141 p. 973-86. epist., praef.: p. 971-72*
† 1088	MEGINH. BAMB.	ME(G)INHARDUS, scholasticus Bambergensis, episc. Wirziburgensis	
	- - -	epistolae v. EPIST. Meginh.	
1062-64	fid.	de fide, veritate symboli, ipso symbolo et pestibus haeresium	*C. P. Caspari, Kirchenhistorische Anecdota. I (1883) p. 251-74*

aetas	notae	notarum explicatio	editiones
c. 825-88	MEGINH. FULD.	MEGINHARDUS, mon. Fuldensis	
851	Alex.	translatio Alexandri, filii Felicitatis	*B. Krusch, NachrGött. 1933. p. 427-36. praef.: p. 436. – [G. H. Pertz MG Script. II (1829) p. 676-81. praef.: p. 674]*
s. IX.²	(?) Ferr.	passio Ferrucii, mart. Moguntini	*ASBoll. Oct. XII (1867) p. 538-42. – excerpta: O. Holder-Egger MG Script. XV (1887) p. 149-50*
	MEINZO	MEINZO, scholasticus Constantiensis	
s. XI.med.	epist.	epistola de quadratura circuli	*E. Dümmler, NArch. 5 (1879-80) p. 202-03*
† 1276	MENKO	MENKO, abb. monasterii Horti Floridi seu Werumensis	
1249-75	chron.	chronicon	*H. P. H. Jansen, A. Janse, Kroniek van het klooster Bloemhof te Wittewierum (Middeleeuwse Studies en Bronnen XX). 1991. p. 286-452. – [L. Weiland MG Script. XXIII (1874) p. 523-61]*
	METELL.	METELLUS, mon. Tegernseensis	
c. 1165-75	buc.	bucolica Quirinalium	*P. C. Jacobsen, Die Quirinalien des Metellus von Tegernsee (Mittellat. Studien u. Texte I). 1965. p. 304-36. – [J. Basnage in: H. Canisius, Thesaurus mon. ecclesiasticorum et hist. III 2 (1725) p. 179-96]*
1146-65	exp. Hieros.	expeditio Hierosolymitana	*P. C. Jacobsen, Metellus von Tegernsee, Expeditio Ierosolimitana (QuellUntersLatPhil. VI). 1982*
1165-75	peripar.	periparacliton sive de advocatis	*P. C. Jacobsen, Die Quirinalien des Metellus von Tegernsee (Mittellat. Studien u. Texte I). 1965. p. 337-52*
1165-75	Quir.	Quirinalia	*P. C. Jacobsen, op. cit. (1965) p. 172-303. – [P. Peters, Die Quirinalien des Metell von Tegernsee. Diss. Greifswald. 1913]*
† 871/72	MILO	MILO, mon. Elnonensis	
c. 845-70	carm.	carmina	*L. Traube MG Poet. III (1896) p. 561-675. app.: p. 676-84*
	MIRAC.	MIRACULA v. VITA	
† 840/43	MODOIN.	MODOINUS (NASO), episc. Augustodunensis	
802	ecl.	eclogae	*D. Korzeniewski, Hirtengedichte aus spätrömischer u. karolingischer Zeit (Texte z. Forschung XXVI). 1976. p. 74-100. – [E. Dümmler MG Poet. I (1881) p. 384-91. – E. Dümmler, NArch. 11 (1886) p. 81-91]*

aetas	notae	notarum explicatio	editiones
	MORIEN. ROM.	MORIENUS ROMANUS, ceterum ignotus	
s. XIII.	alch.	liber de compositione alchimiae	*J. J. Mangetus, Bibliotheca chemica curiosa. I (1702) p. 509-19*
	MOSES PANORM.	MOSES Panormitanus, interpres Arabo-Latinus	
c. 1277	infirm.	de infirmitatibus equorum et curis eorum	*P. Delprato, Trattati di Mascalcia ... tradotti dall'Arabo in Latino da Maestro Moise da Palermo (Coll. di opere inedite o rare XII). 1865. p. 101-42*
c. 1277	marisc.	liber mariscaltie equorum et cure eorum	*P. Delprato, op. cit. p. 143-96*
s. IX.[2]	MUS. ENCHIR.	MUSICA ENCHIRIADIS	*H. Schmid, Musica et scolica enchiriadis (VeröffMusHistKommBAdW. III). 1981. p. 1-59. app.: p. 187-205 (= A I). 205-13 (= A II). 214-21 (= B I-IV). 222-23 (= C). 224-32 (= D). 233-41 (= E). – [M. Gerbert, Scriptores ecclesiastici de musica sacra potissimum. I (1784) p. 152-73. add.: E. de Coussemaker, Scriptorum de musica medii aevi nova series. II (1867) p. 74-78]*
	NADDA	NADDA, clericus Gernrodensis	
s. XI.[1]	Cyriac. I. II	vita Cyriaci, mart. Romani, prosaica et metrica	*N. Fickermann, Eine hagiographische Fälschung ottonischer Zeit aus Gernrode (Corona quernea. Festgabe K. Strecker). 1941. p. 172-98 (= I). N. Fickermann MG Poet. V (1937-79) p. 257-59 (= II)*
	NARR.	NARRATIO	
s. XIII.med.	de Gron.	narratio de Groninghe ... sive gesta episcoporum Traiectensium	*H. van Rij, Een verhaal over Groningen ... (Middeleeuwse Studies en Bronnen I). 1989. – [C. Pijnacker Hordijk, Quaedam narratio de Groninghe ... (Werken uitgegeven door het Hist. Genootschap te Utrecht. N. S. IL). 1888]*
1189	itin. nav.	narratio itineris navalis ad terram sanctam	*A. Chroust, Quellen z. Gesch. d. Kreuzzuges Kaiser Friedrichs I. (MG Script. rer. Germ. N. S. V). 1928. p. 179-96*
c. 1116	de lib. Fab.	narratio de libertate ecclesiae Fabariensis	*G. H. Pertz MG Script. XII (1856) p. 410-14*
s. XII.[1]	de rel. Scafhus.	narratio de reliquiis in monasterium Scafhusense translatis	*O. Holder-Egger MG Script. XV (1888) p. 954-59*
s. X.-XIII.	NECROL.	NECROLOGIA	*F. L. Baumann MG Necrol. Germ. I (1888). III (1905). S. Herzberg-Fränkel, op. cit. II (1904). M. Fastlinger, J. Sturm, op. cit. IV (1920). F. A. Fuchs, op. cit. V (1913)*
† 566	NICET.	NICETIUS, episc. Treverensis	
	ad Chlodos.	epistola ad Chlodosuindam reginam	*W. Gundlach MG Epist. III (1892) p. 119-22*

aetas	notae	notarum explicatio	editiones
	ad Iust.	epistola ad Iustinianum imp.	*W. Gundlach, op. cit. p. 118-19*
	NICOL.	NICOLAUS, medicus Parisinus	
s. XIII.med.	anat.	anatomia	*F. Redeker, Die Anatomia magistri Nicolai phisici . . . Diss. Leipzig. 1917. p. 29-59*
† 867	NICOL. I.	NICOLAUS I. papa	
860-67	epist.	epistolae	*E. Perels MG Epist. VI (1925) p. 267-690*
† post 1307	NICOL. BIBER.	NICOLAUS de Bibera	
1281-84	carm.	carmen satiricum	*T. Fischer, Nicolai de Bibera Carmen satiricum (GeschQuellProvSachs. I 2). 1870. p. 37-121*
† 845	NITH.	NITHARDUS, abb. Centulensis	
c. 841-43	hist.	historiae	*E. Müller, Nithardi historiarum libri IV (MG Script. rer. Germ.). 1907. p. 1-50. – [P. Lauer, Nithard, Histoire des fils de Louis le Pieux (Les classiques de l'histoire de France au moyen-âge VII). 1926]*
	[NIVARD. Ysengr.]	v. YSENGRIMUS	
	NIZO	NIZO, mon. s. Laurentii Leodiensis	
c. 1140	Frid.	vita Friderici, episc. Leodiensis	*W. Wattenbach MG Script. XII (1856) p. 502-08*
† 1117	NORB. IBURG.	NORBERTUS, abb. Iburgensis	
1090-1100	Benn.	vita Bennonis II., episc. Osnabrugensis	*H. Bresslau MG Script. XXX (1934) p. 871-92*
790	NOTIT. Arnon.	NOTITIA Arnonis, archiep. Salisburgensis	*W. Hauthaler, Salzburger UB. I (1910) p. 4-16. – F. Lošek, Mitteilungen d. Gesellsch. f. Salzburger Landeskunde 130 (1990) p. 80-96*
c. 840-912	NOTKER. BALB.	NOTKERUS BALBULUS, magister Sangallensis	
	carm.	carmina varia	*W. v. d. Steinen, Notker der Dichter u. seine geistige Welt. Editionsband. 1948. p. 138-51. – [P. v. Winterfeld MG Poet. IV (1899) p. 324. 337-39. 343-47]*
884-90	Gall.	vitae Galli fragmenta	*W. Berschin, Notkers Metrum de vita S. Galli (Florilegium Sangallense. Festschrift J. Duft). 1980. p. 93-100. 113-16. app.: p. 116-18. – [K. Strecker MG Poet. IV (1923) p. 1097-1108. – part.: W. v. d. Steinen, op. cit. p. 142-47]*
884-87	gest.	gesta Karoli Magni	*H. F. Haefele, Notkeri Balbuli Gesta Karoli Magni (MG Script. rer. Germ. N. S. XII). 1959*
860-84	hymn.	hymni et sequentiae	*W. v. d. Steinen. op. cit. p. 12-90. epist. dedic.: p. 8-10*

aetas	notae	notarum explicatio	editiones
912	ad Lantb.	epistola ad Lantbertum mon.	*J. Froger, ÉtudGrég. 5 (1962) p. 34-41. – [R. van Doren, Étude sur l'influence musicale de l'abbaye de Saint-Gall (Mém. de l'Académie Royale de Belgique. Classe des Beaux-Arts II 3). 1923. p. 105-13]*
c. 896	martyr.	martyrologium	*Migne PL 131 p. 1029-1164*
885	notat.	notatio	*E. Rauner, MittellatJb. 21 (1986) p. 58-69. – [E. Dümmler, Das Formelbuch des Bischofs Salomo III. von Konstanz. 1857. p. 64-78]*
ante 883 ?	serm.	sermo Galli	*W. Berschin, op. cit. p. 100-13. – [W. E. Willwoll, ZSchweizKirchGesch. 35 (1941) p. 7-19]*
s. XIII.²	NOTULAE Wilh. Cong.	NOTULAE super Wilhelmi de Congenis chirurgiam	*K. Sudhoff, Beitr. z. Gesch. der Chirurgie im Mittelalter. II (1918) p. 311-81*
	- - -	OCULUS MEMORIE v. REGISTR. Eberb.	
	ODBERT.	ODBERTUS Traiectensis	
c. 1025	Frid.	passio Friderici, episc. Traiectensis	*O. Holder-Egger MG Script. XV (1887) p. 344-56*
c. 962-1048	ODILO CLUN.	ODILO, abb. Cluniacensis	
c. 1000	Adelh.	epitaphium dominae Adelheidae (Adal-) augustae	*H. Paulhart, Die Lebensbeschreibung der Kaiserin Adelheid von Abt Odilo von Cluny (MIÖG Erg.-Band XX 2). 1962. p. 28-45. epist. dedic.: p. 27*
	ODILO SUESS.	ODILO, mon. Suessionensis	
c. s. IX.	Seb.	translatio Sebastiani mart.	*ASBoll. Ian. II (1643) p. 278-95. ³p. 642-59. – excerpta: O. Holder-Egger MG Script. XV (1887) p. 379-91*
	[ODO Ern. duc.]	v. ODO MAGDEB. Ern.	
	ODO	ODO abb., ceterum ignotus	
c. 1030	inton.	intonarium	*E. de Coussemaker, Scriptorum de musica medii aevi nova series. II (1867) p. 117-49*
	ODO ARET.	ODO, abb. Aretinus	
s. X.ex.	ton. A. B	tonarius	*part.: M. Gerbert, Scriptores ecclesiastici de musica sacra potissimum. I (1784) p. 248-50 (= A). E. de Coussemaker, Scriptorum de musica medii aevi nova series. II (1867) p. 81-109 (= B; olim: GUIDO ARET. form.)*
† 1113	ODO CAMER.	ODO, abb. Tornacensis, episc. Cameracensis	
c. 1090	(?) rhythmimach.	rhythmimachia	*A. Borst, Das mittelalterliche Zahlenkampfspiel (SBHeidelb. Suppl. V). 1986. p. 344-55. add.: p. 356-81. – [part.: M. Gerbert, Scriptores ecclesiastici de musica sacra potissimum. I (1784) p. 285-87 (olim: PS. ODO CLUN. rhythmimach.)]*

aetas	notae	notarum explicatio	editiones
	ODO GLANN.	ODO, mon. Glannafoliensis	
c. 869	Maur.	miracula Mauri, discipuli Benedicti	*ASBoll. Ian. I (1643) p. 1052-60. ³II p. 334-42. – excerpta: O. Holder-Egger MG Script. XV (1887) p. 462-72*
	ODO MAGD.	ODO Magdunensis, clericus et medicus	
c. 1070	herb.	de viribus herbarum	*L. Choulant, Macer Floridus, De viribus herbarum. 1832. p. 28-123*
	ODO MAGDEB.	ODO, clericus Magdeburgensis	
1205-32	Ern.	carmen de Ernesto duce	*B. Gansweidt, Der 'Ernestus' des Odo von Magdeburg (Münchener Beitr. z. Mediävistik u. Renaissance-Forsch. XXXIX). 1989. corr.: T. A.-P. Klein, StudMediev. ser. III 31 (1990) p. 908-23. 36 (1995) p. 1153-57. – [E. Martène, U. Durand, Thesaurus novus anecdotorum. III (1717) p. 307-76 (olim: ODO Ern. duc.)]*
s. XII.med.	OFFIC. Willig.	OFFICIUM et miracula Willigisi, archiep. Moguntini	*W. Guerrier, Officium et miracula s. Willigisi. 1869. p. 1-38. – excerpta: G. Waitz MG Script. XV (1888) p. 746-48*
c. 985-1048	OLBERT.	OLBERTUS, abb. Gemblacensis et Leodiensis	
1015-20	Veron.	inventio, miracula, translatio Veroni confessoris	*ASBoll. Mart. III (1668) p. 845-50. ³p. 842-47. – excerpta: O. Holder-Egger MG Script. XV (1888) p. 750-53*
† 1227	OLIV.	OLIVERUS, scholasticus Coloniensis, episc. Paderbornensis, episc. card. s. Sabinae	
c. 1220	descr.	descriptio terrae sanctae	*H. Hoogeweg, Die Schriften des ... Oliverus (Bibl. d. Litterar. Vereins in Stuttgart CCII). 1894. p. 3-24*
1214-27	epist.	epistolae	*H. Hoogeweg, op. cit. p. 285-316. – epist. 2: R. Hiestand, Jahrb. d. Kölnischen Geschichtsvereins 58 (1987) p. 31-32*
1219-22	hist. Dam.	historia Damiatina	*H. Hoogeweg, op. cit. p. 161-280. app.: p. 280-82*
1220-21	hist. Hieros.	historia de ortu Ierusalem et eius variis eventibus	*H. Hoogeweg, op. cit. p. 27-79*
1219-22	hist. reg.	historia regum terrae sanctae	*H. Hoogeweg, op. cit. p. 83-158*
	ONULF.	ONULFUS, magister Spirensis	
s. XI.²	rhet.	rhetorici colores	*W. Wattenbach, SBBerl. 1894/I. p. 369-86*
	ORD.	ORDINES	
1230-80	canc. pap.	ordines cancellariae papalis	*M. Tangl, Die päpstlichen Kanzleiordnungen von 1200-1500. 1894. p. 53-82*

aetas	notae	notarum explicatio	editiones
s. VIII.² s. IX.med.	Cas. I. II	ordines Casinenses	*D. T. Leccisotti, Corp. Consuet. Monast. I (1963) p. 101-04 (= I; olim: STURM. consuet.). 113-23 (= II; olim: STURM. ord. offic.). – [Migne PL 89 p. 1259-64]*
s. VII.-XII.	celebr. conc.	ordines de celebrando concilio	*H. Schneider, Die Konzilsordines des Früh- u. Hochmittelalters (MG Ordines de celebrando concilio). 1996*
s. X.med.-XIII.	coron. imp.	ordines coronationis imperialis	*R. Elze, Ordines coronationis imperialis (MG Font. iur. Germ. ant. IX). 1960*
s. XII.med.	elect. pap.	ordines electionem, consecrationem, incoronationem papae designantes	*B. Schimmelpfennig, ArchHistPont. 6 (1968) p. 60-70*
s. VIII.-IX.	iud. Dei A-C	ordines iudiciorum Dei	*K. Zeumer, Formulae Merowingici et Karolini aevi (MG Leg. sectio V). 1886. p. 604-37 (= A). 638-93 (= B). 694-709 (= C). app.: p. 710-21*
s. VIII.-X.	Rom.	ordines Romani	*M. Andrieu, Les ordines Romani du haut moyen âge (Spicil. Sacrum Lovaniense XXIII. XXIV. XXVIII). II-IV (1948-56). (imprimis excerpsimus ordines ad res Germanicas spectantes)*
	ORDO	ORDO	
c. 1030	Mind.	ordo missae Mindensis	*Migne PL 138 p. 1305-36*
	[Rom.]	v. ORD. Rom.	
	[Rom. ant.]	v. PONTIF. Rom.-Germ.	
s.VII.med.	ORIGO Lang.	ORIGO gentis Langobardorum	*G. Waitz MG Script. rer. Lang. 1878. p. 2-6*
† 1163	ORTL.	ORTLIEBUS, mon. Zwifaltensis, abb. Neresheimensis	
1135-37	chron.	chronicon de origine, fundatione, incrementis monasterii Zwifaltensis	*L. Wallach, E. König, K. O. Müller, Die Zwiefalter Chroniken Ortliebs u. Bertholds (Schwäb. Chroniken d. Stauferzeit II). 1941 (²1978) p. 2-122*
	OTFR.	OTFRIDUS, mon. Weissenburgensis	
s. IX.¹	carm.	carmen	*E. Dümmler MG Poet. II (1884) p. 407-08*
c. 865	ad Liutb.	epistola ad Liutbertum	*F. Rädle, Otfrids Brief an Liutbert (Kritische Bewahrung. Festschrift W. Schröder). 1974. p. 218-28. – [E. Dümmler MG Epist. VI (1925) p. 166-69]*
c. 1010-80	OTLOH.	OTLOHUS, mon. Ratisbonensis	
1062-66	Bonif.	vita Bonifatii, apostoli Germanorum	*W. Levison, Vitae s. Bonifatii (MG Script. rer. Germ.). 1905. p. 111-217*
post 1052	Dion.	translatio Dionysii, episc. Parisiensis	*A. Hofmeister MG Script. XXX (1934) p. 824-37*
ante 1032	doctr.	de doctrina spirituali liber metricus	*Migne PL 146 p. 263-300*
c. 1065	Magn.	vita Magni, abb. Faucensis	*M. Coens, AnalBoll. 81 (1963) p. 184-227*

aetas	notae	notarum explicatio	editiones
1062-65	prov.	proverbiorum libellus	*W. C. Korfmacher, Othloni libellus proverbiorum. 1936*
1032-62	quaest.	dialogus de tribus quaestionibus	*Migne PL 146 p. 59-134*
1067-68	tempt.	liber de temptatione cuiusdam monachi	*Migne PL 146 p. 29-50 (lib. 1). R. Wilmans MG Script. XI (1854) p. 387-93 (lib. 2)*
1062-66	vis.	liber visionum	*P. G. Schmidt, Otloh von St. Emmeram, Liber visionum (MG Quellen z. Geistesgesch. d. Mittelalters XIII). 1989. – [Migne PL 146 p. 341-88. – excerpta: R. Wilmans, op. cit. p. 378-87]*
s. XI.med.	Wolfk.	vita Wolfkangi episc.	*ASBoll. Nov. II 1 (1894) p. 565-82. – [G. Waitz MG Script. IV (1841) p. 525-42]*
1062/63-1139	OTTO BAMB.	OTTO, episc. Bambergensis, Pomeranorum apostolus	
	epist.	epistolae	*Migne PL 173 p. 1313-53*
1111 vel 1114/16-58	OTTO FRISING.	OTTO, episc. Frisingensis	
1143-46	chron.	chronica sive historia de duabus civitatibus	*A. Hofmeister, Ottonis ... chronica sive historia de duabus civitatibus (MG Script. rer. Germ.). 1912*
1157-58	gest.	gesta Friderici I. imp.	*B. v. Simson, Ottonis et Rahewini gesta Friderici I. imp. (MG Script. rer. Germ.). 1912. p. 1-161. – F.-J. Schmale, Bischof Otto v. Freising u. Rahewin ... (Ausgew. Quellen z. deutschen Gesch. d. Mittelalters XVII). 1965. p. 82-390*
c. 1100-61	OTTO MOR.	OTTO MORENA, iudex Laudensis	
c. 1160	hist.	historia Friderici I. imp.	*F. Güterbock, Das Geschichtswerk des Otto Morena u. seiner Fortsetzer (MG Script. rer. Germ. N. S. VII). 1930. p. 1-129. – F.-J. Schmale, Italische Quellen über die Taten Kaiser Friedrichs I. ... (Ausgew. Quellen z. deutschen Gesch. d. Mittelalters XVII[a]). 1986. p. 34-168*
† 1223	OTTO SANBLAS.	OTTO, abb. Sanblasianus	
1209-10	chron.	chronica Ottonis Frisingensis continuata	*A. Hofmeister, Ottonis de S. Blasio chronica (MG Script. rer. Germ.). 1912*
s. VII.-VIII.in.	PACTUS Alam.	PACTUS Alamannorum	*K. Lehmann, Leges Alamannorum (MG Leg. sectio I). V 1 (²1966) p. 21-34. – [K. Lehmann, Leges Alamannorum (MG Leg. sectio I). V 1 (1888) p. 21-32. – K. A. Eckhardt, Pactus legis Alamannorum, recensio Chlothariana (Germanenrechte I 2). 1957]*
	---	PASCHASIUS v. RADBERTUS	
	PASS.	PASSIO v. VITA	

aetas	notae	notarum explicatio	editiones
	PAUL. AEGIN.	PAULUS AEGINETA (sc. interpres eius Latinus)	
s. X.	cur.	Pauli liber de curatione egritudinum partium tocius corporis	*J. L. Heiberg, Pauli Aeginetae libri tertii interpretatio Latina antiqua. 1912*
	PAUL. ALBAR.	PAULUS ALBARUS Cordubensis	
s. IX.med.	carm.	carmina	*L. Traube MG Poet. III (1896) p. 126-42*
† c. 1150	PAUL. BERNR.	PAULUS Bernriedensis	
c. 1134-50	epist.	epistolae	*J. v. Pflugk-Harttung, Iter Italicum. 1883. p. 472-79. – M. Magistretti, La scuola cattolica 25 (1897) p. 495-503*
1128	Greg.	vita Gregorii VII. papae	*J. M. Watterich, Pontificum Romanorum vitae. I (1862) p. 474-546*
c. 1130	Herl.	vita Herlucae, virginis Bernriedensis	*ASBoll. Apr. II (1675) p. 552-57. 3p. 549-54. – excerpta: G. Waitz MG Script. IV (1841) p. 427*
	Udalr. Cell.	v. VITA Udalr. Cell. I	
† c. 799	PAUL. DIAC.	PAULUS DIACONUS Langobardus	
	carm.	carmina	*K. Neff, Die Gedichte des Paulus Diaconus (QuellUntersLatPhil. III 4). 1908. p. 4-162. – [E. Dümmler MG Poet. I (1881) p. 35-86]*
s. VIII.ex.	Lang.	historia Langobardorum	*L. C. Bethmann, G. Waitz MG Script. rer. Lang. 1878. p. 45-187*
784	Mett.	gesta episcoporum Mettensium	*G. H. Pertz MG Script. II (1829) p. 261-68*
ante 774	Rom.	historia Romana	*H. Droysen, Eutropii breviarium ... cum ... Pauli Landolfique additamentis (MG Auct. Ant. II). 1879. p. 4-224*
† 1066	PAUL. FULD.	PAULUS Iudaeus, mon. Fuldensis	
ante 1055 ?	Erh.	vita et miracula Erhardi, episc. Ratisbonensis	*ASBoll. Ian. I (1643) p. 535-39. – excerpta: W. Levison MG Script. rer Mer. VI (1913) p. 8-21*
c. 740-802	PAULIN. AQUIL.	PAULINUS, patriarcha Aquileiensis	
c. 800	carm.	carmina	*D. Norberg, L'œuvre poétique de Paulin d'Aquilée (Kungl. Vitterhets Historie och Antikvitets Akademien. Handlingar. Filologisk-filosofiska ser. XVIII). 1979. – [E. Dümmler MG Poet. I (1881) p. 126-48]*
800	c. Fel.	contra Felicem Urgellitanum episc. libri tres	*D. Norberg CC Cont. Med. XCV (1990). – [Migne PL 99 p. 349-468]*
1114	PAX Valenc.	PAX Valencenensis	*P. Godding, J. Pycke, La paix de Valenciennes de 1114 (Univ. catholique de Louvain; Publ. de l'Inst. d'études médiévales, 2e sér. IV). 1981. – [W. Arndt MG Script. XXI (1869) p. 605-10]*
s. XII.-XIII.	PEREGRINUS	PEREGRINUS carmen	*E. Habel, ZDtAlt. 74 (1937) p. 103-14*

aetas	notae	notarum explicatio	editiones
	PETR. CAS.	PETRUS, bibliothecarius Casinensis	
s. XII.[1]	chron.	chronica monasterii Casinensis	*H. Hoffmann MG Script. XXXIV (1980) p. 409-607. – [W. Wattenbach MG Script. VII (1846) p. 727-844]*
	PETR. CRASS.	PETRUS CRASSUS, iuris peritus Ravennas	
1084	def.	defensio Heinrici IV. regis	*L. v. Heinemann MG Lib. Lit. I (1891) p. 433-53*
1006/07-72	PETR. DAM.	PETRUS DAMIANI, episc. card. Ostiensis	
1062	[disc.]	disceptatio synodalis v. PETR. DAM. epist. (89)	
1040/41-70	epist.	epistolae	*K. Reindel, Die Briefe des Petrus Damiani (MG Die Briefe d. deutschen Kaiserzeit IV 1-4). 1983-93. – [part.: L. v. Heinemann MG Lib. Lit. I (1891) p. 17-75 (= epist. 40; olim: PETR. DAM. grat.). p. 77-94 (= epist. 89; olim: PETR. DAM. disc.)]*
1052	[grat.]	liber gratissimus v. PETR. DAM. epist. (40)	
1041-42	Rom.	vita Romualdi	*G. Tabacco, Petri Damiani vita beati Romualdi (Fonti per la storia d'Italia XCIV). 1957*
1040-70	serm.	sermones	*I. Lucchesi CC Cont. Med. LVII (1983)*
1210/20-77	PETR. HISP.	PETRUS HISPANUS, medicus et philosophus, postea Iohannes XXI. papa	
c. 1250	chirurg.	diaetae super chirurgiam	*K. Sudhoff, Beitr. z. Gesch. der Chirurgie im Mittelalter. II (1918) p. 395-98*
	PETR. MUSAND.	PETRUS MUSANDINUS, medicus Salernitanus	
c. 1150	summ.	summula de praeparatione ciborum et potuum infirmorum	*S. de Renzi, Collectio Salernitana. V (1859) p. 254-68*
	PETR. TREV.	PETRUS, mon. s. Eucharii Treverensis	
post 1204	David	vita David, mon. Himmerodensis	*A. Schneider, AnalSOrdCist. 11 (1955) p. 32-44*
† 991	PILGR.	PILGRIMUS, episc. Pataviensis	
972-74	ad Bened.	epistola ad Benedictum VI. papam	*W. Lehr, Pilgrim, Bischof von Passau, u. die Lorscher Fälschungen. 1909. p. 43-47*
† 754 ?	PIRMIN.	PIRMINUS, fundator monasteriorum Augiensis, Hornbacensis aliorumque	
	(?) scar.	dicta ... de singulis libris canonicis scarapsus	*G. Jecker, Die Heimat des hl. Pirmin. 1927. p. 34-73. add.: P. Lehmann, StudMittBenOrd. 47 (1929) p. 45-51*

aetas	notae	notarum explicatio	editiones
	[PLATO TIBURT. tab.]	v. TAB. smar.	
c. 888	POETA Saxo	POETA Saxo: anonymi cuiusdam mon. Corbeiae Novae annales de gestis Karoli Magni	*P. v. Winterfeld MG Poet. IV (1899) p. 7-71*
	PONTIF.	PONTIFICALE, -IA	
c. s. IX.[2]	Rhen. sup.	pontificalia Rhenaniae superioris	*M. J. Metzger, Zwei karolingische Pontifikalien vom Oberrhein (Freiburger theol. Studien XVII). 1914. p. 3-104*
c. 950	Rom.-Germ.	pontificale Romano-Germanicum	*C. Vogel, R. Elze, Le Pontifical romano-germanique du dixième siècle (Studi e Testi CCXXVI. CCXXVII. CCLXIX). I. II (1963). add.: III (1972) p. 59-60 (olim: ORDO Rom. ant.). – [M. Hittorp, De divinis catholicae ecclesiae officiis. Coloniae. 1568. p. 85-160]*
cod. s. XII.	PRACT. puer.	PRACTICA puerorum	*K. Sudhoff, Janus 14 (1909) p. 476-80*
codd. s. VIII.-IX.	PRAECEPT. diaet.	PRAECEPTA diaetetica	*F.-D. Groenke, Die frühmittelalterlichen lat. Monatskalendarien. Diss. Berlin. 1986*
c. s. XII.[2]	PRIMORD. Windb.	PRIMORDIA Windbergensia	*P. Jaffé MG Script. XVII (1861) p. 560-65*
† 861	PRUD. TREC.	PRUDENTIUS, episc. Trecensis	
	annal.	annales	*F. Grat, J. Vielliard, S. Clémencet, Annales de Saint-Bertin. 1964. p. 17-84. – [G. Waitz, Annales Bertiniani (MG Script. rer. Germ.). 1883. p. 11-54]*
	PS. ADALB. BAMB.	PSEUDO-ADALBERTUS Bambergensis	
s. XIII.in.	Heinr.	vita et miracula Heinrici II. imp.	*G. Waitz MG Script. IV (1841) p. 792-814. 816-20*
	PS. ALBERT. M.	PSEUDO-ALBERTUS MAGNUS	
c. 1250	alch.	tractatus de metallis et alchimia	*F. Paneth, ArchGeschMath. 12 (1930) p. 34-39*
	PS. ALCUIN.	PSEUDO-ALCUINUS	
s. IX.	mus.	de musica	*M. Gerbert, Scriptores ecclesiastici de musica sacra potissimum. I (1784) p. 26-27 (olim: ALCUIN. [?] mus.). cf. AUREL. REOM. mus. 8]*
	PS. ALPHONS.	PSEUDO-ALPHONSUS	
s. XIII.	clav.	clavis sapientiae perperam Alphonso, regi Castellae, adscripta	*Theatrum chemicum sumptibus heredum Eberh. Zetzneri. V. Argentorati. 1660. p. 766-86*
	PS. ARIST.	PSEUDO-ARISTOTELES	
s. XIII.	interpr.	interpretatio cuiusdam epistolae, quae Alexandri Macedonum regis nomine circumfertur	*Auriferae artis, quam chemiam vocant, vol. I. Basileae. [2]1593. p. 382-88*

aetas	notae	notarum explicatio	editiones
s. XIII.	lap. I. II	de lapidibus	*J. Ruska, Das Steinbuch des Aristoteles. 1912. p. 183-208 (= I). V. Rose, ZDtAlt. 18 (1875) p. 384-97 (= II)*
c. 1250	magist.	de perfecto magisterio	*J. J. Mangetus, Bibliotheca chemica curiosa. I (1702) p. 638-59*
s. XIII.	pract.	de practica lapidis philosophici	*J. J. Mangetus, op. cit. p. 659-62*
cod. s. VIII.	probl.	problemata	*U. Stoll, Das 'Lorscher Arzneibuch' (Sudhoffs Arch. Beih. XXVIII). 1992. p. 68-74*
s. XIII.	tract.	tractatus ad Alexandrum Magnum de lapide philosophico	*Theatrum chemicum sumptibus heredum Eberh. Zetzneri. V. Argentorati. 1660. p. 787-98*
	PS. AVIC.	PSEUDO-AVICENNA	
s. XIII.	anim.	de anima in arte alchimiae	*Artis chemicae principes Avicenna atque Geber. Basileae (per Petrum Pernam). 1572. p. 1-471*
s. XIII.	epist.	epistola ad regem Hasen de re recta	*Theatrum chemicum sumptibus heredum Eberh. Zetzneri. IV. Argentorati. 1659. p. 863-75*
s. XIII.	lap.	declaratio lapidis physici	*J. J. Mangetus, Bibliotheca chemica curiosa. I (1702) p. 633-36*
s. XIII.	tinct.	de tinctura metallorum	*J. J. Mangetus, op. cit. p. 626-33*
	PS. BEDA	PSEUDO-BEDA	
s. IX[1]-XI.	arithm.	de arithmeticis propositionibus	*M. Folkerts, Sudhoffs Arch. 56 (1972) p. 37-41*
s. XII.[in.]	mund. const.	de mundi caelestis terrestrisque constitutione	*C. Burnett, Pseudo-Bede, De mundi celestis terrestrisque constitutione (Warburg Inst. Surveys and Texts X). 1985. p. 16-66. add.: p. 75-76*
	PS. BOETH.	PSEUDO-BOETHIUS	
s. XI.	geom.	geometria (quae dicitur altera)	*M. Folkerts, 'Boethius' Geometrie II (Boethius. Texte u. Abh. z. Gesch. d. Exakten Wiss. IX). 1970. p. 113-71. app.: p. 220-45. – [G. Friedlein, Boethii 'De institutione arithmetica'. 1867. p. 373-428]*
	PS. CALID.	PSEUDO-CALIDUS	
s. XIII.	(?) alleg.	allegoria profundissimum philosophici lapidis arcanum perfecte continens	*J. J. Mangetus, Bibliotheca chemica curiosa. II (1702) p. 191-92*
s. XIII.	lap.	de materia philosophici lapidis fragmentum	*Auriferae artis, quam chemiam vocant, vol. I. Basileae. [2]1593. p. 397-404*
s. XIII.	secret.	liber secretorum	*J. J. Mangetus, op. cit. p. 183-89*
s. XIII.	verb.	liber trium verborum	*Auriferae artis, quam chemiam vocant, vol. I. Basileae. [2]1593. p. 352-61*
	PS. COPHO	PSEUDO-COPHO	
1110-20	anat.	anatomia porci	*K. Sudhoff, ArchGeschMath. 10 (1927-28) p. 141-45*

aetas	notae	notarum explicatio	editiones
	Ps. GALEN.	PSEUDO-GALENUS	
c. 1225	anat.	anatomia vivorum	*Opera Galeni. VIII. Basileae (apud Frobenium). 1549. p. 166-218. var. l. cod. Vindob.: R. Töply, Anatomia Ricardi Anglici. 1902*
	[febr.]	liber de agnoscendis febribus et pulsibus et urinis v. Ps. GALEN. puls. (cod. Vr)	
	[fragm.]	fragmentum v. Ps. GALEN. puls. (cod. Mo)	
cod. s. XII.	incis.	historia incisionis	*K. Sudhoff, ArchGeschMed. 3 (1909-10) p. 361-66. app.: p. 366-68*
s. VII.-VIII.	puls.	de pulsis et urinis	*M. Stoffregen, Eine frühmittelalterliche lat. Übersetzung des byzantinischen Puls- u. Urintraktats des Alexandros. Diss. Berlin 1977. codicibus expresse allatis eorum priores quaeque editiones conferendae sunt: cod. S: H. Pohl, Ein Pseudogalentext aus dem frühen Mittelalter. Diss. Leipzig. 1922. cod. Vr: B. Noßke, Alexandri (Tralliani?) liber de agnoscendis febribus et pulsibus et urinis. Diss. Leipzig. 1919 (olim: PS. GALEN. febr.). cod. Mo (= cap. 22): E. Landgraf, Programm d. kgl. Progymnasiums in Ludwigshafen am Rhein. 1895 (olim: PS. GALEN. fragm.)*
s. VII.-VIII.	syn.	synoche i. e. continuae febres	*H. Leisinger, Die lat. Harnschriften Pseudogalens (Beitr. z. Gesch. d. Med. II). 1925. p. 66-67*
s. VII.-VIII.	urin.	de urinis	*H. Leisinger, op. cit. p. 6-36*
	Ps. GERH. CREM.	PSEUDO-GERHARDUS Cremonensis	
s. XII.-XIII.	sal. I. II	de aluminibus et salibus	*R. Steele, Isis 12 (1929) p. 14-42 (= I). J. Ruska, Das Buch der Alaune u. Salze. 1935. p. 55-83 (= II)*
s. XII.-XIII.	sept.	liber de septuaginta	*M. Berthelot, Archéologie et histoire des sciences (Mém. de l'Académie des Sciences de l'Inst. de France XLIX). 1906. p. 310-63*
	Ps. GUIDO ARET.	PSEUDO-GUIDO Aretinus	
s. XI. ?	arithm. mus.	quomodo de arithmetica procedit musica	*M. Gerbert, Scriptores ecclesiastici de musica sacra potissimum. II (1784) p. 55-61 (olim: GUIDO ARET. [?] arithm. mus.)*
s. XI.	epil.	epilogus in modorum formulis et cantuum qualitatibus	*E. de Coussemaker, Scriptorum de musica medii aevi nova series. II (1867) p. 78-81 (olim: GUIDO ARET. form. praef.)*
	[tract. corr.]	tractatus correctorius; hoc opus s. XV. non iam affertur	*[M. Gerbert, Scriptores ecclesiastici de musica sacra potissimum. II (1784) p. 50-55]*
	Ps. HELIOD.	PSEUDO-HELIODORUS	
cod. s. IX.-X.	chirurg.	chirurgia	*H. E. Sigerist, ArchGeschMed. 12 (1920) p. 3-5*

aetas	notae	notarum explicatio	editiones
	Ps. HIPPOCR.	PSEUDO-HIPPOCRATES	
cod. s. IX.	phleb.	epistola de phlebotomia	*R. Czarnecki, Ein Aderlaßtraktat angeblich des Roger von Salerno. Diss. Leipzig. 1919. p. 25-30. var. l.: A. Morgenstern, Das Aderlaßgedicht des Johannes von Aquila. Diss. Leipzig. 1917. p. 64-73*
s. VI.-VIII.	progn. A. B	prognostica	*K. Sudhoff, ArchGeschMed. 9 (1916) p. 80. 85-86. 90-102 (rec. A). p. 88-104 (rec. B)*
s. VII.-VIII.	sang.	epistola de sanguine cognoscendo	*D. Blanke, Die pseudohippokratische 'Epistula de sanguine cognoscendo'. Diss. Bonn. 1974*
	Ps. HUCBALD.	PSEUDO-HUCBALDUS	
c. s. X.	ton.	commemoratio brevis de tonis et psalmis modulandis	*H. Schmid, Musica et scolica enchiriadis (VeröffMusHistKommBAdW. III). 1981. p. 157-77. – [M. Gerbert, Scriptores ecclesiastici de musica sacra potissimum. I (1784) p. 213-29. – Migne PL 132 p. 1025-42]*
	Ps. MARB. RED.	PSEUDO-MARBODUS Redonensis	
s. XII.	lap.	de duodecim lapidibus pretiosis	*J. M. Riddle, Marbode of Rennes'... De Lapidibus (Sudhoffs Arch. Beih. XX). 1977. p. 119-21. – [B. Hauréau, Notices et extraits des manuscrits de la Bibl. Nationale. XXXIII 1 (1890) p. 194-96. var. l. cod. V: Migne PL 171 p. 1771-72]*
	Ps. METHOD.	PSEUDO-METHODIUS	
s. VIII.[1]	revel.	revelationes	*part.: O. Prinz, DtArch. 41 (1985) p. 6-17*
	Ps. ODO CLUN.	PSEUDO-ODO Cluniacensis	
c. 1000	abac.	regulae super abacum	*M. Gerbert, Scriptores ecclesiastici de musica sacra potissimum. I (1784) p. 296-302*
c. 1000	dial.	dialogus de musica seu enchiridion	*M. Gerbert, op. cit. p. 251-64. prol.: M. Huglo, ArchMusWiss. 18 (1971) p. 138-39*
c. 1000	mus.	de musica	*M. Gerbert, op. cit. p. 265-84*
c. 1000	organistr.	quomodo organistrum construatur	*M. Gerbert, op. cit. p. 303*
s. X.	prooem. ton.	prooemium tonarii	*M. Gerbert, op. cit. p. 248-50*
	[rhythmimach.]	v. ODO CAMER. (?) rhythmimach., RHYTHMIMACH.	
	Ps. ODO MAGD.	PSEUDO-ODO Magdunensis	
s. XI.[1]	herb.	de viribus herbarum	*L. Choulant, Macer Floridus, De viribus herbarum. 1832. p. 124-40*
	Ps. OTHO	PSEUDO-OTHO Cremonensis	
cod. s. XIII.	med.	de electione et viribus medicamentorum simplicium et compositorum	*L. Choulant, Macer Floridus, De viribus herbarum. 1832. p. 158-77*

aetas	notae	notarum explicatio	editiones
	PS. PLATO	PSEUDO-PLATO	
s. XIII.	quart.	quartorum cum commento Hebuhabes Hamed explicati ab Hestole libri	*Theatrum chemicum sumptibus heredum Eberh. Zetzneri. V. Argentorati. 1660. p. 101-85*
	PS. VEN. FORT.	PSEUDO-VENANTIUS FORTUNATUS	
s. IX. ?	Leob.	vita Leobini, episc. Carnotensis	*B. Krusch, Venanti ... Fortunati ... opera pedestria (MG Auct. Ant. IV 2). 1885. p. 73-82*
s. VIII.	Remig.	vita Remedii (i. e. Remigii), episc. Remensis	*B. Krusch, op. cit. p. 64-67*
c. 880	PULVIS contra febr.	PULVIS contra omnes febres	*G. Sticker, Janus 28 (1924) p. 23-24*
	PURCH.	PURCHARDUS, mon. Augiensis	
c. 994/95 et postea	Witig.	carmen de gestis Witigowonis, abb. Augiensis	*J. Staub, Die Taten des Abtes Witigowo (Reichenauer Texte u. Bilder III). 1992. p. 28-62. – [K. Strecker MG Poet. V (1937-79) p. 262-79]*
c. 785-859	RADBERT.	RADBERTUS PASCHASIUS, abb. Corbeiensis	
s. IX.[1]	Adalh.	vita Adalhardi, abb. Corbeiensis	*excerpta: G. H. Pertz MG Script. II (1829) p. 524-32. – Migne PL 120 p. 1507-52*
c. 836-52	Arsen.	epithaphium Arsenii (alias vita Walae)	*E. Dümmler, AbhBerl. 1900/II. p. 18-98*
831-33	corp. Dom.	de corpore et sanguine Domini	*B. Paulus CC Cont. Med. XVI (1969) p. 13-130. carm. ad Warinum: p. 1. prol. ad Warinum: p. 3-7. prol. ad Karol.: p. 8-9. app.: p. 145-73*
ante 831/33 et post 849	fid.	de fide, spe et caritate	*B. Paulus CC Cont. Med. XCVII (1990)*
ante 831 et post 849	Matth.	expositio in Matthaeum	*B. Paulus CC Cont. Med. LVI-LVI^{B} (1984)*
c. 850-917	RADBOD.	RADBODUS, episc. Traiectensis	
s. IX.-X.	Bonif.	vita Bonifatii, Germanorum apostoli	*W. Levison, Vitae s. Bonifatii (MG Script. rer. Germ.). 1905. p. 62-78*
s. X.$^{in.}$	carm.	carmina	*P. v. Winterfeld MG Poet. IV (1899) p. 162-73*
s. X.$^{in.}$	Mart.	libellus de miraculo Martini	*O. Holder-Egger MG Script. XV (1888) p. 1240-44*
	RADOLF.	RADOLFUS, magister Leodiensis	
c. 1025	epist.	epistolae ad Ragimboldum	*P. Tannery, A. Clerval, Notices et extraits des manuscrits de la Bibl. Nationale. XXXVI 2 (1901) p. 514-32*
	---	RADULFUS v. RADOLFUS, RODULFUS	

aetas	notae	notarum explicatio	editiones
	RAGIMB.	RAGIMBOLDUS, magister Coloniensis	
c. 1025	epist.	epistolae ad Radolfum	*P. Tannery, A. Clerval, Notices et extraits des manuscrits de la Bibl. Nationale. XXXVI 2 (1901) p. 518-33*
† 1170/77	RAHEW.	RAHEWINUS, praep. Frisingensis	
	apol.	apologeticum	*excerpta: W. Wattenbach, SBMünch. 1873. p. 687-90*
1162-63	(?) dial.	dialogus de pontificatu s. Romanae ecclesiae	*H. Böhmer MG Lib. Lit. III (1897) p. 528-46*
1158-60	gest.	gesta Friderici I. imp.	*B. v. Simson, Ottonis et Rahewini gesta Friderici I. imp. (MG Script. rer. Germ.). 1912. p. 162-346. app.: p. 347-51. – F.-J. Schmale, Bischof Otto von Freising u. Rahewin ... (Ausgew. Quellen z. deutschen Gesch. d. Mittelalters XVII). 1965. p. 392-714*
	Theoph.	versus de vita Theophili	*W. Meyer, SBMünch. 1873. p. 93-116*
	RANGER.	RANGERIUS, episc. Lucensis	
1096	Anselm.	vita Anselmi, episc. Lucensis, metrica	*E. Sackur, G. Schwartz, B. Schmeidler MG Script. XXX (1934) p. 1155-1307*
1110	carm.	carmen de anulo et baculo	*E. Sackur MG Lib. Lit. II (1892) p. 508-33*
s. XIII.in.	RAPULARIUS	RAPULARIUS carmen	*P. Gatti, Rapularius (Commedie latine del XII e XIII secolo. V. Pubblicazioni dell'istituto di filologia classica e medievale dell'universitá di Genova XCV). 1986. p. 36-78. – [K. Langosch, Asinarius u. Rapularius (Samml. mittellat. Texte X). 1929. p. 56-73]*
c. 887-974	RATHER.	RATHERIUS, episc. Veronensis et Leodiensis	
968	[apol.]	liber apologeticus v. RATHER. epist. (30)	
963 968	ascens. I. II	sermones de ascensione Domini	*P. L. D. Reid CC Cont. Med. XLVI (1976) p. 47-53 (= I). 185-89 (= II). – [Migne PL 136 p. 734-45 (olim: RATHER. serm. 8. 9)]*
964	cena Dom.	sermo in cena Domini	*P. L. D. Reid, op. cit. p. 97-105. – [Migne PL 136 p. 714-19 (olim: RATHER. serm. 3)]*
955	concl.	conclusio deliberativa	*P. L. D. Reid, op. cit. (1976) p. 3-7. – [Migne PL 136 p. 353-64]*
955-60	conf.	excerptum ex dialogo confessionali	*P. L. D. Reid CC Cont. Med. XLVI^A (1984) p. 221-65. – [Migne PL 136 p. 393-444]*
c. 966	coni.	qualitatis coniectura cuiusdam	*P. L. D. Reid, op. cit. (1976) p. 117-32. – [Migne PL 136 p. 521-48]*
	(?) Donat.	vita Donatiani, episc. Remensis	*F. Dolbeau CC Cont. Med. XLVI^A (1984) p. 281-83*

aetas	notae	notarum explicatio	editiones
932-68	epist.	epistolae	*F. Weigle, Die Briefe des Bischofs Rather von Verona (MG Die Briefe d. deutschen Kaiserzeit I). 1949. p. 13-188. app.: p. 189-92. – [epist. 30: Migne PL 136 p. 629-42. – W. Schoepff, Aurora 7 (1860) p. 23-33. 66 (olim: RATHER. apol.)]*
955-60	(?) exhort.	exhortatio et preces	*P. L. D. Reid, op. cit. (1984) p. 269-73. – [Migne PL 136 p. 443-50]*
964	laps.	de proprio lapsu	*P. L. D. Reid, op. cit. (1976) p. 109-13. – [Migne PL 136 p. 481-86]*
966	Mar.	sermo de Maria et Martha	*P. L. D. Reid, op. cit. (1976) p. 145-53. – [Migne PL 136 p. 749-58 (olim: RATHER. serm. 11)]*
c. 962	Metr.	invectiva de translatione Metronis	*P. L. D. Reid, op. cit. (1976) p. 11-29. – [Migne PL 136 p. 451-72]*
966	nupt.	de nuptu cuiusdam illicito	*P. L. D. Reid, op. cit. (1976) p. 139-42. – [Migne PL 136 p. 567-74]*
968	oct. pasch.	sermo de octavis paschae	*P. L. D. Reid, op. cit. (1976) p. 171-76. – [Migne PL 136 p. 726-32 (olim: RATHER. serm. 6)]*
966 ?	otios. serm.	de otioso sermone	*P. L. D. Reid, op. cit. (1976) p. 157-61. – [Migne PL 136 p. 573-78]*
963	pasch. I. II	sermones de pascha	*P. L. D. Reid, op. cit. (1976) p. 39-43 (= I). 165-67 (= II). – [Migne PL 136 p. 719-26 (olim: RATHER. serm. 4. 5)]*
963 968	pentec. I. II	sermones de pentecoste	*P. L. D. Reid, op. cit. (1976) p. 57-61. – [Migne PL 136 p. 745-49 (olim: RATHER. serm. 10)] (= I). 193-97 (= II).*
955	phren.	phrenesis	*P. L. D. Reid, op. cit. (1984) p. 199-218. – [Migne PL 136 p. 365-92]*
968	post pasch.	sermo post pascha	*P. L. D. Reid, op. cit. (1976) p. 179-81. – [Migne PL 136 p. 732-34 (olim: RATHER. serm. 7)]*
934-37	prael.	praeloquia	*P. L. D. Reid, op. cit. (1984) p. 3-196. – [Migne PL 136 p. 145-344]*
963	quadrag. I. II	sermones de quadragesima	*P. L. D. Reid, op. cit. (1976) p. 33-35 (= I). 65-89 (= II). app.: p 93-94. – [Migne PL 136 p. 689-714 (olim: RATHER. serm. 1. 2)]*
	[serm.]	sermonum nunc unusquisque proprio titulo indicatur, ut supra	
	RATPERT.	RATPERTUS, magister Sangallensis	
s. IX.²	cas.	de origine et diversis casibus monasterii s. Galli	*G. Meyer v. Knonau, MittGeschStGallen XIII (N. F. III). 1872. p. 1-64. – [I. v. Arx MG Script. II (1829) p. 61-74]*
	RECEPT.	RECEPTARIUM, -A	
cod. s. IX.-X.	Bamb.	receptarium Bambergense	*J. Jörimann, Frühmittelalterliche Rezeptarien (Beitr. z. Gesch. d. Med. I). 1925. p. 61-77*

aetas	notae	notarum explicatio	editiones
s. VII.-VIII.	Donauesch.	receptarium Donaueschingense	*L. Englert, Sudhoffs Arch. 24 (1931) p. 238-44*
s. VIII.	Lauresh.	receptarium Laureshamense	*U. Stoll, Das 'Lorscher Arzneibuch' (Sudhoffs Arch. Beih. XXVIII). 1992. p. 79-95. 108-390*
cod. s. IX.	Sangall. I. II	receptaria Sangallensia	*J. Jörimann, op. cit. p. 5-37 (= I). 37-61 (= II)*
s. XIII.[2]	REGIMEN san. Salern.	REGIMEN sanitatis Salernitanum	*J. C. G. Ackermann (1790) in: P. Tesdorpf, T. Tesdorpf-Sickenberger, Das medizinische Lehrgedicht der Hohen Schule zu Salerno. 1915. p. 65-91*
† 1105	REGINH.	REGINHARDUS, abb. Sigebergensis	
c. 1076-85	Annon.	vitae Annonis fragmenta	*N. Eickermann, Soester Zeitschr. 88 (1976) p. 7-14*
† 915	REGINO	REGINO, abb. Prumiensis	
908	chron.	chronicon	*F. Kurze, Reginonis ... chronicon (MG Script. rer. Germ.). 1890. p. 1-153. app.: p. 180*
paulo post 900	harm. inst.	epistola de harmonica institutione	*M. Bernhard, Clavis Gerberti (VeröffMusHistKommBAdW. VII). I (1989) p. 39-73. – [M. Gerbert, Scriptores ecclesiastici de musica sacra potissimum. I (1784) p. 230-47. – Migne PL 132 p. 483-502]*
c. 906	syn. caus.	de synodalibus causis et disciplinis ecclesiasticis	*F. G. A. Wasserschleben, Reginonis ... libri duo de synodalibus causis et disciplinis ecclesiasticis. 1840. p. 1-392*
	REGISTR.	REGISTRUM, -A	
s. IX.[1]-XIII.	abb. Werd.	registra abbatiae Werdinensis	*R. Kötzschke, Die Urbare der Abtei Werden an der Ruhr (Publ. d. Gesellsch. f. Rhein. Geschichtskunde XX 2). 1906*
1210-76	Austr. I. II	registra Austriaca	*A. Dopsch, Die landesfürstlichen Urbare Nieder- u. Oberösterreichs (Österr. Urbare I 1). 1904 (= I). Die landesfürstlichen Gesamturbare der Steiermark (Österr. Urbare I 2). 1910 (= II)*
c. 1280	Baiuv. A. B	registra Baiuvariae	*Urbarium superioris (= A) et transdanubianae (= B) Baiuwariae (Mon. Boica XXXVI 1). 1852. p. 135-335 (= A). 339-424 (= B)*
s. XI. 1107-28	Corb. I. II	registra Corbeiae Novae	*H. H. Kaminsky, Studien z. Reichsabtei Corvey in der Salierzeit (Veröffentl. d. Hist. Komm. f. Westfalen X 4). 1972. p. 195-222 (= I). 224-39 (= II)*
1188	Dal.	registrum Dalense	*F. Philippi, W. A. F. Bannier, Bijdragen en mededeelingen van het Hist. Genootschap 25 (1904) p. 386-422*
1211	Eberb.	registrum Eberbacense, 'Oculus Memorie' q. d.	*H. Meyer zu Ermgassen, Der Oculus Memorie, ein Güterverzeichnis von 1211 aus dem Kloster Eberbach im Rheingau (Veröffentl. d. Hist. Komm. f. Nassau XXXI 2). 1984. p. 25-444. app. p. 445-77*

aetas	notae	notarum explicatio	editiones
1217-80	Eins.	registra Einsidlensia	*P. Kläui, Quellenwerk z. Entstehung der Schweizerischen Eidgenossenschaft. II 2 (1943) p. 37-54*
ante 872	Elnon.	registrum Elnonense	*D. Hägermann, A. Hedwig, Das Polyptychon u. die Notitia de areis von Saint-Maur-des-Fossés (Beih. d. Francia XXIII). 1990. p. 103-05*
1184-c. 1210	Engelb.	registrum Engelbergense	*P. Kläui, op. cit. p. 223-28*
869-78	Foss. I. II	registra Fossatensia	*D. Hägermann, A. Hedwig, op. cit. p. 91-97 (= I). 98-102 (= II)*
c. 970-1280	Frising.	registra Frisingensia	*J. Zahn, Codex diplomaticus Austriaco-Frisingensis (Font. rer. Austr. II 36). III (1871)*
1204-c. 1250	Garz.	registra Garzensia	*H. Hofmann, Die Traditionen, Urkunden u. Urbare des Stiftes Gars (QuellErörtBayerGesch. N. F. XXXI). 1983. p. 147-59*
s. XIII.ex.	Geisenf.	registrum Geisenfeldense	*F. M. Wittmann, Pfründe-Ordnung des vormaligen Klosters Geisenfeld (QuellErörtBayerGesch. I). 1856. p. 415-41*
s. XIII.	Mog.	registrum Moguntinum	*H. A. Erhard, ZGeschWestf. 3 (1840) p. 4-57*
c. 1180-c. 1250	Neocell. Frising.	registra monasterii Novae Cellae Frisingensis	*H.-J. Busley, Die Traditionen, Urkunden u. Urbare des Klosters Neustift bei Freising (QuellErörtBayerGesch. N. F. XIX). 1961. p. 179-94*
s. X.-XIII.ex.	Pant. Col.	registra s. Pantaleonis Coloniensis	*B. Hilliger, Die Urbare von S. Pantaleon in Köln (Publ. d. Gesellsch. f. Rhein. Geschichtskunde XX 1). 1902*
s. XII.ex.-XIII.	Patav.	registra Pataviensia	*A. Maidhof, Die Passauer Urbare (Veröffentl. d. Inst. f. ostbairische Heimatforsch. I. XVII). I (1933). II (1939)*
893	Prum.	registrum Prumiense	*I. Schwab, Das Prümer Urbar (Publ. d. Gesellsch. f. Rhein. Geschichtskunde XX 5). 1983. p. 166-258. praef.: p. 158-59. epil.: p. 259*
s. IX.[1]	Raet. Cur.	registra Curiensis ecclesiae et monasterii Fabariensis	*E. Meyer-Marthaler, F. Perret, Bündner UB. I (1955) p. 376-96 (olim: CHART. Bund. app.)*
s. XIII.	Ringrav.	registra Ringravii	*W. Fabricius, Güter-Verzeichnisse u. Weistümer der Wild- u. Rheingrafschaft (Trier. Arch. Erg.-Heft XII). 1911. p. 6-34*
1177-c. 1250	Salisb.	registra Salisburgensia	*H. Klein, Mitteilungen d. Gesellsch. f. Salzburger Landeskunde 75 (1935) p. 159-92*
1209/10-20	Schir.	registra Schirensia	*M. Stephan, Die Urkunden u. die ältesten Urbare des Klosters Scheyern (QuellErörtBayerGesch. N. F. XXXVI 2). 1988. p. 145-94*
c. 1270	Seccov.	registrum Seccoviense	*B. Roth, Die mittelalterlichen Stiftsurbare der Steiermark (Österr. Urbare III 4). I (1955) p. 51-95*
c. 1250	Teg.	registrum Tegernseense	*M. v. Freyberg, Älteste Gesch. von Tegernsee. 1822. p. 221-55*

aetas	notae	notarum explicatio	editiones
1200-59	Trident. I-IV	registra Tridentina	*C. Schneller, Tridentinische Urbare (Quellen u. Forsch. z. Gesch. ... Österreichs IV). 1898. p. 17-139 (= I). 195-209 (= II). 219-55 (= III). 270-83 (= IV)*
1175	Udalr. August.	registrum monasterii s. Udalrici Augustani	*R. Müntefering, Die Traditionen u. das älteste Urbar des Klosters St. Ulrich u. Afra in Augsburg (QuellErörtBayerGesch. N. F. XXXV). 1986. p. 205-36. – [Mon. Sanulricana. Codex traditionum (Mon. Boica XXII). 1814. p. 131-60 (olim: TRAD. Udalr. August. app.)]*
s. IX.med.-1280	Weiss.	liber possessionum Weissenburgensis	*C. Dette, Liber Possessionum Wizenburgensis (Quellen u. Abh. z. mittelrhein. Kirchengesch. LIX). 1987. – [C. Zeuß, Traditiones possessionesque Wizenburgenses. 1842. p. 269–316 (olim: TRAD. Weiss. app. I)]*
c. 1270	Wirz.	registrum Wirziburgense	*W. Engel, Würzburger Diözesangeschichtsblätter 18/19 (1956/57) p. 21-32*
s. XIII.2	Xant.	registrum Xantense	*C. Wilkes, Quellen z. Rechts- u. Wirtschaftsgesch. d. Archidiakonats u. Stifts Xanten. I (1937) p. 51-108*
	REIN. ALEM.	REINERUS Alemannicus	
c. s. XIII.	phagifac.	phagifacetus	*H. Lemcke, Reineri Phagifacetus. 1880*
† c. 1187	REIN. LEOD.	REINERUS, mon. s. Laurentii Leodiensis	
1158-61	inept.	de ineptiis cuiusdam idiotae sive de claris scriptoribus monasterii	*part.: W. Arndt MG Script. XX (1868) p. 593-603*
	Laur.	libellus de adventu reliquiarum Laurentii	*W. Arndt, op. cit. p. 579-82*
c. 1182	Regin.	vita Reginardi, episc. Leodiensis	*W. Arndt, op. cit. p. 571-78*
	triumph.	triumphale Bulonicum Lamberti	*W. Arndt, op. cit. p. 583-92*
1157-1230	REIN. LEOD.	REINERUS, prior s. Iacobi Leodiensis	
	annal.	annales	*G. H. Pertz MG Script. XVI (1859) p. 651-80*
	REINHER. PADERB.	REINHERUS, decanus Paderbornensis, magister scholarum	
1171	comput.	computus emendatus	*W. E. van Wijk, Verhandelingen der Kon. Nederlandse Akademie van Wetenschappen, Afd. Letterkunde, N. R. LVII 3 (1951)*
† c. 908	REMIG. ALTISS.	REMIGIUS, mon. Altissiodorensis	
s. IX.2	mus.	musica	*C. E. Lutz, Remigii Autissiodorensis commentum in Martianum Capellam. 1965. p. 294-369. – [M. Gerbert, Scriptores ecclesiastici de musica sacra potissimum. I (1784) p. 63-94]*

aetas	notae	notarum explicatio	editiones
s. VI.-IX.	RHYTHM.	RHYTHMI aevi Merovingici et Karolini	*K. Strecker MG Poet. IV (1923) p. 455-856*
c. 1070-s. XII.²	RHYTHMIMACH.	RHYTHMIMACHIAE s. XI.-XII.	*A. Borst, Das mittelalterliche Zahlenkampfspiel (SBHeidelb. Suppl. V). 1986. p. 340-43. 384-426. 471-870. – [part.: M. Gerbert, Scriptores ecclesiastici de musica sacra potissimum. I (1784) p. 287-95 (olim: PS. ODO CLUN. rhythmimach.)]*
† 1252	RICHARD. ANGL.	RICHARDUS ANGLICUS (de Wendovra), medicus	
c. 1210-40	anat. I	anatomia	*K. Sudhoff, ArchGeschMed. 19 (1927) p. 212-34*
	(?) anat. II	anatomia	*I. Schwarz, Die med. Handschriften der kgl. Universitätsbibl. Diss. Würzburg. 1907. p. 79-92*
	[correct.]	correctorium; hoc opus s. XV. non iam affertur	*[Theatrum chemicum sumptibus heredum Eberh. Zetzneri. II. Argentorati. 1659. p. 385-406]*
	RICHER. REM.	RICHERUS, mon. Remensis	
995-98	hist.	historiae	*R. Latouche, Richer, Histoire de France (Les classiques de l'histoire de France au moyen-âge XII. XVII). I (1930). II (1937). – [G. Waitz, Richeri historiarum libri IV (MG Script. rer. Germ.). 1877]*
† c. 1267	RICHER. SENON.	RICHERUS, mon. Senonensis	
c. 1254-67	gest.	gesta Senonensis ecclesiae	*G. Waitz MG Script. XXV (1880) p. 253-345*
† 888	RIMB.	RIMBERTUS, archiep. Hamburgensis et Bremensis	
c. 866	Anscar.	vita Anscarii, archiep. Hamburgensis et Bremensis	*G. Waitz, Vita Anskarii ... (MG Script. rer. Germ.). 1884. p. 13-79*
865-88	epist.	epistola ad sanctimoniales	*G. Waitz, op. cit. p. 92-94 (= VITA Rimb. 15)*
	RITUALE	RITUALE	
s. XII.¹	Flor.	rituale monasterii s. Floriani	*A. Franz, Das Rituale von St. Florian. 1904*
s. XII.in.	Rhenaug.	rituale Rhenaugiense	*G. Hürlimann, Das Rheinauer Rituale (Spicil. Friburg. V). 1959*
† 1186	ROB. TOR.	ROBERTUS de Torineio sive de Monte s. Michaelis	
1150-86	chron.	chronica	*part.: L. C. Bethmann MG Script. VI (1844) p. 476-535*
	ROD. CAMER.	RODULFUS, mon. Cameracensis	
s. XI.ex.-XII.in.	Lietb.	vita Lietberti, episc. Cameracensis	*A. Hofmeister MG Script. XXX (1934) p. 840-66*

aetas	notae	notarum explicatio	editiones
† c. 1046	ROD. GLAB.	RODULFUS GLABER (Radulfus), mon. Divionensis et Cluniacensis	
ante 1030-c. 1046	hist.	historiae	*J. France, Rodulfi Glabri Historiarum libri quinque, N. Bulst, Eiusdem auctoris vita domni Willelmi abbatis. ²1993. p. 2-252. – [M. Prou, Raoul Glaber, Les cinq livres de ses histoires. 1886. – excerpta: G. Waitz MG Script. VII (1846) p. 51-72]*
1031-c. 1036	Wilh.	vita Wilhelmi, abb. Divionensis et Fiscannensis	*N. Bulst, DtArch. 30 (1974) p. 462-87. – [N. Bulst, op. cit. (1993) p. 254-98]*
ante 1140-c. 1195	ROGER. SALERN.	ROGERUS Frugardi, inter medicos Salernitanos perperam numeratus	
c. 1170	chirurg.	chirurgia	*K. Sudhoff, Beitr. z. Gesch. der Chirurgie im Mittelalter. II (1918) p. 156-236*
† 1276	ROLAND. PATAV.	ROLANDINUS Patavinus, magister grammaticae rhetoricaeque	
1257-62	chron.	chronica	*A. Bonardi, Rolandini Patavini Cronica in factis et circa facta Marchie Trivixane (Rer. Ital. Script. N. E. VIII 1). 1905-06. – [P. Jaffé MG Script. XIX (1866) p. 38-147]*
	---	ROLANDUS PARMENSIS, chirurgia v. GLOSS. Roger. I B	
† 1181	ROM. SALERN.	ROMUALDUS II., archiep. Salernitanus	
c. 1178	annal.	annales sive chronicon	*C. A. Garufi, Romualdi Salernitani chronicon (Rer. Ital. Script. N. E. VII 1). 1935. – [part.: W. Arndt MG Script. XIX (1866) p. 398-461]*
	ROSIN.	ROSINUS (ZOSIMUS alchimista)	
s. XIII.	def.	liber divinarum interpretationum et definitionum	*Auriferae artis, quam chemiam vocant, vol. I. Basileae. ²1593. p. 316-19*
s. XIII.	ad Euth.	ad Euthiciam	*Auriferae artis, quam chemiam vocant, vol. I. Basileae (apud Petrum Pernam). 1572. p. 267-98*
s. XIII.	interpr.	de divinis interpretationibus	*Auriferae artis, quam chemiam vocant, vol. I. Basileae. ²1593. p. 291-316*
s. XIII.	ad Sarr.	ad Sarratantam episc. libri	*Auriferae artis, quam chemiam vocant, vol. I. Basileae. ²1593. p. 277-91*
† 865	RUD. FULD.	RUDOLFUS, magister Fuldensis	
863-65	Alex.	translatio Alexandri, filii Felicitatis	*B. Krusch, NachrGött. 1933. p. 423-27. – [G. H. Pertz MG Script. II (1829) p. 674-76]*
c. 836	Leob.	vita Leobae, abb. Biscofesheimensis	*G. Waitz MG Script. XV (1887) p. 121-31*

aetas	notae	notarum explicatio	editiones
842-47	mirac.	miracula sanctorum in Fuldenses ecclesias translatorum	*G. Waitz, op. cit. p. 329-41*
c. 1070-1138	RUD. TRUD.	RUDOLFUS (Rodulfus), abb. s. Trudonis Leodiensis et s. Pantaleonis Coloniensis	
1119-38	epist.	epistolae	*R. Köpke MG Script. X (1852) p. 318-32. – [C. de Borman, Chronique de l'abbaye de Saint-Trond. I (1877) p. 245-86]*
1114-15	gest.	gesta abbatum Trudonensium	*R. Köpke, op. cit. p. 227-72. – [C. de Borman, op. cit. p. 1-119]*
c. 1136	(?) gest.	gesta abbatum Trudonensium	*R. Köpke, op. cit. p. 280-91. – [C. de Borman, op. cit. p. 141-70]*
c. 1100	(?) mus.	quaestiones in musica	*R. Steglich, Die Quaestiones in Musica. Ein Choraltraktat des zentralen Mittelalters u. ihr mutmaßlicher Verfasser Rudolf von St. Trond (Publ. d. Internat. Musikgesellsch. Beih., N. F. X). 1911 (²1970)*
s. XI.²	RUODLIEB	RUODLIEB carmen	*B. K. Vollmann, Faksimile-Ausg. des Codex Latinus Monacensis 19486... u. der Fragmente von St. Florian. II 1 (1985) p. 57-177. epigr.: p. 178-81. – [F. Seiler, Ruodlieb, der älteste Roman des Mittelalters. 1882. p. 203-301. epigr.: p. 302-04]*
	RUOTG.	RUOTGERUS, diac. Coloniensis	
967-69	Brun.	vita Brunonis, archiep. Coloniensis	*I. Ott, Ruotgers Lebensbeschreibung des Erzbischofs Bruno von Köln (MG Script. rer. Germ. N. S. X). 1951*
	RUP. MEDIOL.	RUPERTUS, mon. Mediolacensis (Mettlach)	
c. 977-88	Adalb.	vita Adalberti, diac. Egmundensis	*G. N. M. Vis, De Vita S. Adalberti Confessoris (Nederlandse Hist. Bronnen VII). 1987. p. 40-73. – [O. Oppermann, Fontes Egmundenses. 1933. p. 3-22]*
1076-1129	RUP. TUIT.	RUPERTUS, mon. s. Laurentii Leodiensis et abb. Tuitiensis	
ante 1126	cant.	commentaria in canticum canticorum	*H. Haacke CC Cont. Med. XXVI (1974) p. 5-172. epist. dedic.: p. 3-4*
ante 1126	dial.	anulus sive dialogus inter Christianum et Iudaeum	*H. Haacke, in: M. L. Arduini, Ruperto di Deutz ... (Istituto storico italiano per il medio evo. Studi storici, fasc. CXIX-CXXI). 1979. p. 183-242*
1119-20	Herib.	vita Heriberti, archiep. Coloniensis	*P. Dinter, Rupert von Deutz, Vita Heriberti (Veröffentl. d. Hist. Vereins f. d. Niederrhein ... XIII). 1976*

aetas	notae	notarum explicatio	editiones
1128	inc.	de incendio Tuitiensi	*H. Grundmann, DtArch. 22 (1966) p. 441-71. – [Migne PL 170 p. 333-58. – excerpta: P. Jaffé MG Script. XII (1856) p. 629-37]*
1115-16	Ioh.	commentaria in evangelium s. Iohannis	*H. Haacke CC Cont. Med. IX (1969)*
1125-27	Matth.	de gloria et honore Filii Hominis super Matthaeum	*H. Haacke CC Cont. Med. XXIX (1979) p. 3-421. hymn.: p. 422-24*
c. 1129	medit.	de meditatione mortis	*Migne PL 170 p. 357-90*
1111	off.	de divinis officiis	*H. Haacke CC Cont. Med. VII (1967) p. 5-418. epist. dedic.: p. 1-4. – [Migne PL 170 p. 9-332]*
	[spir.]	de operibus spiritus sancti v. RUP. TUIT. trin. (34-42)	
1113-17	trin.	de sancta trinitate et operibus eius	*H. Haacke CC Cont. Med. XXI-XXIV (1971-72). epist. dedic.: p. 119-23. – [Migne PL 167 p. 197-1828 (p. 1571-1828 olim: RUP. TUIT. spir.)]*
1124	vict.	de victoria verbi Dei	*H. Haacke, Rupert von Deutz, De victoria verbi Dei (MG Quellen z. Geistesgesch. d. Mittelalters V). 1970. corr.: E. Meuthen, DtArch. 28 (1972) p. 544-57*
	RYCCARD.	RYCCARDUS de s. Germano notarius	
s. XIII.[1]	chron.	chronica	*C. A. Garufi, Ryccardi ... chronica (Rer. Ital. Script. N. E. VII 2). 1937-38. – [G. H. Pertz MG Script. XIX (1866) p. 323-86]*
s. VIII.[ex.]	SACRAM. Rhenaug.	SACRAMENTARIUM Rhenaugiense	*A. Hänggi, A. Schönherr, Sacramentarium Rhenaugiense (Spicil. Friburg. XV). 1970*
s. XII.	SALERN.	SALERNUS, magister Salernitanus	
	comp.	compendium	*R. Creutz, QuellStudGeschNat. 5 (1936) p. 489-517*
1221-87/88	SALIMB.	SALIMBENE de Adam O. F. M.	
1282-87	chron.	chronica	*O. Holder-Egger MG Script. XXXII (1905-13) p. 1-652. – [F. Bernini, Salimbene de Adam, Cronica (Scrittori d'Italia CLXXXVII. CLXXXVIII). 1942]*
† 899	SALOM. II.	SALOMO II., episc. Constantiensis	
875-89	epist.	epistolae	*K. Zeumer, Formulae Merowingici et Karolini aevi (MG Leg. sectio V). 1886. p. 409-22 (= Form. Sangall. II 24-26. 29. 30. 33. 34. 36. 40)*
† c. 919	SALOM. III.	SALOMO III., episc. Constantiensis	
c. 906	carm.	carmina	*P. v. Winterfeld MG Poet. IV (1899) p. 297-310*
c. s. XIII. ?	SALUTARIS POETA	SALUTARIS POETA: carmen de variis virtutibus	*J. Bujnoch, MittellatJb. 5 (1968) p. 229-41. – [P. Leyser, Historia poetarum et poematum. 1721. p. 2058-67]*

aetas	notae	notarum explicatio	editiones
	SCHOL.	SCHOLIA	
c. s. XI.ex.	Adam gest.	scholia gestis Adam Bremensis addita	*B. Schmeidler, Adam von Bremen, Hamburgische Kirchengesch. (MG Script. rer. Germ.). 1917. p. 4-274 (in notis)*
s. IX.-XII.	Boeth. mus.	scholia in Boethii institutionem musicam	*M. Bernhard, C. M. Bower, Glossa maior in institutionem musicam Boethii (VeröffMusHistKommBAdW. IX-XI). 1993-96. – [Migne PL 90 p. 909-19 (olim: BEDA [?] mus.)]*
900	enchir.	scholia (i. e. scholica) enchiriadis de arte musica	*H. Schmid, Musica et scolica enchiriadis (VeröffMusHistKommBAdW. III). 1981. p. 60-156. – [M. Gerbert, Scriptores ecclesiastici de musica sacra potissimum. I (1784) p. 173-212]*
	SEDUL. SCOT.	SEDULIUS SCOTUS	
s. IX.med.	carm. I. II	carmina	*L. Traube MG Poet. III (1896) p. 154-66 (= I; olim: carm. 1,1 - 1,21). J. Meyers CC Cont. Med. CXVII (1991) p. 3-131 (= II). app.: L. Traube, op. cit. p. 238-40. – [L. Traube, op. cit. p. 166-232 (olim: carm. 2,1-2,83). – part.: S. Hellmann, Sedulius Scottus (QuellUntersLatPhil. I 1). 1906. p. 19-88]*
	(?) carm.	carmina	*L. Traube, op. cit. p. 232-37 (olim: SEDUL. SCOT. carm. 3,1,1-3,8,22)*
	SERMO	SERMO	
c. 864	de Marso	sermo in festivitate Marsi	*K. Honselmann, Westfälische Zeitschr. 110 (1960) p. 208-20*
s. X.[1]	nat. virg.	sermo in natali virginum XI milium	*J. Klingenberg, BonnJb. 89 (1890) p. 118-20. – ASBoll. Oct. IX (1858) p. 154-55*
c. s. VIII.	de sacril.	sermo de sacrilegiis	*C. P. Caspari, Eine Augustin fälschlich beigelegte Homilia de sacrilegiis. 1886. p. 5-16*
c. 1160-1215	SICARD.	SICARDUS, episc. Cremonensis	
s. XIII.in.	chron.	chronica	*O. Holder-Egger MG Script. XXXI (1903) p. 78-181*
† 1204	SIDO	SIDO, praep. Novimonasteriensis in Holsatia	
1195-96	ad Gozw.	epistola ad Gozwinum	*B. Schmeidler, Helmolds Slavenchronik (MG Script. rer. Germ.). 1937. p. 236-45*
c. 1030-1112	SIGEB. GEMBL.	SIGEBERTUS, magister Mettensis et Gemblacensis	
1111-12	catal.	catalogus de viris illustribus	*R. Witte, Catalogus Sigeberti Gemblacensis monachi de viris illustribus (Lat. Sprache u. Liter. d. Mittelalters I). 1974*
c. 1110-12	chron.	chronographia sive chronica	*L. C. Bethmann MG Script. VI (1844) p. 300-74*

aetas	notae	notarum explicatio	editiones
1092	decenn.	liber decennalis	*J. Wiesenbach, Sigebert von Gembloux, Liber decennalis (MG Quellen z. Geistesgesch. d. Mittelalters XII). 1986*
c. 1060-70	gest.	gesta abbatum Gemblacensium	*G. H. Pertz MG Script. VIII (1848) p. 523-42*
1109	(?) invest.	de investitura episcoporum	*J. Krimm-Beumann, DtArch. 33 (1977) p. 66-83*
c. 1050-60	Theod.	vita Theoderici (Deo-), episc. Mettensis	*G. H. Pertz MG Script. IV (1841) p. 462-83*
s. XI.[2]	Theodard.	vita et passio Theodardi, episc. Traiectensis	*J. Schumacher, Bulletin de la Soc. d'art et d'histoire du diocèse de Liège 51 (1975) p. 22-43*
1060-70	Wigb.	vita Wigberti, fundatoris monasterii Gemblacensis	*G. H. Pertz MG Script. VIII (1848) p. 507-15*
	SIGEBOTO	SIGEBOTO, mon. Paulinaecellensis	
s. XII.[med.]	Paulin.	vita Paulinae, fundatricis Cellae Paulinae	*J. R. Dieterich MG Script. XXX (1934) p. 910-38*
† 966	SIGEH.	SIGEHARDUS, mon. s. Maximini Treverensis	
962-63	Maxim.	miracula Maximini, episc. Treverensis	*ASBoll. Mai. VII (1688) p. 25-33. – excerpta: G. Waitz MG Script. IV (1841) p. 230-34*
† 1043	SIGEW.	SIGEWARDUS, abb. Fuldensis (?)	
	Mein.	vita Meinulfi (Main-), diac. Paderbornensis	*ASBoll. Oct. III (1770) p. 209-16. – excerpta: O. Holder-Egger MG Script. XV (1887) p. 412-17*
	SIMON	SIMON magister, ceterum ignotus	
1145-60	sacram.	de sacramentis	*H. Weisweiler, Maître Simon et son groupe De sacramentis (Spicil. Sacrum Lovaniense XVII). 1937. p. 1-81*
† 1148	SIMON SITH.	SIMON Gandavensis, abb. Alchiacensis et Sithiensis	
	gest.	gesta abbatum s. Bertini Sithiensium	*O. Holder-Egger MG Script. XIII (1881) p. 635-63 (sine chartis)*
† 620	SISEB.	SISEBUTUS, rex Wisigothorum	
612-21	carm.	carmen	*J. Fontaine, Isidore de Seville, Traité de la nature (Bibl. de l'école des hautes études hispaniques XXVIII). 1960. p. 329-35. – [A. Riese, Anthologia Latina. [2]I 2 (1906) p. 3-6]*
616-20	Desid.	vita vel passio Desiderii, episc. Viennensis	*B. Krusch MG Script. rer. Mer. III (1896) p. 630-37. – J. Gil, Miscellanea Wisigothica (Publ. de la Universidad de Sevilla. Filosofía y letras XV). 1972. p. 53-68*
	- - -	epistolae = EPIST. Wisig. 2. 4. 7-9	

aetas	notae	notarum explicatio	editiones
† c. 825	SMAR.	SMARAGDUS, abb. s. Michaelis ad Mosam	
	carm.	carmina	*E. Dümmler MG Poet. I (1881) p. 607-19. add.: I. Schmale-Ott, DtArch. 10 (1954) p. 505*
1180-86	SOLIMARIUS	SOLIMARIUS carmen, auctore Gunthero, fragmentum	*E. Assmann, Gunther der Dichter, Ligurinus (MG Script. rer. Germ. LXIII). 1987. p. 501-12. – [W. Wattenbach, Archives de l'Orient latin 1 (1881) p. 555-61]*
c. 1140	SPEC. virg.	SPECULUM virginum	*J. Seyfarth CC Cont. Med. V (1990) p. 1-364. add.: p. 365-77*
	STATUT.	STATUTA	
816	Murb.	statuta Murbacensia	*J. Semmler, Corp. Consuet. Monast. I (1963) p. 441-50*
1204-64	ord. Teut.	statuta ordinis Teutonici	*M. Perlbach, Die Statuten des Deutschen Ordens. 1890*
c. 1015-post 1100	STEPEL.	STEPELINUS, mon. s. Trudonis Leodiensis	
c. 1050	Trud.	miracula Trudonis, abb. Hasbaniensis	*excerpta: O. Holder-Egger MG Script. XV (1888) p. 825-30. praef.: p. 822*
† 891	STEPH. V.	STEPHANUS V. papa	
885-91	epist. A. B	epistolae	*E. Caspar MG Epist. VII (1928) p. 334-53 (= A). G. Laehr, op. cit. p. 354-65 (= B)*
	STEPH. COL.	STEPHANUS, mon. s. Pantaleonis Coloniensis	
c. 980	Maurin.	translatio Maurini, mart. Coloniensis	*ASBoll. Iun. II (1698) p. 279-83. – excerpta: L. v. Heinemann MG Script. XV (1888) p. 683-86*
	STEPH. [EDD.]	STEPHANUS (EDDIUS presb. ?)	
711-31	Wilfr.	vita Wilfridi, episc. Eboracensis	*W. Levison MG Script. rer. Mer. VI (1913) p. 193-263. – [B. Colgrave, The Life of Bishop Wilfrid by Eddius Stephanus. 1927]*
	[STURM.]		
	[consuet.]	v. ORD. Cas. I	
	[ord. offic.]	v. ORD. Cas. II	
s. XI.	SUMM. Heinr. A-C	SUMMARIUM Heinrici	*R. Hildebrandt, Summarium Heinrici. (Quellen u. Forsch. z. Sprach- u. Kulturgesch. d. Germanischen Völker. N. F. LXI. LXXVIII. CIX). I (1974) p. 1-381. add.: p. 382-404 (= A). II (1982) p. 1-98. add.: p. 99-100 (= B). 101-553. app.: p. 554-57. (= C). corr.: III (1995) p. 319-27. – [olim: GLOSS. III 58-350 St.-S.]*

aetas	notae	notarum explicatio	editiones
c. 1230-41	SUMMA dict. Saxon.	SUMMA prosarum dictaminis Saxonica	*L. Rockinger, Briefsteller u. Formelbücher des 11. bis 14. Jhs. (QuellErörtBayerGesch. IX). I (1863) p. 209-346*
	SYLL.	SYLLOGA	
c. s. IX.	Bern.	sylloga codicis Bernensis 358	*P. v. Winterfeld MG Poet. IV (1899) p. 243-61*
c. 600 ?	Elnon.	sylloga Elnonensis (codicis Vindobonensis 964)	*B. Bischoff, Anecdota novissima (QuellUntersLatPhil. VII). 1984. p. 145-49*
c. s. IX.[2]	Sangall.	sylloga codicis Sangallensis 381	*P. v. Winterfeld, op. cit. p. 317-34. app.: p. 335-49*
1134-45	TAB. smar.	TABULA smaragdina	*R. Steele, D. W. Singer, The Emerald Table (Proceedings of the Royal Soc. of Medicine XXI). 1928. p. 491-501 (olim: PLATO TIBURT. tab.)*
867	TESTAM. Eberh.	TESTAMENTUM Eberhardi marchionis	*P. E. Schramm, F. Mütherich, Denkmale der deutschen Könige u. Kaiser (VeröffZIMünch. II). I (1962) p. 93-94*
1205/15-95	THADD. FLORENT.	THADDAEUS (Alderotti), medicus Florentinus	
c. 1250	cons.	consilia	*G. M. Nardi, Taddeo Alderotti, i 'Consilia'. 1937. – part.: E. O. v. Lippmann, Sudhoffs Arch. 7 (1913-14) p. 381-89*
† ante 1013	THANGM.	THANGMARUS, presb. Hildesheimensis	
	Bernw.	vita Bernwardi, episc. Hildesheimensis, quae maximam partem auctori(bus) s. XII. attribuitur	*G. H. Pertz MG Script. IV (1841) p. 757-82. – [ASBoll. Oct. XI (1864) p. 996-1018]*
post 984	(?) transl. Epiph.	translatio Epiphanii, episc. Ticinensis	*G. H. Pertz MG Script. IV (1841) p. 248-51*
post 984	(?) vita Epiph.	vita Epiphanii	*AnalBoll. 17 (1898) p. 124-27*
	THEGAN.	THEGANUS, chorepisc. Treverensis	
837-38	Ludow.	gesta Ludowici Pii imp.	*E. Tremp, Thegan, Die Taten Kaiser Ludwigs. Astronomus, Das Leben Kaiser Ludwigs (MG Script. rer. Germ. LXIV). 1995. p. 174-254. cont.: p. 254-58. rec. B2: p. 260-77. – [G. H. Pertz MG Script. II (1829) p. 590-603. app.: p. 603-04. add.: B. Simson, ForschDtGesch. 10 (1870) p. 350-51]*
	THEOD.	THEODERICUS, ceterum ignotus	
c. 1172	loc. sanct.	libellus de locis sanctis	*R. B. C. Huygens CC Cont. Med. CXXXIX (1994) p. 143-97. – [M. L. Bulst, W. Bulst, Theodericus, Libellus de locis sanctis (EditHeidelb. XVIII). 1976. – T. Tobler, Theoderici libellus de locis sanctis. 1865 (olim: THEOD. HIRS. loc. sanct.)]*

aetas	notae	notarum explicatio	editiones
† c. 1027	THEOD. AMORB.	THEODERICUS, mon. Amorbacensis et Floriacensis	
c. 1010	Bened. I	illatio Benedicti magistri, pars prior	*J. Mabillon, ASBen. saec. IV 2 (1738) p. 362-67. suppl. cap. 8: Catal. codd. hagiogr. Lat. bibl. Paris. III (1893) p. 422-23. – excerpta: E. Dümmler, AbhBerl. 1894. p. 23-26*
ante 1018	Bened. II	illatio Benedicti, pars posterior	*Catal. codd. hagiogr. Lat. bibl. Brux. I 2 (1889) p. 258-61*
c. 1018	comm.	commentarius in epistolas, quae dicuntur catholicae	*excerpta: E. Dümmler, op. cit. p. 9-21 (in notis). 28-38*
c. 1004	Firman.	vita Firmani abb.	*excerpta: AnalBoll. 18 (1899) p. 24-28 (prol. et epil.)*
post 1002	Mart.	vita Martini papae	*L. Surius, Historiae seu vitae sanctorum. XI (1879) p. 421-40. prol.: A. Mai, Spicil. Romanum. IV (1840) p. 293-95*
c. 1005	(?) Tryph. et Resp.	prologus passionis Tryphonis et Respicii martyrum	*A. Mai, op. cit. p. 290-93*
1206-98	THEOD. CERV.	THEODORICUS, episc. Cerviensis et medicus	
1265-75	chirurg.	chirurgia	*Ars chirurgica Guidonis Chauliaci. Venetiis (apud Juntas). 1546. p. 134-84*
	[THEOD. HIRS.]	v. THEOD.	
	THEOD. PALID.	THEODERICUS, mon. Palidensis	
s. XII.²	annal.	annales Palidenses	*G. H. Pertz MG Script. XVI (1859) p. 51-96*
	THEOD. THEOL.	THEODERICUS, mon. Theolegiensis	
1073-90	Conr.	vita Conradi, archiep. Treverensis	*G. Waitz MG Script VIII (1848) p. 213-19*
† 977	THEOD. TREV.	THEODERICUS, archiep. Treverensis	
965-77	Liutr.	vita Liutrudis rhythmica	*K. Strecker MG Poet. V (1937-79) p. 155-73*
	THEOD. TREV.	THEODERICUS, mon. s. Eucharii Treverensis	
c. 1007	mirac. Celsi	miracula Celsi, episc. Treverensis	*ASBoll. Febr. III (1658) p. 400-04. ³p. 406-10. – [excerpta: G. Waitz MG Script. VIII (1848) p. 207-08]*
c. 1007	sermo de Celso	sermo de Celso	*ASBoll. Febr. III (1658) p. 404-05. ³p. 410-11*
c. 1007	transl. Celsi	translatio sive inventio Celsi	*ASBoll. Febr. III (1658) p. 396-400. ³p. 402-06. – [excerpta: G. Waitz, op. cit. p. 204-07]*
† 1107	THEOD. TRUD.	THEODERICUS, abb. s. Trudonis Leodiensis	
s. XI.ex.	Bav.	vita Bavonis, confessoris Gandavensis	*ASBoll. Oct. I (1765) p. 243-52. ³p. 242-51. – [excerpta: B. Krusch MG Script. rer. Mer. IV (1902) p. 537-45 (in notis). 546]*

aetas	notae	notarum explicatio	editiones
	Theod. Tuit.	Theodericus (Thiod-), aedituus Tuitiensis	
c. 1164	registr. I. II	registrum	*T. J. Lacomblet, ArchGeschNiederrh. 5,2 (1866) p. 270-77 (= I). 278-91 (= II)*
† 821	Theodulf.	Theodulfus, episc. Aurelianensis	
	carm.	carmina	*E. Dümmler MG Poet. I (1881) p. 445-581. app.: p. 629-30*
c. 1050-1120	Theog.	Theogerus, abb. s. Georgii in Nigra Silva et episc. Mettensis	
c. 1120	mus.	musica	*M. Gerbert, Scriptores ecclesiastici de musica sacra potissimum. II (1784) p. 183-96. – [Migne PL 163 p. 777-92]*
	Theoph.	Theophilus presb., i. e. fort. Rogerus Helmwardensis	
c. 1100	sched.	schedula diversarum artium	*C. R. Dodwell, Theophilus, De diversis artibus. 1961. – A. Ilg, Theophilus presbyter, Schedula diversarum artium (Quellenschriften f. Kunstgesch. VII). 1874. – part.: W. Theobald, Des Theophilus presbyter 'Diversarum artium schedula'. 1933*
975-1018	Thietm.	Thietmarus, episc. Merseburgensis	
1012-18	chron.	chronicon	*R. Holtzmann, Die Chronik des Bischofs Thietmar von Merseburg und ihre Korveier Überarbeitung (MG Script. rer. Germ. N. S. IX). 1935. p. 4-532 (in paginis parium numerorum)*
	Thietm.	Thietmarus magister	
c. 1217	peregr.	peregrinatio	*J. C. M. Laurent, Mag. Thietmari 'Peregrinatio'. 1857. – [J. de Saint-Genois, Voyages faits en terre-sainte (Mém. de l'Académie Royale des Sciences ... de Belgique XXVI). 1851. p. 19-58]*
† 1110	Thiofr.	Thiofridus, abb. Epternacensis	
post 1101	flor.	flores epitaphii sanctorum	*Migne PL 157 p. 313-404*
1072-78	Liutw.	vita Liutwini, archiep. Treverensis	*W. Lampen, Thiofried van Echternach en zijn Vita s. Liutwini (Collectanea Francisc. Neerlandica III 6). 1936*
1103-04	Willibr. I [A]	vita Willibrordi, episc. Traiectensis, prosaica	*ASBoll. Nov. III (1910) p. 459-83*
	[Willibr. I B]	v. Mirac. Willibr.	
c. 1105	Willibr. II	vita Willibrordi metrica	*ASBoll. Nov. III (1910) p. 483-500*

aetas	notae	notarum explicatio	editiones
† c. 1280	THOM. TUSC.	THOMAS Tuscus, magister provincialis fratrum minorum Tusciae	
1279	gest.	gesta imperatorum et pontificum	*excerpta: E. Ehrenfeuchter MG Script. XXII (1872) p. 490-528*
	TIT.	TITULI	
s. VIII.	metr. I	tituli metrici saeculi VIII.	*E. Dümmler MG Poet. I (1881) p. 101-15*
s. IX.in.	metr. II	tituli metrici saeculi IX. ineuntis	*E. Dümmler, op. cit. p. 430-33*
c. s. IX.	metr. III	tituli varii metrici aevi Karolini	*K. Strecker MG Poet. IV (1923) p. 1043-55*
s. VIII.-IX.	metr. III A	tituli varii metrici aevi Karolini, supplementum	*K. Strecker MG Poet. VI (1951) p. 159-62*
s. X.-XI.[1]	metr. IV	tituli metrici aevi Ottonum	*K. Strecker MG Poet. V (1937-79) p. 354-71*
	TRACT.	TRACTATUS	
s. XII.	de aegr. cur.	tractatus de aegritudinum curatione	*S. de Renzi, Collectio Salernitana. II (1853) p. 81-385*
ante 1034	de astrol.	tractatus de astrologia	*excerpta: B. Bischoff, Anecdota novissima (QuellUntersLatPhil. VII). 1984. p. 188-91*
cod. s. VIII.ex./IX.	de caus. mul.	tractatus de diversis causis mulierum	*W. Brütsch, De diversis causis mulierum. Diss. Freiburg i. Br. 1922*
s. XII.	de chirurg.	tractatus de chirurgia	*K. Sudhoff, Beitr. z. Gesch. der Chirurgie im Mittelalter. II (1918) p. 108-47*
s. XI.[1]	de cruc. effig.	tractatus de crucifixo (Christo) effigiando	*B. Bischoff, Anecdota novissima (QuellUntersLatPhil. VII). 1984. p. 229-30*
s. XII.[1]	de divis. phil.	tractatus de divisione philosophiae	*M. Grabmann, Die Gesch. der scholastischen Methode. II (1911) p. 36-40*
c. s. XI.	de fist. org.	tractatus de fistulis organicis	*W. Nef, Acta Musicologica 20 (1948) p. 13-20*
paulo post 1099	Garsiae	tractatus Garsiae	*R. M. Thomson, Tractatus Garsiae or the Translation of the Relics of SS. Gold and Silver (Textus minores XLVI). 1973. – [E. Sackur MG Lib. Lit. II (1892) p. 425-35 (olim: GARS. tract.)]*
c. s. XII.	Micrer.	tractatus Micreris	*Theatrum chemicum sumptibus heredum Eberh. Zetzneri. V. Argentorati. 1660. p. 90-101*
	TRAD.	TRADITIONES	
1138-s. XIII.	Altaerip.	traditiones monasterii Altae Ripae (Hauterive)	*E. Tremp, Liber donationum Altaeripae (Mém. et doc. publ. par la Soc. d'histoire de la Suisse romande III 15). 1984*
1120-1279	Asp.	traditiones Aspacenses	*J. Geier, Die Traditionen, Urkunden u. Urbare des Klosters Asbach (QuellErörtBayerGesch. N. F. XXIII). 1969. p. 3-74*
s. XII.-XIII.	Augiens.	traditiones Augienses (Au am Inn)	*Drei bayerische Traditionsbücher aus dem XII. Jh. (J. Mayerhofer, Codex traditionum Augiensium). 1880. p. 89-152*

aetas	notae	notarum explicatio	editiones
s. XII.-XIII.	Biburg.	traditiones Biburgenses	*E. v. Oefele, SBMünch. 1896. p. 413-47*
907-1280	Brixin.	traditiones Brixinenses	*O. Redlich, Die Traditionsbücher des Hochstifts Brixen (Acta Tirolensia I). 1886*
822-1037	Corb.	traditiones Corbeienses (sc. Corbeiae Novae)	*K. Honselmann, Die alten Mönchslisten u. die Traditionen von Corvey (Veröffentl. d. Hist. Komm. f. Westfalen X 6,1). 1982. p. 83-166. – [K. A. Eckhardt, Studia Corbeiensia (Bibl. rer. hist., Studia I. II). I. II (1970). – P. Wigand, Traditiones Corbeienses. 1843]*
1114-1274	Diess.	traditiones Diessenses	*W. Schlögl, Die Traditionen u. Urkunden des Stiftes Dießen (QuellErörtBayerGesch. N. F. XXII 1). 1967. p. 3-84*
s. X.med.-XIII.med.	Ebersb.	traditiones Ebersbergenses	*F. H. Graf Hundt, Das Cartular des Klosters Ebersberg (AbhMünch. XIV 3). 1879. p. 136-81*
1119-1247	Ensd.	traditiones Ensdorfenses	*J. Moritz, Codex traditionum monasterii Ensdorf (v. Freybergs Samml. hist. Schriften u. Urk. II). 1829. p. 180-252. 339-52*
	[Falk.]	v. COD. Falk.	
c. 1096-1196	Formb.	traditiones Formbacenses	*UB des Landes ob der Enns, hrg. vom Verwaltungs-Ausschuß des Museums Francisco-Carolinum zu Linz. I (1852) p. 625-777*
744-1275	Frising.	traditiones Frisingenses	*T. Bitterauf, Die Traditionen des Hochstifts Freising (QuellErörtBayerGesch. N. F. IV. V). I (1905) p. 2-789. II (1909)*
s. IX.in.-XII.med.	Fuld. I. II	traditiones Fuldenses	*E. F. J. Dronke, Traditiones et Antiquitates Fuldenses. 1844. p. 3-158 (= I; ex codice Eberhardi monachi). 161-84 (= II; liber mortuorum fratrum). – ad I: H. Meyer zu Ermgassen, Der Codex Eberhardi des Klosters Fulda (Veröffentl. d. Hist. Komm. f. Hessen LVIII). I (1995) p. 2. 55-56. 111. 150. 211-338*
1107-1230/40	Garz.	traditiones Garzenses	*H. Hofmann, Die Traditionen, Urkunden u. Urbare des Stiftes Gars (QuellErörtBayerGesch. N. F. XXXI). 1983. p. 3-77. – [Drei bayerische Traditionsbücher aus dem XII. Jh. (H. Grauert, Codex traditionum Garzensis). 1880. p. 47-73]*
983-1070	Gottwic.	traditiones Gottwicenses	*A. F. Fuchs, Die Traditionsbücher des Benediktinerstiftes Göttweig (Font. rer. Austr. II 69). 1931.*
s. VIII.med.-XIII.	Lunaelac.	traditiones Lunaelacenses	*G. Rath, E. Reiter, Das älteste Traditionsbuch des Klosters Mondsee (Forsch. z. Gesch. Oberösterr. XVI). 1989. – [UB des Landes ob der Enns, hrg. vom Verwaltungs-Ausschuß des Museums Francisco-Carolinum zu Linz. I (1852) p. 1-82 (nr. 1-138)]. inde a nr. 139: UB des Landes ob der Enns, op. cit. p. 82-101*
1072-1277	Michaelb.	traditiones Michaelbeurenses	*W. Hauthaler, Salzburger UB. I (1910) p. 771-854*

aetas	notae	notarum explicatio	editiones
s. X.-1146	Monast.	traditiones Monasteriensis monasterii	*M. Thiel, O. Engels, Die Traditionen, Urkunden u. Urbare des Klosters Münchsmünster (QuellErörtBayerGesch. N. F. XX). 1961. p. 3-83*
s. XI.in.-1264	Moosb.	traditiones Moosburgenses	*K. Höflinger, Die Traditionen des Kollegiatstifts St. Kastulus in Moosburg (QuellErörtBayerGesch. N. F. XLII 1). 1994.*
	[Neocell.]	v. TRAD. Neocell. Brixin.	
1142-1280	Neocell. Brixin.	traditiones ecclesiae Novae Cellae Brixinensis	*H. Wagner, Das Traditionsbuch des Augustiner-Chorherrenstiftes Neustift bei Brixen (Font. rer. Austr. II 76). 1954*
c. 1122-c. 1230	Neocell. Frising.	traditiones monasterii Novae Cellae Frisingensis	*H.-J. Busley, Die Traditionen, Urkunden u. Urbare des Klosters Neustift bei Freising (QuellErörtBayerGesch. N. F. XIX). 1961. p. 3-76*
739-1250	Patav.	traditiones Patavienses	*M. Heuwieser, Die Traditionen des Hochstifts Passau (QuellErörtBayerGesch. N. F. VI). 1930*
1108-1256	Pruf.	traditiones Prufeningenses	*A. Schwarz, Die Traditionen des Klosters Prüfening (QuellErörtBayerGesch. N. F. XXXIX 1). 1991.*
1155-1255	Raitenh.	traditiones Raitenhaslacenses	*K. Dumrath, Die Traditionsnotizen des Klosters Raithenhaslach (QuellErörtBayerGesch. N. F. VII). 1938*
s. XI.ex.-XII.	Ransh.	traditiones Ranshofenses	*UB des Landes ob der Enns, hrg. vom Verwaltungs-Ausschuß des Museums Francisco-Carolinum zu Linz. I (1852) p. 207-72*
c. 760-1277	Ratisb.	traditiones Ratisbonenses	*J. Widemann, Die Traditionen des Hochstifts Regensburg u. des Klosters S. Emmeram (QuellErörtBayerGesch. N. F. VIII). 1943*
c. 1130-1260	Reichersb.	traditiones Reichersbergenses	*UB des Landes ob der Enns, hrg. vom Verwaltungs-Ausschuß des Museums Francisco-Carolinum zu Linz. I (1852). p. 277-420*
1133-1245	Ror.	traditiones Rorenses	*H.-P. Mai, Die Traditionen, die Urkunden u. das älteste Urbarfragment des Stiftes Rohr (QuellErörtBayerGesch. N. F. XXI). 1966. p. 5-136*
s. XIII.in.	Salem.	traditiones Salemenses	*F. L. Baumann, ZGeschOberrh. 31 (1879) p. 60-140*
987-1267	Salisb. I. II	traditiones Salisburgenses	*W. Hauthaler, Salzburger UB. I (1910) p. 252-576 (= I). 585-764 (= II)*
760-1268	Scheftl.	traditiones Scheftlarienses	*A. Weißthanner, Die Traditionen des Klosters Schäftlarn (QuellErörtBayerGesch. N. F. X 1). 1953*
1078-1268	Schir.	traditiones Schirenses	*M. Stephan, Die Traditionen des Klosters Scheyern (QuellErörtBayerGesch. N. F. XXXVI 1). 1986. p. 3-164*
1003-1242	Teg.	traditiones Tegernseenses	*P. Acht, Die Traditionen des Klosters Tegernsee (QuellErörtBayerGesch. N. F. IX 1). 1952*

aetas	notae	notarum explicatio	editiones
981-1263	Udalr. August.	traditiones monasterii s. Udalrici Augustani	*R. Müntefering, Die Traditionen u. das älteste Urbar des Klosters St. Ulrich u. Afra in Augsburg (QuellErörtBayerGesch. N. F. XXXV). 1986. p. 4-200. – [Mon. Sanulricana. Codex traditionum (Mon. Boica XXII). 1814. p. 1-129]*
	[Udalr. August. app.]	v. REGISTR. Udalr. August.	
s. XI.in.-XIII.med.	Weihenst.	traditiones monasterii s. Stephani Frisingensis	*B. Uhl, Die Traditionen des Klosters Weihenstephan (QuellErörtBayerGesch. N. F. XXVII 1). 1972. – [Mon. Weihenstephanensia. Codex traditionum (Mon. Boica IX). 1767. p. 351-496]*
661-1280	Weiss.	traditiones Weissenburgenses	*A. Doll, K. Glöckner, Traditiones Wizenburgenses (Arbeiten d. Hess. Hist. Komm. Darmstadt). 1979. app.:* C. *Zeuß, Traditiones possessionesque Wizenburgenses. 1842. p. 317-23. 328-33. 335-39 (olim:* TRAD. *Weiss. app. II). – [C. Zeuß, op. cit. p. 1-268]*
	[Weiss. app. I]	v. REGISTR. Weiss.	
930-1172	Welt.	traditiones Weltenburgenses	*M. Thiel, Die Traditionen, Urkunden u. Urbare des Klosters Weltenburg (QuellErörtBayerGesch. N. F. XIV). 1958. p. 3-98*
793-1273	Werd.	traditiones Werdinenses	*W. Crecelius, ZBergGeschVer. 6 (1869) p. 7-66. 7 (1871) p. 1-49*
775/85-1253	Wessof.	traditiones Wessofontanae	*R. Höppl, Die Traditionen des Klosters Wessobrunn (QuellErörtBayerGesch. N. F. XXXII 1). 1984*
s. XI.ex.-XIII.ex.	Westph.	traditiones Westphalicae	*F. Darpe, Codex traditionum Westfalicarum. III (1888). IV (1892). VI (1907)*
	TRANSL., TRIUMPH.	TRANSLATIO, TRIUMPHUS v. VITA	
s. XII.	TROTULA	TROTULA: liber de passionibus mulierum	*Experimentarius medicinae. Argentorati (apud J. Schottum). 1544. p. 3-32. app.: p. 33-34*
c. s. XI.	TURBA phil.	TURBA philosophorum	*J. Ruska, QuellStudGeschNat. 1 (1931) p. 109-70*
	TUTO	TUTO, mon. Tharisiensis	
s. XII.med.	opusc.	opuscula	*W. Rubatscher, Tutonis, monachi O. S. B. s. XII., opuscula. 1882*
	UDALR.	UDALRICUS (Udel-), praep. monasterii Steinfeldensis	
c. 1152-70	epist.	epistolae	*I. Joester, UB der Abtei Steinfeld (Publ. d. Gesellsch. f. Rhein. Geschichtskunde LX). 1976. p. 603-39*
1029-93	UDALR. CELL.	UDALRICUS Cellensis, mon. Cluniacensis	
c. 1080	consuet.	consuetudines Cluniacenses	*Migne PL 149 p. 635-778.*

aetas	notae	notarum explicatio	editiones
† 1151	UDALSC.	UDALSCALCUS, abb. Augustanus	
1133-50	Adalb.	vita Adalberonis, episc. Augustani	*P. Jaffé, ArchGeschAugsb. 3 (1860) p. 2-9. praef.: G. Waitz MG Script. IV (1841) p. 383*
	carm.	carmina parietibus vel velis inscripta	*A. Steichele, ArchGeschAugsb. 3 (1860) p. 102-29*
c. 1120	Conr.	vita Conradi, episc. Constantiensis	*G. H. Pertz MG Script. IV (1841) p. 430-36. add.: W. Berschin, Freiburger Diözesan-Arch. 95 (1975) p. 98-106*
1120	Egin.	de Eginone abb. et Herimanno episc. Augustanis narratio	*P. Jaffé MG Script. XII (1856) p. 432-45. app.: p. 447-48*
	UFFING.	UFFINGUS, mon. Werdinensis	
c. 980-83	Ida	conversio et miracula Idae Hertzfeldensis	*R. Wilmans, Die Kaiserurkunden der Provinz Westfalen. I (1867) p. 470-88. – excerpta: G. H. Pertz MG Script. II (1829) p. 570-76*
s. X.ex.	Liutg.	vita Liutgeri, episc. Monasteriensis, metrica	*K. Strecker MG Poet. V (1937-79) p. 253-55*
	VINC. PRAG.	VINCENTIUS, can. et notarius Pragensis	
c. 1173	annal.	annales	*W. Wattenbach MG Script. XVII (1861) p. 658-83*
	VISIO	VISIO	
c. s. XII.	Arisl.	visio Arislei	*J. Ruska, QuellStudGeschNat. 1 (1931) p. 324-29*
678-79	Baront.	visio Baronti, mon. Longoretensis	*W. Levison MG Script. rer. Mer. V (1910) p. 377-94*
c. 1190	Godesc. A. B	visionis Godeschalci relationes: Godescalcus (= A) et Visio Godescalci (= B)	*E. Assmann, Godeschalcus u. Visio Godeschalci (Quellen u. Forsch. z. Gesch. Schleswig-Holsteins LXXIV). 1979. p. 46-158 (= A). 160-98 (= B)*
s. IX.	Karoli M.	visio Karoli Magni Moguntiae scripta	*P. Geary, Frühmittelalterl. Stud. 21 (1987) p. 293-94. – [H. G. Gengler, Germanische Rechtsdenkmäler. 1875. p. 237-41. – P. Jaffé, Mon. Carolina (Bibl. rer. Germ. IV). 1867. p. 701-04]*
c. 1149	Tnugdali	visio Tnugdali, auctore Marco mon. ceterum ignoto	*A. Wagner, Visio Tnugdali. 1882. p. 3-56*
	VITA	VITA (CONVERSIO, INVENTIO, MIRACULA, PASSIO, TRANSLATIO, TRIUMPHUS)	
s. XIII.in.	VITA Adalb. Wirz.	vita Adalberonis, episc. Wirziburgensis	*I. Schmale-Ott, Vita s. Adalberonis (QuellForschGeschWürzb. VIII). 1954. p. 12-38*
s. XIII.in.	MIRAC. Adalb. Wirz.	miracula Adalberonis	*I. Schmale-Ott, op. cit. p. 38-80*

aetas	notae	notarum explicatio	editiones
c. 1200	VITA Afrae	vita Afrae, mart. Augustanae, metrica	*A. L. Mayer, HistVjSchr. 28 (1933-34) p. 392-403*
s. VII.-VIII.	CONVERS. Afrae	conversio Afrae	*B. Krusch MG Script. rer. Mer. III (1896) p. 55-61*
s. VII.-VIII.	PASS. Afrae I. II	passio Afrae vetustior (= I) et recentior (= II)	*B. Krusch MG Script. rer. Mer. VII (1920) p. 200-04. var. l.: W. Berschin, Bayer. Vorgeschichtsblätter 46 (1981) p. 220-22 (= I). B. Krusch, op. cit. III (1896) p. 61-64 (= II)*
c. s. IX.	VITA Agnet.	vita Agnetis, mart. Romanae, metrica	*K. Strecker MG Poet. VI (1951) p. 108-20*
c. s. XI.med.	VITA Agric.	vita Agricii, episc. Treverensis	*H. V. Sauerland, Trierer Geschichtsquellen des 11. Jhs. 1889. p. 185-211*
821-29	VITA Alcuini	vita Alcuini, abb. Turonensis	*W. Arndt MG Script. XV (1887) p. 184-97*
s. XII.[1]	VITA Altm.	vita Altmanni, episc. Pataviensis	*W. Wattenbach MG Script. XII (1856) p. 228-43*
1105 1180-81	VITA Annon. I. II	vita Annonis, archiep. Coloniensis, prosaica prior et posterior	*R. Köpke MG Script. XI (1854) p. 465-514 (= I). M. Mittler, Vita Annonis minor (Siegburger Studien X). 1975. p. 2-152. add.: p. 154-66. – [excerpta: F. W. E. Roth, NArch. 12 (1887) p. 211-15] (= II)*
ante 1183	VITA Annon. III. IV	vita Annonis metrica prior et posterior	*A. Müller, Anno II., der Heilige. 1858. p. 188-96 (= III). 196-200 (= IV)*
1183-87	MIRAC. Annon.	miracula Annonis	*M. Mittler, Libellus de translatione s. Annonis archiepiscopi et miracula s. Annonis (Siegburger Studien III. IV). 1966-67. p. 28-140 (lib. 1. 2). p. 146-226 (lib. 3. 4). app.: p. 230-40*
c. 1185-87	TRANSL. Annon.	translatio Annonis	*M. Mittler, op. cit. p. 2-24. – [R. Köpke MG Script. XI (1854) p. 514-18. add.: B. Simson, ForschDtGesch. 20 (1880) p. 600-01]*
c. 1087	VITA Anselmi Luc.	vita Anselmi, episc. Lucensis (Bardoni presb. perperam ascripta)	*R. Wilmans MG Script. XII (1856) p. 13-35*
s. IX.med.	VITA Antonini Surr.	vita Antonini, abb. Surrentini	*ASBoll. Febr. II (1658) p. 787-94. ³p. 787-95. – excerpta: G. Waitz MG Script. rer. Lang. 1878. p. 583-85*
s. VII.[1]	VITA Arnulfi	vita Arnulfi, episc. Mettensis	*B. Krusch MG Script. rer. Mer. II (1888) p. 432-46. VII (1920) p. 784-91 (var. l.)*
c. s. X.	VITA Athan. Neap.	vita Athanasii, episc. Neapolitani	*G. Waitz MG Script. rer. Lang. 1878. p. 439-49*
c. s. X.	TRANSL. Athan. Neap.	translatio Athanasii Neapolitani	*B. Capasso, Mon. ad Neapolitani ducatus historiam pertinentia. I (1881) p. 282-90. – excerpta: G. Waitz, op. cit. p. 449-52*
1132-1210	VITA Auct.	vita Auctoris, episc. Treverensis	*ASBoll. Aug. IV (1739) p. 45-47*
c. s. XIII.	TRANSL. Auct.	translatio et miracula Auctoris	*ASBoll. Aug. IV (1739) p. 48-52. – [excerpta: P. Jaffé MG Script. XII (1856) p. 315-16]*
c. 1190	VITA Balder.	vita Balderici II., episc. Leodiensis	*G. H. Pertz MG Script. IV (1841) p. 725-38*

aetas	notae	notarum explicatio	editiones
s. VII.ex.-VIII.in.	VITA Balth. A. B	vita Balthildis, reginae Francorum, prior (= A) et retractata (= B)	*B. Krusch MG Script. rer. Mer. II (1888) p. 482-508*
c. s. IX.	VITA Barb.	vita Barbati, episc. Beneventani	*G. Waitz MG Script. rer. Lang. 1878. p. 556-63*
s. XI.med.	VITA Bard.	vita Bardonis, archiep. Moguntini	*W. Wattenbach MG Script. XI (1854) p. 322-42. – [P. Jaffé, Mon. Moguntina (Bibl. rer. Germ. III). 1866. p. 529-64]*
c. s. IX.2	VITA Bav. I	vita Bavonis, confessoris Gandavensis, prosaica	*B. Krusch MG Script. rer. Mer. IV (1902) p. 534-45*
977-80 c. 1000	VITA Bav. II. III	vita Bavonis metrica prior (= II) et posterior (= III)	*K. Strecker MG Poet. V (1937-79) p. 227-45 (= II). 246-48 (= III)*
s. X.ex.	MIRAC. Bav.	miracula Bavonis	*part.: O. Holder-Egger MG Script. XV (1888) p. 590-97. – ASBoll. Oct. I (1765) p. 293-303. 3p. 292-302*
c. s. XII.1	MIRAC. Bernw.	miracula Bernwardi, episc. Hildesheimensis	*G. H. Pertz MG Script. IV (1841) p. 782-86*
	VITA Berth. Garst.	v. VITA Berth. Garst. I	
s. XII.2-XIII. c. 1227	VITA Berth. Garst. I. II	vita Bertholdi, abb. Garstensis, amplior (= I) et brevior (= II)	*J. Lenzenweger, Berthold, Abt von Garsten (Forsch. z. Gesch. Oberösterr. V). 1958. p. 226-68. prol.: p. 225-26 (= I). 270-74 (= II). – [ASBoll. Iul. VI (1729) p. 475-93 (olim: VITA Berth. Garst.)]*
s. IX.ex.-XIII.	MIRAC. Bert.	miracula Bertini, abb. Sithiensis	*excerpta: O. Holder-Egger MG Script. XV (1887) p. 509-22*
917-1075	VITA Bonif. I	vita Bonifatii, Germanorum apostoli, auctore fort. Traiectensi	*W. Levison, Vitae s. Bonifatii (MG Script. rer. Germ.). 1905. p. 79-89*
c. 1011	VITA Bonif. II	vita Bonifatii auctore Moguntino	*W. Levison, op. cit. p. 90-106*
s. XI. vel antea	VITA Bonif. III	vita Bonifatii auctoris incerti	*A. J. Nürnberger, Anecdota Bonifatiana (26. Bericht d. wiss. Gesellsch. f. Philomathie zu Neiße). 1892. p. 8-21. – excerpta: W. Levison, op. cit. p. 107-10*
s. IX.med.	VITA Burch. Wirz.	vita Burchardi, episc. Wirziburgensis	*O. Holder-Egger MG Script. XV (1887) p. 47-50*
c. 1025	VITA Burch. Worm.	vita Burchardi, episc. Wormatiensis	*G. Waitz MG Script. IV (1841) p. 830-46. – H. Boos, Mon. Wormatiensia, Annalen u. Chroniken (Quellen z. Gesch. d. Stadt Worms III). 1893. p. 99-126*
s. X.	VITA Chrod.	vita Chrodegangi, episc. Mettensis	*G. H. Pertz MG Script. X (1852) p. 553-72*
c. 844	TRANSL. Chrys. et Dar.	translatio Chrysanthi et Dariae, martyrum Romanorum	*ASBoll. Oct. XI (1864) p. 490-94. – excerpta: O. Holder-Egger MG Script. XV (1887) p. 374-76*
s. XI.-XII.	PASS. Colom.	passio et miracula Colomanni, mart. in Austria	*G. Waitz MG Script. IV (1841) p. 675-78*
s. XII.med.	VITA Conr. Const.	vita Conradi, episc. Constantiensis	*G. H. Pertz MG Script. IV (1841) p. 436-41*

aetas	notae	notarum explicatio	editiones
s. XII.med.	MIRAC. Conr. Const.	miracula Conradi Constantiensis	*G. H. Pertz, op. cit. p. 441-44*
s. XII.med.	TRANSL. Conr. Const.	translatio Conradi Constantiensis	*G. H. Pertz, op. cit. p. 444-45*
1170-77	VITA Conr. Salisb.	vita Conradi I., archiep. Salisburgensis	*W. Wattenbach MG Script. XI (1854) p. 63-77*
s. X.in.	VITA Corb.	vita Corbiniani, episc. Frisingensis, retractata	*B. Krusch MG Script. rer. Mer. VI (1913) p. 594-635. – F. Brunhölzl, Sammelblatt d. Hist. Vereins Freising 30 (1983) p. 86-156*
c. s. XIII.1	VITA Cuneg. A. B	vita Cunegundis imp.	*G. Waitz MG Script. IV (1841) p. 821-24 (= A). Migne PL 140 p. 205-14. (= B)*
c. s. XIII.1	MIRAC. Cuneg.	miracula Cunegundis imp.	*excerpta: G. Waitz, op. cit. p. 824-28. 790[43]. – Migne PL 140 p. 214-20*
c. s. X.	VITA Cunib. B. C	vita Cuniberti, archiep. Coloniensis	*Catal. codd. hagiogr. Lat. bibl. Brux. I 1 (1886) p. 244-45 (rec. B). AnalBoll. 47 (1929) p. 363-67 (rec. C)*
c. s. X.-XI.	VITA Dagob.	vita Dagoberti II. (III.), regis Francorum	*B. Krusch MG Script. rer Mer. II (1888) p. 511-24*
s. X.2	VITA Deic.	vita Deicoli, abb. Lutrensis	*ASBoll. Ian. II (1643) p. 200-10. [3]p. 564-74. – excerpta: G. Waitz MG Script. XV (1888) p. 675-82*
c. s. VIII.ex.	VITA Desid. Cad.	vita Desiderii, episc. Cadurcensis	*B. Krusch MG Script. rer. Mer. IV (1902) p. 563-602*
c. 615	VITA Desid. Vienn.	vita vel passio Desiderii, episc. Viennensis	*B. Krusch MG Script. rer. Mer. III (1896) p. 638-45*
c. 1088	TRANSL. Dion. Ratisb.	translatio Dionysii Areopagitae Ratisbonam	*R. Köpke MG Script. XI (1854) p. 351-71. add.: W. Wattenbach, ForschDtGesch. 13 (1873) p. 393-97*
c. 1220	VITA Eberh. Commed.	vita Eberhardi de Commeda	*F. Schneider, ZGeschOberrh. 110 (1962) p. 51-72*
1177-83	VITA Eberh. Salisb. I. II	vita Eberhardi, archiep. Salisburgensis, prior et posterior	*W. Wattenbach MG Script. XI (1854) p. 77-84 (= I). 97-103 (= II)*
s. VIII.med.	VITA Elig.	vita Eligii, episc. Noviomagensis	*excerpta: B. Krusch MG Script. rer. Mer. IV (1902) p. 663-741*
s. IX.	VITA Emm.	vita Emmerammi mart.	*B. Krusch, Arbeonis ... vitae s. Haimhrammi et Corbiniani (MG Script. rer. Germ.). 1920. p. 26-99 (in columella B)*
c. s. X.	VITA Erasmi	vita Erasmi, mart. Campani, metrica	*K. Strecker MG Poet. V (1937-79) p. 81-94*
1281	VITA Ermin.	vita Erminoldi, abb. Prufeningensis	*P. Jaffé MG Script. XII (1856) p. 481-500*
s. X.med.	VITA Euch. Val. Mat.	vita Eucharii, Valerii, Materni, episcoporum Rhenanorum	*ASBoll. Ian. II (1643) p. 918-22. add.: p. 1153. [3]III p. 533-37. add.: p. 757-58*

aetas	notae	notarum explicatio	editiones
s. X.ex.	TRANSL. Eug.Tolet.	translatio Eugenii, episc. Toletani	*D. Misonne, RevBén. 76 (1966) p. 258-79. add.: p. 280-85. – [AnalBoll. 3 (1884) p. 29-57. 5 (1886) p. 391-94. – excerpta: L. v. Heinemannn MG Script. XV (1888) p. 646-52. 1318-19]*
s. X.-XI.in.	VITA Fel. Trev.	vita Felicis, episc. Treverensis	*part.: ASBoll. Mart.III (1688) p. 622-25. 3p. 620-23. E. Winheller, Die Lebensbeschreibungen der vorkarolingischen Bischöfe von Trier. 1935. p. 73-74 (reliqua)*
s. IX.ex.	VITA Find.	vita Findani, reclusi Rhenaugiensis	*O. Holder-Egger MG Script. XV (1887) p. 503-06*
962-72 et s. XI.1	MIRAC. Firm.	miracula Firmini, episc. Virdunensis	*excerpta: O. Holder-Egger MG Script. XV (1888) p. 805-11*
s. VIII.ex.	PASS. Flor.	passio Floriani, mon. Lauriacensis	*B. Krusch, NArch. 28 (1903) p. 386-92. var. l.: B. Krusch MG Script. rer. Mer. VII (1920) p. 802-05. – W. Neumüller, Mitteilungen d. Oberösterr. Landesarch. 10 (1971) p. 29-35*
s. VII.ex.-VIII. 850	VITA Galli I. II	vita Galli, eremitae in Alamannia, prosaica vetustissima (= I) et metrica (= II)	*I. Müller, ZSchweizKirchGesch. 66 (1972) p. 212-21. – [B. Krusch MG Script. rer. Mer. IV (1902) p. 251-56] (= I). E. Dümmler MG Poet. II (1884) p. 428-73 (= II)*
s. X.ex.	VITA Gamalb.	vita Gamalberti, presb. Michaelbuchensis	*ASBoll. Ian. II (1643) p. 783-87. 3III p. 398-402. – excerpta: W. Levison MG Script. rer. Mer. VII (1920) p. 185-91*
s. XII.1	VITA Gebeh. Const.	vita Gebehardi II., episc. Constantiensis	*W. Wattenbach MG Script. X (1852) p. 583-94*
s. XII.-XIII.	VITA Gebeh. Salisb. I. II	vita Gebehardi, archiep. Salisburgensis, prior et posterior	*W. Wattenbach MG Script. XI (1854) p. 25-27 (= I). 34-49 (= II). cont.: p. 49-50*
c. 830	MIRAC. Genes. Hieros.	miracula et translatio Genesii, mon. Hierosolymitani	*A. Holder, W. Wattenbach, ZGeschOberrh. 24 (1872) p. 8-21. – excerpta: G. Waitz MG Script. XV (1887) p. 169-72*
s. XI.med.	VITA Ger. Bron.	vita Gerardi, abb. Broniensis	*L. v. Heinemann MG Script. XV (1888) p. 655-73*
c. 1000	PASS. Ger. Col.	passio Gereonis, mart. Coloniensis, aliorumque	*Migne PL 212 p. 759-72*
c. 670	VITA Gertr. A. B	vita Gertrudis (Geretr-), abb. Nivialensis, vetustior (= A) et retractata (= B)	*B. Krusch MG Script. rer. Mer. II (1888) p. 453-64*
c. 700 c. 783	MIRAC. Gertr. I. II	miracula Gertrudis vetustiora et recentiora	*B. Krusch MG Script. rer. Mer. II (1888) p. 464-71 (= I). 471-74 (= II)*
s. VIII.med.	VITA Goar.	vita Goaris, presb. Rhenani	*B. Krusch MG Script. rer. Mer. IV (1902) p. 411-23*
1150-55 s.XII.2	VITA Godefr. Cap. I. II	vita Godefridi, comitis Capenbergensis, prosaica prior et metrica	*P. Jaffé MG Script. XII (1856) p. 514-28. add.: p. 528-30 (= I). ASBoll. Ian. I (1643) p. 860-63. 3II p. 142-45 (= II)*
c. s. XIII.1	VITA Godefr. Cap. III	vita Godefridi Capenbergensis prosaica recentior	*ASBoll. Ian. I (1643) p. 857-60. 1111-13. 3II p. 139-42. 754-56. – [F. W. E. Roth, RomForsch. 6 (1891) p. 435-43]*

aetas	notae	notarum explicatio	editiones
1131 vel postea	MIRAC. Godeh.	miracula Godehardi, episc. Hildesheimensis	*G. H. Pertz MG Script. XI (1854) p. 218-21*
c. 1132	TRANSL. Godeh.	translatio Godehardi	*G. H. Pertz MG Script. XII (1856) p. 639-50. app. (s. XIII.): p. 650-51*
c. 964	MIRAC. Gorg.	miracula Gorgonii, mart. Nicomediae	*G. H. Pertz MG Script. IV (1841) p. 238-47*
c. 1000	VITA Greg. Porc. I	vita Gregorii, abb. Porcetensis, prior	*O. Holder-Egger MG Script. XV (1888) p. 1187-90. – ASBoll. Nov. II 1 (1894) p. 463-66*
s. XII.ex.	VITA Greg. Porc. II	vita Gregorii Porcetensis posterior	*ASBoll. Nov. II 1 (1894) p. 467-76. add.: p. 599. – part.: O. Holder-Egger, op. cit. p. 1191-99*
c. s. XIII.	VITA Gunth. erem.	vita Guntheri eremitae	*G. H. Pertz MG Script. XI (1854) p. 276-79*
s. XIII.2	MIRAC. Gunth. erem.	miracula Guntheri eremitae	*ASBoll. Oct. IV (1780) p. 1074-81*
s. XII.ex.	MIRAC. Heinr. II.	miracula Heinrici II. imp.	*Migne PL 140 p. 133-40. – excerpta: G. Waitz MG Script. IV (1841) p. 814-16*
c. 1106	VITA Heinr. IV.	vita Heinrici IV. imp. (auctore fort. Erlungo, episc. Wirziburgensi)	*W. Eberhard, Vita Heinrici IV. imperatoris (MG Script. rer. Germ.). 1899*
c. s. XI.med.	VITA Helenae	vita Helenae imp.	*H. V. Sauerland, Trierer Geschichtsquellen des 11. Jhs. 1889. p. 175-84*
	[TRANSL. Herm.]	v. TRANSL. Hermet.	
s. XIII.	VITA Herm. Ios.	vita Hermanni Ioseph, confessoris Steinfeldensis	*ASBoll. Apr. I (1675) p. 686-710. 3p. 683-706*
s. XIII.	TRANSL. Herm. Ios.	obitus, translatio, miracula Hermanni Ioseph	*ASBoll. Apr. I (1675) p. 710-14. 3p. 707-11*
851-55	TRANSL. Hermet.	translatio Hermetis, mart. Romani	*G. Waitz MG Script. XV (1887) p. 410 (olim: TRANSL. Herm.)*
c. 964	VITA Hildulfi	vita Hildulfi, chorepisc. Treverensis	*ASBoll. Iul. III (1723) p. 221-24. 3p. 211-13*
s. IX.-XI.	MIRAC. Hucberti	miracula Hucberti, episc. Leodiensis	*ASBoll. Nov. I (1887) p. 819-29. – excerpta: L. v. Heinemann MG Script. XV (1888) p. 909-14*
c. 1270	VITA Hugon. Tenn.	vita Hugonis, mon. Tennebacensis	*F. J. Mone, Quellensammlung der badischen Landesgesch. IV (1867) p. 65-74*
c. 1165	VITA Karoli M.	vita Karoli Magni	*G. Rauschen, Die Legende Karls des Großen im 11. u. 12. Jh. (Publ. d. Gesellsch. f. Rhein. Geschichtskunde VII). 1890. p. 17-93*
s. VIII.ex.-IX.in. s. IX.ex.	PASS. Kil. I. II	passio Kiliani, mart. Wirziburgensis, prior et posterior	*W. Levison MG Script. rer. Mer. V (1910) p. 722-28 (= I). F. Emmerich, Der hl. Kilian. 1896. p. 11-25 (= II)*
	[VITA Landel.]	v. VITA Landel. Laub.	
s. X.med.-s. XII.	VITA Landel. Ettenh.	vita Landelini, Ettenheimensis eremitae et mart.	*J. van der Straeten, AnalBoll. 73 (1955) p. 97-118*

aetas	notae	notarum explicatio	editiones
s. X.ex.	VITA Landel. Laub.	vita Landelini, abb. Laubacensis et Crispiniensis, metrica	*K. Strecker MG Poet. V (1937-79) p. 211-25*
s. IX.med.	VITA Leb.	vita Lebuini, Saxonum apostoli	*A. Hofmeister MG Script. XXX (1934) p. 791-95*
890-900	VITA Libor.	vita Liborii, episc. Cenomanensis	*ASBoll. Iul. V (1727) p. 409-13*
	[TRANSL. Libor.]	v. TRANSL. Libor. I	
s. IX.med.	TRANSL. Libor. I	translatio Liborii prima	*G. H. Pertz MG Script. IV (1841) p. 149-57. – [A. Cohausz, Erconrads Translatio S. Liborii (Studien u. Quellen z. westfälischen Gesch. VI). 1966. p. 48-111]*
s. IX.ex.	TRANSL. Libor. II	translatio Liborii altera	*F. Baethgen MG Script. XXX (1934) p. 807-13 (olim: IDO Libor.). – [A. Cohausz, op. cit. p. 53-112]*
c. 870-80	VITA Liutb.	vita Liutbirgae reclusae	*O. Menzel, Das Leben der Liutbirg (MG Deutsches Mittelalter III). 1937*
s. IX.med.-XII.[1]	VITA Liutg. I-III	vitae Liutgeri, episc. Monasteriensis, prosaicae (= I. II) et rhythmica (= III)	*W. Diekamp, Die Vitae S. Liudgeri (Die Geschichtsquellen d. Bisthums Münster IV). 1881. p. 54-83 (= I). 85-134 (= II). 135-220 (= III)*
s. IX.-X.	MIRAC. Liutg. I. II	miracula Liutgeri	*W. Diekamp, op. cit. p. 229-32 (= I). 237-49 (= II)*
s. XI.in.	VITA Liutw.	vita Liutwini, archiep. Treverensis	*ASBoll. Sept. VIII (1762) p. 169-72*
840-41	VITA Ludow. Pii	vita Ludowici Pii imp., auctore 'astronomo' q. d.	*E. Tremp, Thegan, Die Taten Kaiser Ludwigs. Astronomus, Das Leben Kaiser Ludwigs (MG Script. rer. Germ. LXIV). 1995. p. 280-554. – [G. H. Pertz MG Script. II (1829) p. 607-48]*
	[VITA Magni Fauc.]	v. VITA Magni Fauc. I	
c. 895	VITA Magni Fauc. I	vita Magni, abb. Faucensis, prima	*D. Walz, Auf den Spuren der Meister. Die Vita des hl. Magnus von Füssen. 1989. p. 102-94. – [ASBoll. Sept. II (1748) p. 735-58. – excerpta: G. Waitz MG Script. IV (1841) p. 425-27]*
cod. s. X.-XI.	VITA Magni Fauc. II	vita Magni altera	*M. Coens, AnalBoll. 81 (1963) p. 326-32*
s. XII.	VITA Mahum.	vita Mahumeti	*B. Bischoff, Anecdota novissima (QuellUntersLatPhil. VII). 1984. p. 113-22*
c. 930	TRANSL. Marci in Aug.	translatio Marci in Augiam	*T. Klüppel, Reichenauer Hagiographie zwischen Walahfrid u. Berno. 1980. p. 143-51. – [F. J. Mone, Quellensammlung der badischen Landesgesch. I (1848) p. 62-67. – excerpta: G. Waitz MG Script. IV (1841). p. 449-52]*
c. 1250	VITA Mariae rhythm.	vita beatae virginis Mariae et salvatoris rhythmica	*A. Vögtlin, Vita beate virginis Marie et salvatoris rhythmica (Bibl. d. Litterar. Vereins in Stuttgart CLXXX). 1888. corr. et var. l.: M. Päpke, Das Marienleben des Schweizers Wernher (Palaestra LXXXI). 1913. p. 158-68*
c. 1185	VITA Mariani	vita Mariani Scoti	*ASBoll. Febr. II (1658) p. 365-72*

aetas	notae	notarum explicatio	editiones
c. 975 1002-12	VITA Mathild. I. II	vita Mathildis reginae prior et posterior	*B. Schütte, Die Lebensbeschreibungen der Königin Mathilde (MG Script. rer. Germ. LXVI). 1994. p. 109-42 (=I). 145-202 (= II). – [R. Köpke MG Script. X (1852) p. 575-82 (= I). G. H. Pertz MG Script. IV (1841) p. 283-302 (= II)]*
c. 1131	INVENT. Matth.	inventiones et miracula Matthiae apostoli	*ASBoll. Febr. III (1658) p. 448-52. ³p. 454-60. – excerpta: G. Waitz MG Script. VIII (1848) p. 226-31*
s. IX.-X.	PASS. Mauric.	passio Mauricii, mart. Agaunensis, metrica	*K. Strecker MG Poet. V (1937-79) p. 101-08*
s. VIII. s.X.-XI.	VITA Maxim. Trev. I. II	vita Maximini, episc. Treverensis, prior et posterior (vel potius epigrammata picturis adscripta)	*ASBoll. Mai. VII (1688) p. 21-24 (= I). K. Strecker MG Poet. V (1937-79) p. 147-52 (= II)*
c. 900	VITA Meginr.	vita Meginrati eremitae	*O. Holder-Egger MG Script. XV (1887) p. 445-48*
s. XII.²	VITA Meing.	vita Meingoldi	*O. Holder-Egger MG Script. XV (1887) p. 557-63*
1155-65	VITA Meinw.	vita Meinwerci, episc. Paderbornensis	*F. Tenckhoff, Das Leben des Bischofs Meinwerk von Paderborn (MG Script. rer. Germ.). 1921*
1105-12	TRANSL. Mod.	translatio Modoaldi, episc. Treverensis	*P. Jaffé MG Script. XII (1856) p. 290-310 (olim: TRANSL. Modo.)*
s. XII.in.	MIRAC. Mod.	miracula Modoaldi	*P. Jaffé, op. cit. p. 310-15 (olim: MIRAC. Modo.)*
c. s. XI.ex.	MIRAC. Nicol. Brunw.	miracula Nicolai Brunwilarensis	*H. Pabst, Arch. 12 (1874) p. 192-200. – excerpta: G. Waitz MG Script. XIV (1883) p. 144-46*
1157-61	VITA Norb. I	vita Norberti, archiep. Magdeburgensis, prima	*R. Wilmans MG Script. XII (1856) p. 670-703*
c. 1157-61	VITA Norb. II	vita Norberti altera	*Migne PL 170 p. 1253-1344. add.: p. 1343-50. R. Wilmans, op. cit. p. 704-06. Catal. codd. hagiogr. Lat. bibl. Brux. I 1 (1886) p. 602. – excerpta: R. Wilmans, op. cit. p. 670-704 (in notis)*
paulo post 1220	VITA Notkeri	vita Notkeri Balbuli, mon. Sangallensis	*ASBoll. Apr. I (1675) p. 579-95. ³p. 576-93 (olim: EKKEH. V. Notker.)*
c. 1139	VITA Otton. Bamb. I	vita Ottonis I., episc. Bambergensis, sive relatio de piis operibus Ottonis	*O. Holder-Egger MG Script. XV (1888) p. 1156-66*
s. XII.med.	VITA Otton. Bamb. II	commendatio sive laudatio rhythmica Ottonis Bambergensis	*R. Köpke MG Script. XII (1856) p. 910-11*
c. 1140-46	VITA Otton. Bamb. III	vita Ottonis Bambergensis, auctore fort. Wolfgero Prufeningensi	*J. Wikarjak Mon. Polon. Hist. N. S. VII 1 (1966). – [A. Hofmeister, Die Prüfeninger Vita des Bischofs Otto von Bamberg (Denkmäler d. Pommerschen Gesch. I). 1924]*
c. 1190 s. XIII.¹	MIRAC. Otton. Bamb. I. II	miracula Ottonis Bambergensis	*R. Köpke MG Script. XII (1856) p. 911-16 (= I). 882-83. 917-19 (= II)*

aetas	notae	notarum explicatio	editiones
c. 515	VITAE patr. Iur.	vitae patrum Iurensium Romani, Lupicini, Eugendi	*F. Martine, Vie des pères du Jura (Sources chrét. CXLII). 1968. – [B. Krusch MG Script. rer. Mer. III (1906) p. 131-66]*
959 vel postea	TRANSL. Patrocli	translatio Patrocli, mart. Treverensis	*G. H. Pertz MG Script. IV (1841) p. 280-81*
s. X.²	VITA Paulin. Trev.	vita Paulini, episc. Treverensis	*ASBoll. Aug. VI (1743) p. 676-79*
c. s. IX.	PASS. Petri et Pauli	passio Petri et Pauli metrica	*K. Strecker MG Poet. VI (1951) p. 122-33*
s. IX.in.	VITA Phil. Cell.	vita Philippi, presb. Cellensis	*A. Hofmeister MG Script. XXX (1934) p. 798-801*
s. IX.	TRANSL. Phil. Cell.	translatio Philippi Cellensis	*A. Hofmeister, op. cit. p. 801-03*
c. 1000	INVENT. Phil. Cell.	inventio Philippi Cellensis	*A. Hofmeister, op. cit. p. 803-05*
c. 850-80	VITA Pirmin. I	vita Pirminii prior	*O. Holder-Egger MG Script. XV (1887) p. 21-31. – [ASBoll. Nov. II 1 (1894) p. 34-44]*
994-1008	VITA Pirmin. II	vita Pirminii retractata	*ASBoll. Nov. II 1 (1894) p. 35-45. prol.: O. Holder-Egger,op. cit. p. 20-21*
c. 1012	MIRAC. Pirmin.	miracula Pirminii Hornbacensia	*O. Holder-Egger MG Script. XV (1887) p. 31-35. – [ASBoll. Nov. II 1 (1894) p. 50-54]*
s. XI.med.	VITA Poppon.	vita Popponis, abb. Stabulensis	*W. Wattenbach MG Script. XI (1854) p. 293-316*
s. VII.-VIII.	PASS. Praeiecti I. II	passiones Praeiecti, episc. Arvernensis	*B. Krusch MG Script. rer. Mer. V (1910) p. 225-48 (= I). ASBoll. Ian. II (1643) p. 633-36. ³III p. 247-50 (= II). prol. ad II: B. Krusch, op. cit. p. 223-24*
s. IX.med.	VITA Pus.	vita Pusinnae virginis	*B. de Gaiffier, AnalBoll. 76 (1958) p. 214-223*
860-77	TRANSL. Pus.	translatio Pusinnae virginis	*R. Wilmans, Die Kaiserurkunden der Provinz Westfalen. I (1867) p. 541-46. – excerpta: G. H. Pertz MG Script. II (1829) p. 681-83*
921	PASS. Quir. Teg.	passio Quirini Tegernseensis	*B. Krusch MG Script. rer. Mer. III (1896) p. 11-20*
962-76	VITA Radbodi	vita Radbodi, episc. Traiectensis	*H. ter Haar, Bijdragen en mededeelingen van het Hist. Genootschap 35 (1914) p. 162-68*
c. s. XII.	VITA Reginsw.	vita Reginswindis, puellulae Laufensis in Suevia	*ASBoll. Iul. IV (1725) p. 92-95. – excerpta: O. Holder-Egger MG Script. XV (1887) p. 359-60*
s. IX.-XI.	MIRAC. Remacli	miracula Remacli, abb. Stabulensis	*excerpta: O. Holder-Egger MG Script. XV (1887) p. 433-43*
c. 1071-81	TRIUMPH. Remacli	triumphus Remacli de Malmundariensi coenobio	*W. Wattenbach MG Script. XI (1854) p. 435-61*
s. XII.in.	VITA Richardi	vita Richardi, abb. Virdunensis	*W. Wattenbach MG Script. XI (1854) p. 281-90*
888-909	VITA Rimb.	vita Rimberti, archiep. Hamburgensis et Bremensis	*G. Waitz, Vita Anskarii ... (MG Script. rer. Germ.). 1884. p. 81-100*
s. IX.med.	VITA Rup.	vita Ruperti (Hrodb-), episc. Salisburgensis	*W. Levison MG Script. rer Mer. VI (1913) p. 157-62*

aetas	notae	notarum explicatio	editiones
c. s. XIII.	VITA Salomae	vita Salomae et Iudith, reclusarum Altahensium	*ASBoll. Iun. V (1709) p. 493-98. 3VII p. 452-56. – excerpta: O. Holder-Egger MG Script. XV (1888) p. 847*
c. 950	TRANSL. sang. Dom. in Aug.	translatio sanguinis Domini in Augiam	*T. Klüppel, Reichenauer Hagiographie zwischen Walahfrid u. Berno. 1980. p. 152-64. – [F. J. Mone, Quellensammlung der badischen Landesgesch. I (1848) p. 68-77. – excerpta: G. Waitz MG Script. IV (1841) p. 446-49]*
s. XI.ex.	VITA Serv.	vita sive gesta Servatii, episc. Traiectensis	*F. Wilhelm, Sanct Servatius. 1910. p. 3-147*
c. 900	VITA Sev. Col.	vita Severini, episc. Coloniensis	*ASBoll. Oct. X (1861) p. 56-63*
c. 1087	VITA Theod.	vita Theoderici, abb. Andaginensis	*W. Wattenbach MG Script. XII (1856) p. 37-57*
1138-46	VITA Theog.	vita Theogeri, episc. Mettensis et abb. s. Georgii, auctore fort. Wolfgero Prufeningensi	*P. Jaffé MG Script. XII (1856) p. 450-79*
s. XII.in.-XIII.	PASS. Thiem. I-III	passiones Thiemonis, archiep. Salisburgensis	*W. Wattenbach MG Script. XI (1854) p. 27-33 (= I). 52-62 (= II). Migne PL 148 p. 895-906 (= III)*
1034-55	MIRAC. Trud.	miracula Trudonis, abb. Hasbaniensis	*excerpta: O. Holder-Egger MG Script. XV (1888) p. 822-25*
s. X.	PASS. Trudp.	passio Trudperti, eremitae Brisgoviensis	*B. Krusch MG Script. rer. Mer. IV (1902) p. 357-63*
s. XII.in.	VITA Udalr. Cell. I	vita Udalrici, prioris Cellensis in Silva Nigra, anterior auctore fort. Paulo Bernriedense	*R. Wilmans MG Script. XII (1856) p. 251-53*
s. XII.in.	VITA Udalr. Cell. II	vita Udalrici Cellensis posterior	*ASBoll. Iul. III (1723) p. 154-70. 3p. 146-61. – excerpta: R. Wilmans MG Script. XII (1856) p. 253-67*
1187-88	VITA Vicel.	vita Vicelini, episc. Aldenburgensis, metrica	*B. Schmeidler, Helmolds Slavenchronik (MG Script. rer. Germ.). 1937. p. 224-35*
1181-83	VITA Virg. Salisb. I. II	vitae Virgilii, episc. Salisburgensis	*W. Wattenbach MG Script. XI (1854) p. 86-88 (= I). 88-95 (= II)*
s. IX.med.	TRANSL. Viti	translatio Viti, mart. Romani	*I. Schmale-Ott, Translatio s. Viti martyris (Veröffentl. d. Hist. Komm. f. Westfalen XLI 1). 1979. – [F. Stentrup, Die Translatio s. Viti. Diss. Münster. 1906. p. 27-46]*
c. 1250	MIRAC. Volqu.	miracula Volquini, primi abb. Sichemensis	*F. Winter, Die Cisterzienser des nordöstlichen Deutschlands. I (1868) p. 370-95*
s. XI.2	MIRAC. Ursm.	miracula Ursmari, abb. Laubacensis	*excerpta: O. Holder-Egger MG Script. XV (1888) p. 832-42*
969-76	PASS. Ursulae	passio Ursulae et sociarum	*W. Levison, BonnJb. 132 (1927) p. 142-57*
s. XII.med.	VITA Wern. Merseb.	vita Werneri, episc. Merseburgensis	*R. Wilmans MG Script. XII (1856) p. 245-48*
843-55	VITA Willeh.	vita Willehadi, episc. Bremensis	*ASBoll. Nov. III (1910) p. 842-46. – G. H. Pertz MG Script. II (1829) p. 380-84*

aetas	notae	notarum explicatio	editiones
s. IX.-X.	VITA Willib.	vita Willibaldi, episc. Eichstetensis	*J. Basnage in: Canisius, Thesaurus mon. ecclesiasticorum et hist. III 1 (1725) p. 16-19*
s. XI.²	MIRAC. Willibr.	miracula Willibrordi, episc. Traiectensis	*W. Levison MG Script. XXX (1934) p. 1369-71 (olim: THIOFR. Willibr. I B)*
c. 1200	VITA Wirnt.	vita Wirntonis, abb. Formbacensis	*O. Holder-Egger MG Script. XV (1888) p. 1127-35*
s. XI.²	UNIBOS	UNIBOS carmen	*T. A.-P. Klein, StudMediev. ser. III 32 (1991) p. 848-79. – A. Welkenhuysen, Het Lied van boer Eenos (Syrinx tekstuitgaven I). 1975. – [P. van de Woestijne, De Klucht van boer Eenos naar een Latijnsch gedicht uit de 11e eeuw Versus de Unibove. 1944 (inde: K. Langosch, Waltharius, Ruodlieb, Märchenepen. 1956. p. 252-304)]*
† 1264	URBAN. IV.	URBANUS IV. papa	
1261-64	registr.	registrum	*C. Rodenberg MG Epist. s. XIII. e regestis pontificum Romanorum sel. III (1894) p. 474-626*
† 1079	URSIO	URSIO, abb. Altimontensis	
c. 1054-76	Marc.	passio, inventio, miracula Marcelli papae	*ASBoll. Ian. II (1643) p. 9-14. ³p. 374-78. – excerpta: O. Holder-Egger MG Script. XV (1888) p. 799-802*
s. XII.²	URSO	URSO Calaber, magister et clericus Salernitanus	
	anat.	anatomia	*K. Sudhoff, ArchGeschMed. 20 (1928) p. 40-50*
	aphor.	aphorismi	*R. Creutz, QuellStudGeschNat. 5 (1936) p. 10-18*
	element.	de commixtionibus elementorum libellus	*W. Stürner, Urso von Salerno, De commixtionibus elementorum libellus (Stuttgarter Beitr. z. Gesch. u. Politik VII). 1976*
	gloss.	glossulae	*R. Creutz, op. cit. p. 18-130*
	med.	de effectibus medicinarum	*C. Matthaes, Der Salernitaner Arzt Urso ... Diss. Leipzig. 1918. p. 39-53*
	qual.	de effectibus qualitatum	*C. Matthaes, op. cit. p. 16-37*
	VULC.	VULCULDUS Moguntinus	
s. XI.med.	Bard.	vita Bardonis, archiep. Moguntini	*W. Wattenbach MG Script. XI (1854) p. 318-21. – [P. Jaffé, Mon. Moguntina (Bibl. rer. Germ. III). 1866. p. 521-29]*
	VULF.	VULFINUS, episc. Diensis	
	[Marc.]	v. VULF. Marc. II	
c. 800	Marc. I. II	vita Marcelli, episc. Diensis, prosaica et metrica	*F. Dolbeau, Francia 11 (1983) p. 113-30 (= I). K. Strecker MG Poet. IV (1923) p. 965-76 (= II)*

aetas	notae	notarum explicatio	editiones
808/09-49	WALAHFR.	WALAHFRIDUS STRABO, abb. Augiensis	
c. 825	Blaithm.	versus de beati Blaithmaic Scoti vita et fine	*E. Dümmler MG Poet. II (1884) p. 297-301*
c. 825-49	carm.	carmina varia	*E. Dümmler, op. cit. p. 350-423*
840-42	exord.	libellus de exordiis et incrementis quarundam in observationibus ecclesiasticis rerum	*A. Boretius, V. Krause, Capitularia regum Francorum (MG Leg. sectio II). II (1897) p. 474-516*
c. 833-34	Gall.	vita et miracula Galli retractata	*B. Krusch MG Script. rer. Mer. IV (1902) p. 280-337*
	hom. in Matth.	homilia in initium euangelii Matthaei	*Migne PL 114 p. 849-62*
c. 825 ?	hort.	de cultu hortorum carmen	*E. Dümmler, op. cit. p. 335-50. corr.: S. T. Collins, RevBén. 58 (1948) p. 148-49*
829	imag. Tetr.	de imagine Tetrici carmen	*E. Dümmler, op. cit. p. 370-78. – M. Herren, JournMedievLat. 1 (1991) p. 122-31*
829-38	Karol. prol. (tit.)	prologus et tituli vitae Karoli Magni ab Einhardo compositae	*O. Holder-Egger, Einhardi vita Karoli Magni (MG Script. rer. Germ.). 1911. p. XXVIII-XXIX (prol.). p. 2-40 (tit.; in notis)*
840-49	Ludow. prol. (tit.)	prologus et tituli vitae Ludowici Pii a Thegano compositae	*E. Tremp, Thegan, Die Taten Kaiser Ludwigs. Astronomus, Das Leben Kaiser Ludwigs (MG Script. rer. Germ. LXIV). 1995. p. 168-74. – [G. H. Pertz MG Script. II (1829) p. 589-90]*
c. 830-40	Mamm.	de vita et fine Mammae mon. carmen	*E. Dümmler, op. cit. p. 275-96. orat.: p. 276. hymn.: p. 296. corr.: S. T. Collins, op. cit. p. 145-47*
s. IX.[1]	(?) metr.	metrorum exempla in tractatu quodam s. IX. Walahfrido adscripta	*J. Huemer, NArch. 10 (1885) p. 167-69 (excerpta). cod. Sangall. 831 p. 169^I^-172^II^*
c. 834-38	Otm.	vita Otmari, abb. Sangallensis, retractata	*I. v. Arx MG Script. II (1829) p. 41-47. – G. Meyer v. Knonau, MittGeschStGallen XII (N. F. II). 1870. p. 94-113. – part.: J. Duft, Sankt Otmar (Bibliotheca Sangallensis IV). 1959. p. 22-38*
	subvers. Hieros.	de subversione Ierusalem sermo	*Migne PL 114 p. 965-74*
c. 826	Wett.	visio Wettini, mon. Augiensis	*E. Dümmler, op. cit. p. 301-33. epil.: p. 333-34. corr.: S. T. Collins, op. cit. p. 147*
	WALDO	WALDO (Gualdo), mon. Corbeiae Veteris	
c. 1060	Anscar.	vita Anscarii, archiep. Hamburgensis et Bremensis, metrica	*J. Langebek, Script. rer. Danic. medii aevi. I (1772) p. 562-621*
	WALDR.	WALDRAMMUS, mon. Sangallensis	
c. 906	carm.	carmina	*P. v. Winterfeld MG Poet. IV (1899) p. 310-14*

aetas	notae	notarum explicatio	editiones
	WALTH. AGIL.	WALTHERUS AGILO, medicus Salernitanus	
s. XIII.med.	med.	summa medicinalis	*P. Diepgen, Gualteri Agilonis 'Summa medicinalis'. 1911*
	WALTH. MARCHT.	WALTHERUS, praep. Marchtelanensis	
1215-29	hist.	historia monasterii Marchtelanensis	*J. A. Giefel, Württemb. Geschichtsquellen, hrg. von dem kgl. Statist. Landesamt. IV (1891) p. 3-21. – excerpta: G. Waitz MG Script. XXIV (1879) p. 662-78*
c. 965-1027/31	WALTH. SPIR.	WALTHERUS Spirensis	
c. 982-83	Christoph. I. II	vita et passio Christophori mart. prosaica et metrica	*K. Strecker MG Poet. V (1937-79) p. 63-79 (= I). 10-63 (= II)*
† c. 1132	WALTH. TER.	WALTHERUS (Galt-), archidiac. Tervanensis	
1130	Ioh.	vita Iohannis, episc. Tervanensis	*O. Holder-Egger MG Script. XV (1888) p. 1138-50*
c. 1127-28	Karol.	vita Karoli Boni, comitis Flandriae	*R. Köpke MG Script. XII (1856) p. 537-61*
s. IX./X. ?	WALTHARIUS	WALTHARIUS, carmen epicum	*K. Strecker MG Poet. VI (1951) p. 24-83*
813-c. 870	WANDALB.	WANDALBERTUS, diac. Prumiensis	
848	creat. mund.	de creatione mundi descriptio	*E. Dümmler MG Poet. II (1884) p. 619-22*
c. 839	Goar.	vita (= lib. 1) et miracula (= lib. 2) Goaris, presb. Rhenani	*H. E. Stiene, Wandalbert von Prüm, Vita et miracula sancti Goaris (Lat. Sprache u. Liter. d. Mittelalters XI). 1981. p. 2-38 (lib. 1). 39-84 (lib. 2). app.: p. 85-89. – [Migne PL 121 p. 639-54 (lib. 1). O. Holder-Egger MG Script. XV (1887) p. 362-72 (lib. 2). app.: p. 372-73]*
848	hor.	de horarum metis carmen	*E. Dümmler, op. cit. p. 617-18*
848	horol.	horologium per duodecim mensium punctos	*E. Dümmler, op. cit. p. 616-17*
848	martyr.	martyrologium	*E. Dümmler, op. cit. p. 571-602. invoc.: p. 571-72. alloc.: p. 573-74. comm.: p. 574-75. dedic.: p. 575-76. prop.: p. 576. compr.: p. 576-78. concl.: p. 603. hymn.: p. 603-04*
848	mens.	de mensium duodecim nominibus, signis, culturis aerisque qualitatibus	*E. Dümmler, op. cit. p. 604-16*
848	ad Otric.	epistola ad Otricum clericum, martyrologio praemissa	*E. Dümmler, op. cit. p. 569-71*
s. XII.	WARN.	WARNERIUS, clericus Basileensis	
	paracl.	paraclitus	*P. W. Hoogterp, ArchHistDoctrLitt. 8 (1933) p. 284-319*

aetas	notae	notarum explicatio	editiones
s. XII.$^{med.}$	synod.	synodius	*P. W. Hoogterp, op. cit. p. 374-97. var. l.: Á. P. Orbán, MittellatJb. 28,2 (1993) p. 18-22*
	WENR.	WENRICUS (Win-), can. Virdunensis, scholasticus Treverensis	
	[carm.]	v. CARM. Winr.	
	---	conflictus ovis et lini v. CONFL. ovis et lini	
1080-81	epist.	epistola sub Theoderici, episc. Virdunensis, nomine composita	*K. Francke MG Lib. Lit. I (1891) p. 284-99*
† 824	WETT.	WETTINUS, mon. Augiensis	
	Gall.	vita Galli	*B. Krusch MG Script. rer. Mer. IV (1902) p. 256-80*
1097/99-1158	WIBALD.	WIBALDUS, abb. Stabulensis, Casinensis, Corbeiensis (sc. Corbeiae Novae)	
1119-57	epist.	epistolae	*P. Jaffé, Mon. Corbeiensia (Bibl. rer. Germ. I). 1864. p. 76-596*
1124/25-c. 1213	WIBERT. GEMBL.	WIBERTUS (Gui-), abb. Gemblacensis	
1180	Hildeg.	vita Hildegardis, abb. Bingensis	*A. Derolez CC Cont. Med. LXVI^{A} (1989) p. 369-79 (= epist. 38 l. 103-450). – [J. B. Pitra, Analecta sacra spicilegio Solesmensi parata. VIII (1882) p. 407-14]*
	WIDO FERR.	WIDO, episc. Ferrariensis	
1086	schism.	de schismate Hildebrandi	*E. Dümmler MG Lib. Lit. I (1891) p. 532-67*
† c. 1050	WIDR.	WIDRICUS, abb. Tullensis	
c. 1027	(?) Gerh. I. II	vita (= I), miracula et translatio (= II) Gerhardi, episc. Tullensis	*excerpta: G. Waitz MG Script. IV (1841) p. 490-505 (= I). 505-09 (= II)*
	WIDUK.	WIDUKINDUS, mon. Corbeiensis (sc. Corbeiae Novae)	
c. 967-73	gest.	res gestae Saxonicae	*P. Hirsch, H.-E. Lohmann, Die Sachsengesch. des Widukind von Korvei (MG Script. rer. Germ.). 1935. p. 1-154*
	WIGAND.	WIGANDUS plebanus	
s. XIII.$^{in.}$	Waldg.	vita Waldgeri comitis	*C. M. Raddatz, Vita s. Waltgeri (Veröffentl. d. Hist. Komm. f. Westfalen XLI 3). 1994. – [R. Wilmans, Die Kaiserurkunden der Provinz Westfalen. I (1867) p. 488-501]*
c. 1179/80-1233	WILBR. [OLD.]	WILBRANDUS Oldenburgensis, episc. Paderbornensis et Traiectensis	

aetas	notae	notarum explicatio	editiones
c. 1211-12	peregr.	peregrinatio in terram sanctam	*J. C. M. Laurent, Peregrinationes medii aevi quatuor. ²1873. p. 162-90*
c. 1177-1234	WILH. ANDR.	WILHELMUS, abb. Andrensis	
1226-34	chron.	chronica Andrensis	*J. Heller MG Script. XXIV (1879) p. 690-773*
	WILH. APUL.	WILHELMUS (Guillermus) Apuliensis	
1088-1111	gest.	gesta Roberti Wiscardi	*M. Mathieu, Guillaume de Pouille, La geste de Robert Guiscard (Istituto siciliano di studi bizantini e neoellenici. Testi IV). 1961. – [R. Wilmans MG Script. IX (1851) p. 241-98]*
	WILH. CLUS.	WILHELMUS, mon. Clusanus	
s. XI.ex.	Bened.	vita Benedicti II., abb. Clusani	*L. C. Bethmann MG Script. XII (1856) p. 197-208*
	WILH. CONG.	WILHELMUS de Congenis, magister Montispessulanus	
c. 1250	chirurg.	chirurgia	*K. Sudhoff, Beitr. z. Gesch. der Chirurgie im Mittelalter. II (1918) p. 311-84*
† 1091	WILH. HIRS.	WILHELMUS, abb. Hirsaugiensis	
1083-88	const.	constitutiones Hirsaugienses seu Gengenbacenses	*Migne PL 150 p. 927-1146*
ante 1069	mus.	musica	*D. Harbinson, Willehelmi Hirsaugensis 'Musica' (Corp. script. de musica XXIII). 1975. – [H. Müller, Die Musik Wilhelms von Hirschau. 1883]*
	WILH. RUBRUQU.	WILHELMUS Rubruquensis O. F. M.	
c. 1255-56	itin.	itinerarium ad partes orientales	*A. van den Wyngaert, Itinera et relationes Fratrum Minorum saeculi XIII et XIV (Sinica Francisc. I). 1929. p. 164-332. – [F. Michel, T. Wright, Itinerarium Willelmi de Rubruk (Recueil de voyages ... publié par la Soc. de Géogr. IV). 1839. p. 213-396]*
1210-c. 1280	WILH. SALIC.	WILHELMUS de Saliceto medicus	
1275	chirurg.	ars chirurgica	*Ars chirurgica Guidonis Chauliaci. Venetiis (apud Juntas). 1546. p. 303-51. 355-61 (lib. 1-3. 5). F. Schaarschmidt, Die Anatomie des Wilhelm von Saliceto. Diss. Leipzig. 1919 (lib. 4). K. Sudhoff, Beitr. z. Gesch. der Chirurgie im Mittelalter. II (1918) p. 399-402 (fragm.)*
	WILLIB.	WILLIBALDUS, presb. Moguntinus	
c. 763-65	Bonif.	vita Bonifatii, Germanorum apostoli	*W. Levison, Vitae s. Bonifatii (MG Script. rer. Germ.). 1905. p. 1-57*

aetas	notae	notarum explicatio	editiones
† 1084/85	WILLIR.	WILLIRAMMUS, abb. Ebersbergensis	
1059-63	cant.	paraphrasis latina cantici canticorum metrica	*E. H. Bartelmez, The 'Expositio in Cantica Canticorum' of Williram, abbot of Ebersberg. 1967. – [J. G. Scherz in: J. Schilter, Thesaurus antiquitatum Teutonicarum. I 3 (1726) p. 1-69]*
	carm.	carmina	*M. Dittrich, ZDtAlt. 76 (1939) p. 51-63*
† c. 1050	WIPO	WIPO, capellanus regius	
c. 1040-46	gest.	gesta Conradi II. imp.	*H. Bresslau, Die Werke Wipos (MG Script. rer. Germ.). 1915. p. 3-62*
c. 1028	prov.	proverbia	*H. Bresslau, op. cit. p. 66-73*
1041	tetral.	tetralogus	*H. Bresslau, op. cit. p. 75-86*
† 1167	WOLBERO	WOLBERO, abb. Coloniensis	
s. XII.med.	cant.	commentaria in cantica canticorum	*Migne PL 195 p. 1005-1272. epil.: p. 1271-78*
† 1218	WOLFGER.	WOLFGERUS Ellenbrechtskirchensis, episc. Pataviensis, patriarcha Aquileiensis	
s. XIII.1	itin. comput.	itinerarium cum computationibus	*H. Heger, Das Lebenszeugnis Walthers von der Vogelweide. 1970. p. 79-114. –[I. V. Zingerle, Reiserechnungen Wolfgers von Ellenbrechtskirchen. 1877]*
	---	WOLFGERUS Prufeningensis v. ANON. Mell., VITA Otton. Bamb. III, VITA Theog.	
† c. 902	WOLFHARD.	WOLFHARDUS, mon. Haserensis	
893-96	Waldb.	vita Waldburgae, abb. Heidenheimensis	*A. Bauch, Quellen z. Gesch. der Diözese Eichstätt II (Eichstätter Studien. N. F. XII). 1979. p. 142-338. – [ASBoll. Febr. III (1658) p. 523-42. 3p. 529-48. – part.: O. Holder-Egger MG Script. XV (1887) p. 538-55]*
	WOLFHER.	WOLFHERIUS, can. Hildesheimensis	
c. 1035 c. 1065	Godeh. I. II	vita Godehardi, episc. Hildesheimensis, prior et posterior	*G. H. Pertz MG Script. XI (1854) p. 167-196 (= I). p. 196-218 (= II)*
s. XII.med.	YSENGRIMUS	YSENGRIMUS fabula (auctore fort. Nivardo magistro Gandavensi)	*E. Voigt, Ysengrimus. 1884 (olim: NIVARD. Ysengr.). –[J. Mann, Ysengrimus (Mittellat. Studien u. Texte XII). 1987]*

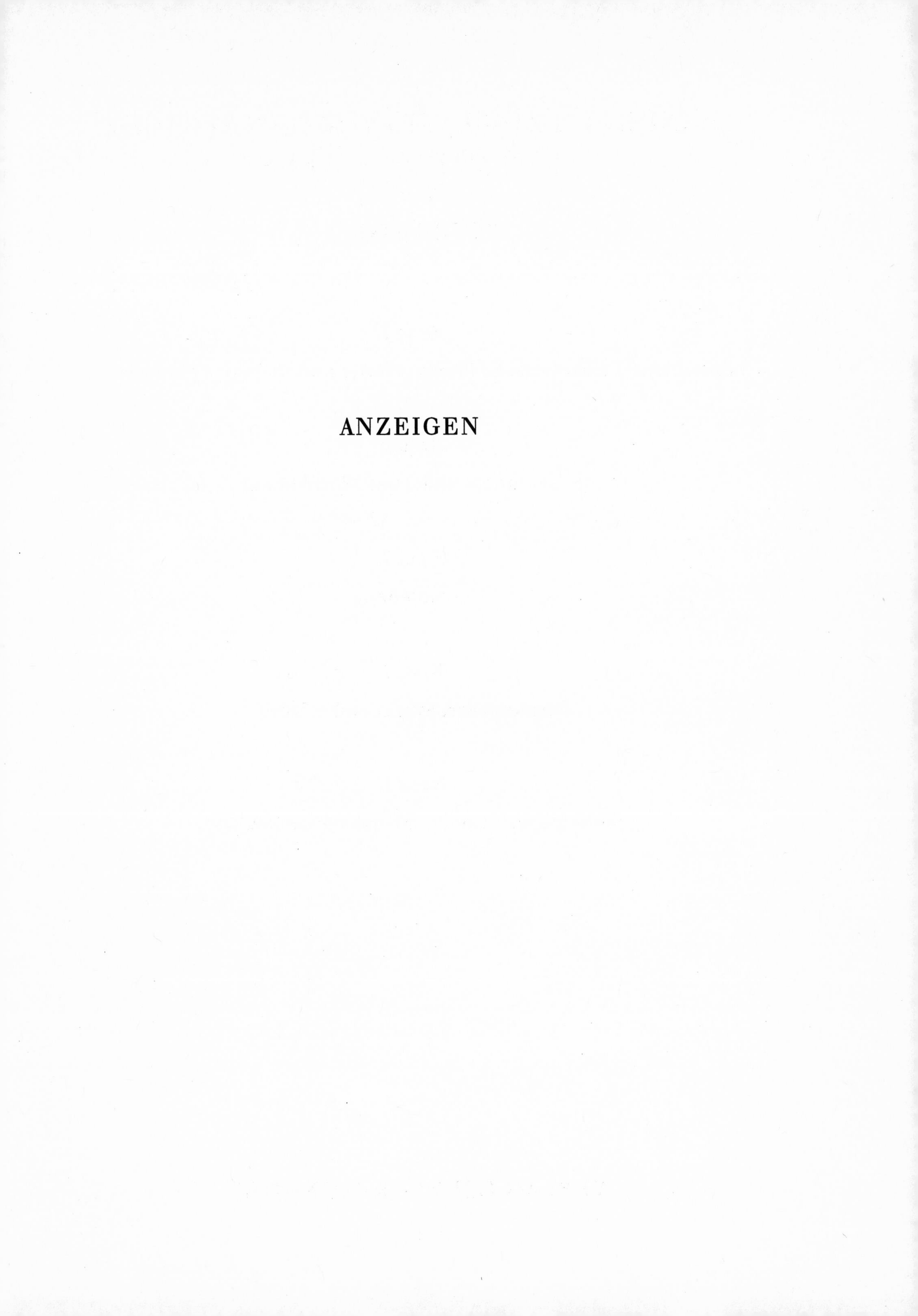

ANZEIGEN

HANDBUCH ZUR LATEINISCHEN SPRACHE DES MITTELALTERS

PETER STOTZ

Band 1

Einleitung · Lexikologische Praxis · Wörter und Sachen · Lehnwortgut

Band 2

Bedeutungswandel und Wortbildung

Band 3

Lautlehre

Band 4

Formenlehre, Syntax und Stilistik

Band 5

Bibliographie, Quellenübersicht und Register

VERLAG C.H. BECK MÜNCHEN

ISBN 3 406 41293 9